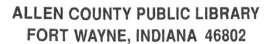

Jill Marie Landis

# COME SPRING

# Джил Мэри Ландис

# ПРИДИ, ВЕСНА

Москва
«ОЛМА-ПРЕСС»
1998

## Come Spring

**Ландис Дж.**

Л 22     Приди, весна: Роман / Пер. с англ. Н. Зворыкиной. — М.: ОЛМА-ПРЕСС, 1998. — 495 с. — (Романс).

ISBN 5-87322-706-3

Попав в плен к охотнику Баку, синеглазая Анника и в мыслях не имеет супружества. Но жизнь в экзотической обстановке — в затерянной в лесах хижине — постепенно сближает молодых людей, пробуждает в их сердцах пламя страсти.

ISBN 5-87322-706-3

# ГЛАВА 1

*Воскресенье, 1 декабря 1891 года*

Д ень выдался как нельзя более подходящий для бракосочетания.

Всего двумя днями раньше на Бостон налетел ураганный ветер с Атлантики, крепко вцепился в город и принялся безостановочно хлестать его своими ледяными ладонями. Но сегодня с утра температура неуклонно повышалась, золотые лучи солнца освещали заснеженные улицы, наводили блеск на черные лакированные экипажи, выстроившиеся в ряд перед домом Стормов на Бикон-стрит. Запряженные в экипажи лошади помахивали хвостами и нетерпеливо переступали с ноги на ногу, глядя в пространство в ожидании того момента, когда им придется везти своих хозяев домой.

В течение двух десятилетий с этим большим домом была связана жизнь семьи Стормов. Такой же осанистый и прочный, как и все другие дома в районе Бэк-Бэй, он своим внешним видом свидетельствовал о прекрасно налаженной жизни своих обитателей. Внутри это величественное сооружение из камня и кирпича было отделано гладкими как шелк панелями из ясеня и ореха; камины, зеркала, книжные шкафы были украшены картушами, завитками, резными консолями, потолку придавали нарядный вид лепные карнизы и медальоны.

В комнате на втором этаже этого внушительного

особняка стояла у окна в нише девушка с волосами цвета меда, уложенными в высокую, на манер греческой, прическу, с синими, как дельфтский фаянс, глазами и созерцала экипажи внизу. На девушке было белое платье, созданное специально для нее Жаном-Филиппом Уортом, в котором она выглядела в высшей степени очаровательно и невинно. Флердоранж был прикреплен к ее фате, удерживая ее в нужном положении, и букетик тех же цветов был искусно закреплен на плече. Рукава платья, пышные сверху, ниже локтя облегали руку. Лиф платья сужался у пояса, создавая, как того требовала мода, впечатление осиной талии. Из-под юбки, доходившей почти до полу, лишь слегка виднелись белые шелковые чулки. Атласные банты украшали открытые туфельки, гармонирующие с белыми лайковыми перчатками.

Не спеша, словно в запасе у нее была целая вечность, Анника Марика Сторм отвела в сторону тюлевую занавеску и стала смотреть, как падают вниз прозрачные капли воды, образующиеся на концах свисавших с карнизов сосулек. Звук, производимый их равномерным падением, напоминал тиканье часов, отсчитывающих минуты. Спустя какое-то время Анника отвернулась от окна, и занавеска с тихим шелестом упала на место.

О предстоящем бракосочетании говорил весь Бэк-Бэй. Жених — красивый, богатый и по-настоящему любящий Аннику, происходил из хорошей семьи. Родители Анники одобряли этот брак. Сейчас собравшиеся в комнате для приемов на первом этаже члены семьи и друзья ожидали начала церемонии. В столовой все было готово к праздничному обеду, который должен был состояться после бракосочетания. В центре стола красовался украшенный цветами торт в три фута высотой. В библиотеке отца были выставлены всевозможные подарки — туалетные наборы, свадебные чаши, серебро, хрусталь, фарфор. Не была забыта ни одна мелочь.

Все было в полном порядке.

Все, за исключением одной вещи: Анника Сторм не была уверена, что ей хочется выходить замуж.

Эта неуверенность пришла к ней не вдруг. По сути дела сомнения одолевали ее уже в течение месяца, но каждый раз, когда она преисполнялась решимости обсудить все с Ричардом, он говорил или делал что-то настолько приятное, что вся ее решимость исчезала без следа и она могла лишь с удивлением спрашивать себя, отчего у нее вообще возникли какие-то сомнения.

Анника оглядела свою комнату с чувством, будто видит ее впервые. Комната, в которой по какой-то необъяснимой причине всегда царил беспорядок, сейчас была чисто прибрана. Одежда в количестве, явно превышающем необходимое — отороченные мехом костюмы, шелковые дневные платья, вечерние туалеты из тончайших изысканных тканей, нижние юбки из блестящего шелка, атласа, парчи, которым полагалось таинственно шуршать, шляпы, подобранные специально для каждого туалета, — была уложена в многочисленные чемоданы, сумки, саквояжи, шляпные коробки, которые Анника собиралась взять с собой в свадебное путешествие в Европу. Ни одной вещи не валялось теперь на кровати, не висело на ширме и не вываливалось из комода. Оглядывая комнату, Анника вдруг сообразила, что впервые за последние несколько лет видит обивку из набивного ситца стоявшего в углу кресла.

— Анника? — услышала она нежный голос матери и вслед за тем легкий стук в дверь.

Анника быстро взглянула на свое отражение в замысловато украшенном зеркале над камином и прикусила нижнюю губу. Они с матерью были очень близки. Аналиса, была уверена Анника, с одного взгляда поймет, что с дочерью что-то не в порядке. Ее мать с отцом безоговорочно одобряли брак с Ричардом и, казалось, испытывали облегчение, оттого что очень скоро их дочь устроит свою жизнь с обожающим мужем, способным обеспечить ей тот уровень жизни, к которому она привыкла с детства. Родители и старший сводный брат Анники Кейс всегда тряслись над ней, ограждая от внешнего мира до такой степени, что сейчас Анника задавалась вопросом, выходит ли она замуж за Ричарда по любви или просто потому, что статус замужней женщины позволит ей обрести самостоятельность, которой у нее никогда не было.

— Что, мама? — отозвалась она через дверь, пощипывая щеки, чтобы вернуть на лицо румянец.

— Чудесный сюрприз, — ответила мать, говоря с привычным сильным акцентом. — Тетя Рут вернулась из своей поездки, и как раз вовремя.

Тревожное выражение на лице Анники сменилось довольной улыбкой, и она открыла дверь. Как только мать вошла, девушка, обняв, закружила ее по комнате.

— Ох, мама, я так рада, что она здесь. Праздник был бы неполным без тети Рут.

Но дело не только в этом, подумала про себя Анника, испытывая от услышанной новости куда большее облегчение, чем могла подозревать ее мать. Тетя Рут Сторм была единственным человеком, способным развеять гнетущие сомнения Анники относительно ее брака с Ричардом.

— Где она?

— Одевается, — Аналиса с улыбкой покачала головой. — Как только она приехала, я сказала ей про платье, которое ты для нее выбрала. Очень хорошо, по-моему, что оно готово, поскольку Рут прибыла в костюме, не слишком подходящем для торжества, — закончила она, закатив глаза к потолку.

Анника засмеялась.

— Ты же знаешь тетю Рут, мама. В вопросах моды она руководствуется собственным вкусом.

— Да, так оно и есть. В настоящий момент ее симпатии отданы брюкам. — Отступив на шаг, Анналиса оглядела дочь, покачала головой, и глаза ее наполнились слезами. — Как ты прекрасна, — сказала она и, притянув Аннику к себе, обняла ее. С минуту они постояли в молчании, потом Анналиса отстранилась и, улыбнувшись, смахнула слезы. — Не годится сегодня плакать. Сегодня радостный для тебя день, которого я давно ждала.

У Анники засосало под ложечкой.

— Мама, я...

— Ты никогда не поймешь, как много для меня значит видеть тебя счастливой. Знать, что ты в безопасности.

— В безопасности, мама?

Мать, нахмурившись, покачала головой.

— Возможно, я выбрала неверное слово.

— Надежно устроена? — подсказала Анника.

Прожив в Америке двадцать четыре года, ее мать все еще испытывала определенные трудности с языком.

Анналиса, подумав, согласилась.

— Да, надежно устроена.

Быстрый стук в дверь отвлек их, прежде чем Анника успела заговорить о Ричарде Текстоне и своих сомнениях относительно замужества. Дверь приоткрылась, и в комнату заглянула Рут Сторм.

— Где там моя маленькая девочка?

Анника пересекла комнату и обняла вошедшую тетю. Вообще-то Рут была мачехой ее отца, но она всегда считалась неотъемлемой частью семьи. Достигшая почти семидесяти лет, но оставшаяся весьма легкомысленной Рут была астрологом-любителем и ничего не предпринимала, не проконсультировавшись предварительно со звездами. Когда женщины прервали свое краткое, но очень теплое объятие, Рут положила на письменный стол Анники стопку листов.

Глубоко вздохнув, Анника повернулась к Аналисе.

— Мама, ты не возражаешь, если я поговорю с тетей Рут наедине?

— Конечно нет, — улыбнулась Аналиса. — Я и так слишком надолго оставила твоего отца одного с гостями. Добро пожаловать домой, Рут. — Она пожала руку своей пожилой родственнице и вышла из комнаты.

С бьющимся быстрее обычного сердцем Анника посмотрела на тетю и улыбнулась. Обычно Рут выбирала себе весьма экзотические туалеты, под стать своему хобби, но для сегодняшнего торжества Анника с матерью подобрали ей модное платье. Вместо ее привычного, похожего на цыганский наряд, который ей совсем не шел, на Рут было ярко-голубое с красным отливом платье, шелковый лиф которого украшало пышное кружевное жабо. Анника — такая же высокая, как мать, — возвышалась над миниатюрной седовласой теткой, чьи карие глаза обычно искрились озорством. Но сегодня она казалась слишком спокойной и задумчивой.

— Я боялась, что не успею приехать вовремя и не смогу рассказать тебе, — начала она, прежде чем Анника успела заговорить о своих сомнениях.

— Что рассказать?

— Возможно, это преждевременно. Объясни мне, о чем ты хотела поговорить со мной.

— Ну... — Анника глубоко вздохнула и выпалила: — Я не уверена, что хочу выйти замуж за Ричарда. Посмотри на меня, — она повела рукой сверху вниз, указывая на свое роскошное свадебное платье. — И мама с папой внизу развлекают многочис-

ленных гостей, и Ричард и его семья ждут, а я все еще
здесь, спорю сама с собой. Церемония должна начать-
ся через десять минут, и я тянула время, молясь про
себя, чтобы ты успела до ее начала. Видишь ли, все
убеждены, что я поступаю правильно.

— Все, кроме тебя.

— Я чувствую, что должно быть что-то еще кроме
этого, тетя, и ничего не могу поделать с этим чувством.
Я хочу побыть какое-то время свободной, прежде чем
выходить замуж. Я только что получила свою степень,
так что образование мое завершено. Теперь я хочу
посмотреть мир, так чтобы ни мама, ни папа, ни Ричард
не говорили мне, куда идти и что делать. Но они так
приятно взволнованы, так счастливы оттого, что я выхожу замуж... — Анника подошла к окну, потом вернулась на прежнее место. — Вот уже несколько недель
я пытаюсь побороть это чувство, я даже убедила себя
в том, что, если сейчас я недостаточно люблю Ричарда,
любовь придет со временем. Но я всегда доверяла
твоим суждениям, тетя Рут, и тем предсказаниям, что
ты делала, изучая звезды. Я хочу знать, что ты об этом
думаешь. Ты получила мое последнее письмо, в котором я сообщала тебе дату рождения Ричарда?

Рут взяла руки девушки в свои и повела к кровати.
Анника, подобрав шлейф платья, чтобы не наступить
на него, пошла за ней. Обе устроились на кровати.

— Хорошо, что ты это сделала, — сказал Рут,
внимательно всматриваясь в лицо Анники. — Призна-
юсь, я была удивлена, получив приглашение на
свадьбу. Ты же всего полгода знакома с Ричардом.

— Он умеет убеждать. И мама с папой очень
довольны, что я выхожу замуж. Они, по-моему, ждали этого с того самого момента, как познакомились
с Ричардом.

— Не они же выходят замуж, Анника, — напомнила ей Рут.

— Я знаю,— Анника положила руки на колени и стиснула их,— но они всегда заботились обо мне, поддерживали и оберегали меня, и я убедила себя, что и в этом случае они правы.

Рут нахмурилась. Она часто выражала несогласие с тем, что Калеб с Аналисой слишком уж опекают единственную дочь. Подавлением личности называла она подобное отношение к дочери. Анника не раз слышала споры между ними по этому поводу.

— Но, судя по твоим словам, полностью убедить себя в том, что замужество — это именно то, что тебе нужно, ты не смогла,— подвела итог Рут.

— Нет, не смогла,— признала Анника.

Рут провела рукой по лбу в безуспешной попытке найти очки, похлопала по бедрам, нащупывая глубокие карманы, которые по ее просьбе делал портной на всех ее вещах, но, естественно не обнаружила их на своем нарядном платье. Наконец она сунула руку за вырез платья, извлекла оттуда очки с толстыми стеклами и надела их.

— Почему ты не уверена?

— Может, это глупо...— Анника пыталась побороть смущение.

— Нет, если тебе так не кажется. Ну, милая, ты же разговариваешь со своей тетей Рут. Разве я когда-нибудь говорила тебе, что твои мысли глупые?

Анника покачала головой и выпалила:

— Просто я думаю, что должно быть больше огня, когда он прикасается ко мне, я должна ощущать какую-то глубинную потребность, страсть.

Обе подпрыгнули, услышав стук в дверь.

— Кто там? — спросила Рут.

— Это Сьюсан,— раздался в ответ голос служанки Стормов.— Ваша мать, мисс Анника, просила вам передать, что пора спуститься к ним в библиотеку, и ваш отец отведет вас в комнату для приемов.

— Скажи им, что она еще не готова,— ответила Рут. Подойдя к двери, она приложила к ней ухо и слушала до тех пор, пока шаги не затихли вдали. Потом серьезно, без своей обычной улыбки посмотрела прямо в лицо Анники. — Недавно звезды поведали мне, что тебе грозит какая-то неприятность, Анника. Я не смогла определить, какая именно, но это каким-то образом связано с любовью. Где бы в Европе я ни была, твои письма доходили до меня, но всегда с опозданием в несколько недель. Сначала я узнала о твоей помолвке, потом о предстоящей свадьбе. Я хотела порадоваться за тебя. Я ждала, не прояснится ли предсказание, но этого не произошло. При пересечении Сатурном, великим учителем, орбиты твоего знака возникает какая-то неясная тень. Но в конце концов,— она отвернулась, словно собираясь с силами, чтобы сообщить Аннике дурную весть,— когда я получила твое письмо, в котором ты написала мне дату рождения Ричарда, я знала наверняка.

— Знала наверняка что?

— Что твое замужество с Ричардом Текстоном будет ошибкой, по крайней мере в данный момент.

Анника стукнула кулаком по ладони.

— Я знала, что дело не только в нервах. — Впервые за последние несколько дней Анника почувствовала облегчение, хотя ее мать с отцом, не говоря уж о Ричарде Текстоне, эти слова скорее всего огорчили бы и смутили. Она повернулась к Рут, собираясь получить ответ еще на один вопрос, который не давал ей покоя. — Если ты знала это, тетя, почему ты допустила, чтобы дело зашло так далеко?

— Как я уже говорила, твои письма приходили с опозданием. Последнее я получила в Лондоне и сразу же собралась и отправилась к вам. Сначала я хотела только послать тебе телеграмму, но... — Рут пожала плечами, вид у нее был сконфуженный. — Я не всегда бываю права. Я хотела посмотреть, как обстоят дела у тебя с Ричардом. Я надеялась, что все, возможно, уладилось само собой. Ты и представить не можешь, что я почувствовала, увидев в доме всех этих гостей, пришедших на свадьбу.

— Если бы я ничего не сказала тебе, ты бы не стала возражать против этого брака?

— Если бы ты сама не заговорила о своих сомнениях, я в данных обстоятельствах не стала бы препятствовать бракосочетанию. Я не вмешиваюсь в дела других людей, Анника, я просто трактую то, что говорят звезды, но я не люблю влиять на ход событий.

Внезапно в дверь снова постучали, на этот раз более решительно. Обе сразу повернулись к двери, из-за которой раздался голос Аналисы.

— Анемек, — она назвала дочь так, как было принято только среди членов семьи, — в чем дело? Все ждут тебя внизу. Ты что, заболела?

Анника покачала головой.

— Нет, мама, я не заболела. Просто мне нужно было поговорить с тетей Рут.

Аналиса вошла в комнату, внимательно посмотрела на обеих женщин и нахмурилась. На гладком лбу появились морщины.

— Что с тобой, Анника? Ты боишься того, что предстоит тебе сегодня? Боишься Ричарда? — В голосе Аналисы звучали такая забота и обеспокоенность, что Анника не выдержала. Обняв мать за плечи, она взглянула на Рут, потом перевела взгляд на Аналису.

— Нет, мама, я не боюсь. Дело в том, что... я еще так мало знаю о жизни. Столько есть мест, которые я хотела бы повидать, прежде чем выйти замуж, столько вещей, которые я хотела бы сделать. Мне двадцать, мама, а о жизни я знаю только то, чему научили меня ты и отец. — Анника удивилась, увидев, что в глазах матери мелькнул страх.

— Что такое ты бы хотела сделать, чего нельзя сделать с Ричардом? — спросила она.

— Я совсем не то имела в виду, — запротестовала Анника, но ей стало ясно, что мать ее не поймет.

— Ты получила образование, — напомнила ей мать. — Если ты все еще хочешь стать учительницей, Ричард не будет возражать.

Аннике была неприятна сама мысль о том, что ей вообще *надо беспокоиться, не вызовут ли ее планы возражений у какого бы то ни было мужчины.*

— Знаю, но дело не в этом.

Она собрала все свое мужество для предстоящего разговора и со вздохом проговорила, указывая на мягкое кресло около окна:

— Сядь, мама. — А сама, подобрав шлейф, подошла к кровати и села там.

— Пожалуй, не буду вам мешать. — Рут на цыпочках пошла к двери.

— Пожалуйста, останься, тетя Рут, — попросила Анника, затем снова посмотрела на Аналису.

Ее голландка-мать всегда являла собой образец изящества и хороших манер, даже когда помогала поварихе на кухне и нос у нее оказывался вымазанным в муке, а волосы выбивались из аккуратного пучка на макушке. Сегодняшний день не был исключением. Голубое из шелковой тафты платье Аналисы было, как и платье ее дочери, подлинным творением Уорта. Ее золотистые волосы — более светлого оттенка, чем у дочери — были уложены в модную прическу. Глаза у обеих были насыщенного голубого цвета. Анника унаследовала от матери внешность и фигуру, а от отца, Калеба, в чьих жилах текла кровь индейцев сиу, — темно-золотистую, цвета меда, кожу, которая в сочетании со светлыми глазами и волосами придавала красоте девушки некоторую экзотичность.

Анника, нервно теребившая перчатки, сняла их и отложила в сторону.

— Мама, ты ведь до сих пор страстно влюблена в отца, правда? — Это было скорее утверждение, чем вопрос.

На секунду Аналиса растерялась, растерянность явственно отразилась на ее лице. Щеки ее запылали.

— Страстно? Почему ты говоришь о таких вещах, Анника?

И снова Анника вздохнула и помолчала, прежде чем ответить, словно в запасе у нее было много времени и внизу не ждали многочисленные гости и жених.

— Для меня это важно. Я вижу, что и сейчас вы с папой любите друг друга так же пылко, как и тогда, когда вы только что познакомились.

— Ну, нас свела вместе не страсть, а корь.

Анника засмеялась.

— Ты все воспринимаешь буквально. По-моему, история твоего с папой знакомства самая романтическая из всех, что я слышала.

Аналиса улыбнулась какой-то отрешенной улыбкой, как будто мысленно она вернулась на двадцать лет назад.

— Ты всегда любила эту историю.

— И до сих пор люблю, — вставила Анника. — Папа въехал во двор твоего дома на большом черном коне...

— Черном как ночь. Его звали Скорпион.

— Затем папа подошел к двери, — подсказала Анника.

— Я ужасно испугалась, — продолжила Аналиса, — сняла со стены ружье и прицелилась в грудь незнакомцу.

— Слава Богу, что ты не выстрелила в него из ружья своего прадеда.

— Только потому, что он упал, прежде чем я успела это сделать,— засмеялась Аналиса.

— Тогда ты втащила его в дом...

Аналиса кивнула.

— Да. И поняла, что у него корь. Многие болели корью в ту зиму, но не так тяжело, как индейцы в резервациях на севере. Твой отец мог умереть.

— Но ты выходила его, и он женился на тебе и усыновил Кейса, а потом родилась я, и с тех пор вы жили счастливо.

Аналиса мечтательно улыбнулась и поправила букетик цветов на плече у дочери.

— Такого же счастья я желаю и тебе, Анника, но для этого ты должна поскорее сойти вниз. Папа пытается развлечь гостей, но долго он не продержится. И бедный Ричард очень волнуется. Ты спустишься?

Анника покачала головой.

— Нет, мама. Не теперь, когда я поговорила с тетей Рут и она рассказала мне, что говорят звезды.

Впервые за все время на лице матери отразилось настоящее беспокойство.

— Звезды?

— Да.

— Анника, твою судьбу определяет Господь, а не звезды.

Рут откашлялась, наклонилась над кроватью и быстро разложила принесенные с собой листки вокруг Анники, которая принялась с любопытством вглядываться в них, хотя начертанные на них знаки были ей непонятны.

— Так, где же мои очки? — Рут похлопала себя по груди.

— Они на тебе, тетя,— мягко напомнила ей Анника.

— Ах да.— Рут взяла один листок и помахала им у Анники перед носом.— *Вот о чем* я говорила раньше. Положение звезд показывает, что этот брак не будет удачным. Планета Юпитер восходит, а Плутон... впрочем не буду говорить о Плутоне, ты все равно ничего в этом не понимаешь. И еще Сатурн... Одним словом, выйдя замуж сегодня, ты совершишь самую большую ошибку в своей жизни.

— Минутку, Рут.— Аналиса встала, даже не попытавшись разобраться в звездных знаках, начертанных на листочках.

— Она просила моего совета, Анха,— сказала Рут.

— Это правда, мама. Я сказала тете Рут о том, что не хочу выходить замуж за Ричарда раньше, чем она поведает мне о том, что положение звезд не благоприятствует бракосочетанию.

— Не хочешь выходить за него замуж? Но, Анника...

Их спор был прерван стуком в дверь. Вслед за этим дверь распахнулась, и Калеб Сторм, просунув внутрь голову и плечи, спросил:

— Что происходит? Будет сегодня свадьба или нет?

— Входи, папа.— Анника слегка улыбнулась. Сколько она себя помнила, отец всегда относился к ней как к принцессе, все ее желания всегда выполнялись. Она знала, что ей нечего бояться отца, что бы она ни решила. Сожалела она только о том, что ввела его в расходы на свадьбу, которая не состоится.

— Итак, что происходит? — Калеб засунул руки в карманы.

Каждый раз, глядя на него, Анника преисполнялась гордостью. Отец был образованным человеком, адвокатом, а одно время — тайным агентом Бюро по делам индейцев. Кроме того он имел связи в Вашингтоне, где постоянно выступал, отстаивая права индейцев. Взглянув сейчас на отца, она улыбнулась. Калебу было пятьдесят, но выглядел он лет на десять моложе. Высокий представительный мужчина с вьющимися угольно-черными волосами, слегка тронутыми сединой, и необыкновенными голубыми глазами. Кожа у него, как и у ее брата Кейса, была цвета корицы. Во фраке и белой нарядной рубашке, украшенной сборками, Калеб выглядел потрясающе. Бутоньерка из флердоранжа, такого же, как в букетике на плече у дочери, украшала лацкан его фрака.

— Папа, как бы ты отнесся к тому, что я не хочу выходить замуж за Ричарда?

Калеб обменялся быстрым взглядом с Аналисой и спросил:

— А что говорит мама?

— Пока ничего. Я только что приняла окончательное решение.

Аналиса, чье лицо побледнело от волнения, озадаченно улыбнулась мужу.

— Она спрашивает, испытываем ли мы страсть друг к другу.

Калеб смущенно покраснел и, подавив улыбку, откашлялся.

— Можешь даже не отвечать, папа. Я сама это вижу, когда ты смотришь на маму или она смотрит на тебя. — Анника встала и принялась расхаживать по комнате, что при наличии шестифутового шлейфа было не так-то легко.

— Но почему вдруг страсть приобрела такое значение? — спросила Аналиса.

Забыв про шлейф, Анника повернулась и чуть не упала, но быстро восстановила равновесие.

— Неужели ты не понимаешь?

— Нет. — Аналиса покачала головой.

— И я тоже совсем не понимаю, — поддержал ее отец.

— Ты бы лучше объяснила все, дорогая, — посоветовала Рут и, взяв шлейф ее платья, начала ходить за Анникой по комнате.

Девушка попыталась выразить словами то, что чувствовала.

— Я хочу испытывать такую же страсть к мужчине, за которого выхожу замуж, какую испытываете вы друг к другу, а этого нет.

— Я думал, ты любишь его, — сказал Калеб.

— Люблю. Но это чувство сродни тому, что я испытываю к Кейсу, к тебе с мамой, к тете Рут. Ричард мне скорее как брат или хороший друг. Я не трепещу, когда вижу его, и меня не обжигает словно огнем, когда он целует меня, и сердцу не хочется выскочить из груди, когда он входит в комнату. В конце концов мы знакомы всего шесть месяцев.

— Он целует тебя? — хотела знать Аналиса.

— Анха, — мягко вставил Калеб, — конечно он целует ее.

— Но ничего больше, надеюсь. — Аналиса внимательно посмотрела на дочь.

— Конечно нет, мама, — заверила ее Анника. — С Ричардом чувствуешь себя так, будто надел старый удобный башмак.

— Скорее дорогую туфлю, — пробормотала Рут.

— Приезд тети Рут — это знак, папа. Я была не уверена, но она сказала, что и положение звезд не благоприятствует этому браку. Это объясняет мои сомнения и лишний раз убеждает меня в моей правоте.

Калеб молчал, не зная что сказать. Он посмотрел на жену, которая ждала от него мудрого совета, потом бросил взгляд на Рут, этого неисправимого романтика. Рут внимательно наблюдала за Анникой, согласно кивая при каждом ее слове. Наконец он повернулся к дочери.

— Значит, ты хочешь отменить свадьбу?

— Да. — Теперь, когда она нашла в себе силы

прямо сказать обо всем, Анника испытывала невероятное облегчение. — По крайней мере в данный момент. Я бы хотела поехать в Вайоминг в гости к Кейсу с Розой. Одна, — быстро добавила она, заметив, что мать собирается что-то сказать. — Я никуда не ездила одна. Посмотрите на тетю Рут. Она путешествует одна по всему свету.

— Но, Анника... — мать выглядела по-настоящему испуганной, но Анника не придала этому значения, поглощенная тем, как бы убедить их в правильности своего решения.

— Роза пригласила меня, когда приезжала к нам на Рождество. Возможно, если я какое-то время проведу вдали от Ричарда, я обнаружу, что мне его страшно не хватает, что я умираю от желания увидеть его поскорее. Может, через несколько месяцев я места себе не буду находить, думая лишь о том, как бы поскорее выйти за него замуж.

— Может, тогда ты ощутишь эту страсть, которой нет в тебе сейчас, — с надеждой добавила Рут. — Через шесть месяцев положение звезд изменится и будет благоприятствовать любви и браку, но до тех пор звезды предсказывают лишь испытания и беды.

Аннику встревожила реакция Аналисы. Мать, белая как полотно, не произнесла ни слова.

— Мама? Что ты скажешь?

Аналиса сглотнула, словно стараясь обрести голос, и тихо ответила:

— Это твое решение. Конечно, ты не должна выходить замуж, раз ты не готова к этому, но я думаю, Анника, что ты действуешь не совсем разумно. — Она в отчаянии посмотрела на Рут. — Ты же ничего не знаешь о жизни. Ты никогда не выезжала за пределы Бостона. Ты избалована, мы всегда ограждали тебя от любых трудностей.

— Тогда, может, сейчас и пришло время набраться

жизненного опыта. Господи, мама, сейчас не средневековье, на пороге двадцатый век. Я хочу посмотреть мир, прийти к определенным выводам, прежде чем стать чьей-то женой.

— Тебя же не в рабство продают,— возразил Калеб.— Любая женщина гордилась бы тем, что выходит замуж за такого мужчину, как Ричард Текстон. Он из прекрасной семьи...

— Папа...

Калеб поднял руку.

— Конечно, решение за тобой.— Повернувшись к жене, он взял ее за руку. Их любовь и в самом деле не угасла с годами. Не выраженная словами, она была почти физически ощутима, когда они улыбнулись друг другу.— Пойдем вниз, Анха, пора начинать вечер. К чему пропадать продуктам и шампанскому.— Калеб повернулся к застывшим в ожидании Аннике и Рут.— Я извинюсь перед гостями, Анника, но сказать об этом Ричарду тебе придется самой.

У Анники словно гора с плеч свалилась. Она подбежала к родителям и по очереди обняла их. Впервые за много дней у нее было легко на душе. Высоко подняв голову, она решительно проговорила:

— Пришли сюда Ричарда, папа. Я скажу ему, что свадьба отменяется.

# ГЛАВА 2

## *Февраль 1892 года. Скалистые горы*

**Я**ркая полная луна висела над горными вершинами, отбрасывавшими тени на долины и ущелья. Покрытые снегом открытые склоны гор серебрились в голубоватом свете. Ночь была морозной и безветренной. Леса, росшие у подножия гор и окаймлявшие долины, застыли в молчании. Лунный свет освещал плывущие высоко в ночном небе облака, похожие на бесприютные призраки.

В одной из таких долин, приютившись среди широкохвойных сосен и сбросивших листву осин, стояла рядом с журчащим потоком старая хижина. Ее выщербленные непогодой стены выглядели такими же древними, как и окружавшие ее горы. Золотистый свет лампы лился из маленьких неправильной формы окошек, расположенных по обе стороны от двери, над которой висели огромные рога лося. К стенам хижины были прикреплены шкуры различных животных: волчьи с длинным пушистым мехом, бобровые, канадского снежного барана. На снегу вокруг хижины валялись вывалившиеся из поленницы дрова, обломки звериных копыт и рогов, стоял чурбан для колки дров. За хижиной располагался маленький сарайчик с односкатной крышей. Он выглядел еще более ветхим, чем хижина, и, казалось, должен был вот-вот рухнуть. В снегу была протоптана тропинка, которая вела от двери хижины к краю близлежащего леса.

Внутри скудно обставленного жилища двое мужчин вели приглушенный разговор, сидя у огня, плясавшего, потрескивая, в каменном очаге, занимавшем почти целиком одну стену хижины. Один из мужчин был гостем. Он был стар. О его возрасте говорили спутанные седые волосы, густая борода и избороздившие круглое лицо глубокие морщины. Выцветшие голубые глаза, видевшие за жизнь столько, сколько обычному человеку не увидеть и за десять жизней, задумчиво уставились на пламя, лизавшее поленья в очаге. Он сидел на самодельном стуле с прямой спинкой, упершись локтями в неровный стол, отделявший его от хозяина. Одежда его, сделанная из выдубленной кожи и выношенной почти до прозрачности шерсти, была такой же грубой, как и его жизнь. Куртка была очень широкой в плечах, ибо старик был крупным мужчиной, на груди она была распахнута, оставляя открытым довольно объемистый живот. Старика звали Тед, вернее Старый Тед, а фамилию его все давно забыли. Подобно большинству горных жителей он путешествовал один. Его единственной спутницей была чихуахуа, которую он называл Мышкой и носил под курткой. Собачка была с ним с того дня, когда он выменял ее у одного мексиканца на мула, каковой обмен все при нем присутствовавшие единодушно признали весьма выгодным для мексиканца. Мышка, питавшая величайшую неприязнь ко всем, кроме своего хозяина, лежала на его груди, спрятавшись под бородой, и похрапывала.

Мужчина помоложе, Бак Скотт, смотрел не на огонь, а на Старого Теда. Бак ерзал на стуле, и взгляд его то и дело устремлялся к большой кровати, стоявшей в дальнем затененном углу единственной в хижине комнаты. Он сидел на стуле, откинувшись к стене и балансируя на двух ножках, барабанил пальцами по краю стола, хмурился, кусал губы, но отражавшееся на его лице беспокойство в тусклом свете пламени было едва заметно. Бак производил осмотр своего жилища, пытаясь взглянуть на него глазами чужого человека, или, говоря точнее, глазами женщины, которую он через несколько дней приведет в дом.

Первое слово, пришедшее ему в голову, когда он подумал о том, как описать своей невесте свое жилище, было бурое. Бурое и грязное. Деревянные стены, на которых кое-где виднелись пятна грязи, были голыми, за исключением участка над очагом, оклеенного газетами. Пол был грязно-коричневого цвета из-за толстого слоя грязи. Бак собирался сохранить мешки из-под зерна и, сшив их, сделать что-то вроде коврика на пол, но к тому времени, когда он это надумал, мешки уже были использованы для других целей. К боковой стене устало притулился мешок с картошкой. По бокам от мешка и прямо над ним висели полки.

У одной из стен, занимая ее почти целиком, стояла огромная кровать. Бак сделал ее для себя, рассудив, что большому мужчине нужна большая кровать. На ней будет удобно спать и ему, и женщине, даже если допустить, что сначала он ей не понравится.

Как только подобные мысли пришли ему в голову, Бак отвел глаза от кровати и посмотрел на Теда. Наблюдая, как тот отхлебнул виски, Бак понадеялся, что не ошибся, попросив Теда присмотреть за домом, пока он сам съездит в Шайенн и встретит поезд. Вернув стул в нормальное положение, Бак выпрямился и провел рукой по подбородку. Борода была колючей. Бак думал сбрить ее, но потом решил подождать, пока не попадет в Шайенн, где можно будет пойти к настоящему парикмахеру. Волосы тоже придется остричь — они были такими густыми и длинными, что Бак завязывал их сзади в хвостик.

Эти густые непокорные волосы Бак унаследовал от отца, который благодаря волосам выделялся среди всех других трапперов.

Даже сейчас, когда Бак натыкался на кого-нибудь из старых охотников на бизонов, его узнавали по высокому росту и густой гриве светлых волос.

Тед рыгнул.

— Отправишься на рассвете?

— Как только смогу разглядеть руку, поднятую к лицу.

— Долго над этим думал, а?

О предстоящей женитьбе Бак думал не переставая в течение нескольких недель. Если бы у него был выбор, он бы вообще не стал жениться, но выбора не было, поэтому, пожав плечами, он ответил:

— Ничего другого, по-моему, не остается. Все как-нибудь устроится.

— Выглядишь ты не так уверенно, как говоришь, но, надеюсь, это придет. Как, ты сказал, ее зовут? — Тед наклонился вперед и уперся щетинистым подбородком в ладонь.

— Алиса Соумс. — Бак попытался нарисовать в воображении портрет женщины, с которой он переписывался в течение шести месяцев, но не смог, хотя она и писала ему, что она светловолосая, худая и высокая — выше среднего роста. Он решил, что страх мешает работе воображения.

— Как ты ее нашел?

— Помнишь газету, которую ты привез в прошлом году, ту, что Джоунси купил в Бостоне?

— Нет.

— Ну, ты привозил. Во всяком случае я увидел в ней объявление и ответил на него. Леди из Бостона хотела перебраться на Запад и искала мужа. Все что ей было нужно — это отдельный дом и мужчина, который бы ее обеспечивал. Выбрала мое письмо.

— А ты видел ее фото? Слышал, что большинство мужчин, выбравших невесту по переписке, видели ее фото, — сказал Тед со знанием дела.

Бак покачал головой.

— Нет. Фотографии не было. Она написала, что она блондинка и что многие находят ее привлекательной.

Старый Тед скептически хмыкнул.

— Ну, сейчас все равно уже поздно что-либо менять.

— Думаю, да. Она прибудет в Шайенн послезавтра, двенадцатичасовым поездом. — Бак похлопал по карману рубашки, где лежало письмо Алисы, в котором она сообщала дату и время своего приезда. — У меня займет четыре дня съездить туда и обратно.

— В Шайенне не будешь задерживаться?

— Нет времени, — Бак еще раз оглядел комнату и снова посмотрел на Теда. — Мы поженимся, как только она сойдет с поезда, и сразу же отправимся в путь. Надеюсь, она не привезет с собой гору чемоданов.

— Я слышал, женщины редко едут куда-нибудь без этого. Чемоданы нужны им для всяких их финтифлюшек. — Тед глотнул еще виски и облизал губы. — Зима была мягкой, но что если пойдет снег и ты не сможешь вернуться в долину?

Бак сжал челюсти.

— Не пойдет.

— Сейчас ведь только февраль. Вполне может пойти.

— Проберусь как-нибудь. Вернусь через четыре дня.

— Таща женщину за собой? Почему ты не сказал ей подождать до весны? Зачем ей ехать сюда в разгар зимы?

— Потому что я послал ей деньги на проезд,

предоставив самой решать, когда ей лучше уехать из Бостона.

— Что ж, надеюсь ради твоей же пользы, что ты не будешь слишком часто позволять ей принимать решения,— заключил Тед.

Бак встал, не обратив внимания на последние слова Теда.

— Думаю, пора на боковую.

— Я буду спать на полу,— вызвался Тед.— Не буди меня, когда будешь уходить, просто подбрось дров в огонь. Думаю, я проснусь вскоре после твоего ухода.

— Да, наверняка.— Бак остановился посреди комнаты, глядя на Теда.— Ты уверен, что справишься?

— Не беспокойся ни о чем. Мышка и я управимся. Ты только не задерживайся. Ухаживать за ней можно и здесь. У меня кости болят, это к пурге. Я не уверен, что смогу продержаться, если тебя долго не будет.

Бак не хотел думать о том, что случится, если снежные заносы отрежут его от долины, и потому отвернулся от Теда, который принялся почесывать за ушами свою пародию на собаку. Он размышлял, каково будет снова иметь в доме женщину. Три года назад с ним жили две его сестры, и он был счастлив, потому что они занимались всеми хозяйственными делами. Потом Сисси, его младшая сестра, умерла от тифа, а состояние Пэтси, которая после смерти мужа была немного не в себе, ухудшилось настолько, что он уже не мог предвидеть ее поступков. Ему пришлось увезти ее и оставить под присмотром одной знакомой старухи-шотландки, жившей неподалеку от Шайенна.

Теперь, когда он сделал предложение Алисе Соумс, в его жизни снова появится женщина.

И все пойдет по-другому.

* * *

Анника Сторм прикоснулась к замерзшему стеклу в окне рядом с ее местом в вагоне поезда «Юнион Пасифик», направляющегося в Шайенн и дальше на запад, потом стала водить указательным пальцем по стеклу и водила до тех пор, пока не оттаяла маленькую дырочку, в которую можно было увидеть, что делается снаружи, но за окном была видна лишь покрытая снегом равнина. Бросив взгляд на этот скучный пейзаж, Анника вздохнула. Унылая картина оставалась неизменной на протяжении последних пятисот миль. Она перевела взгляд на открытую тетрадь, лежавшую у нее на коленях, и перелистала захватанные страницы. Сегодняшняя запись не будет ничем отличаться от предыдущих. *«Все еще едем на запад. Открытые равнины и снег вокруг».*

Прежде чем она успела достать ящик для письменных принадлежностей, вынуть ручку с чернилами и сделать запись (нелегкая задача, учитывая непрекращающееся покачивание вагона), поезд дернулся и остановился. Другие пассажиры зашевелились, выведенные из летаргического состояния, в которое ввергло их монотонное, усыпляющее движение поезда.

Анника отложила дневник на мягкое обитое плюшем сиденье (она ехала первым классом) и, положив руки на талию, выгнула спину и потянулась. Уезжая из Бостона, она и не представляла, что путешествие будет таким долгим и скучным. Поезд остановился под аккомпанемент драматического шипения пара и скрипа тормозов. Анника ухватилась за спинку сиденья впереди, затем потянулась за своей кокетливой шляпкой, лежавшей поверх саквояжа, в котором находились другие предметы первой необходимости: расческа, щетка, ночная рубашка, крючок для расстегивания пуговиц, чистая блузка, книга и коробка с коллекцией пуговиц, которой Анника очень дорожила. Шляпку Анника соорудила сама: взяв мужскую фетровую шляпу с низкой тульей и узкими полями, она украсила ее атласной бледно-голубой лентой. Того же цвета была и ее блузка, которую она носила в комплекте с шерстяной юбкой шоколадного цвета и прилегающим однобортным полудлинным жакетом.

Этот «горный», как она его называла, костюм хорошо послужил ей во время долгого путешествия, но сейчас она почувствовала, что он ей здорово надоел. Она дождаться не могла, когда же наконец они прибудут в Шайенн и она окажется в удобном доме своего брата, где сможет распаковать свои чемоданы и коробки и переодеться во что-нибудь другое.

Анника заколола на голове шляпу и, встав, набросила на плечи накидку. Она захватила ее не только ради тепла, но и чтобы прикрыть одежду от пыли и сажи — неизменных спутников путешествия на поезде.

Спустя несколько секунд в вагон вошел проводник — дородный лысеющий мужчина в жесткой черной фуражке — и быстро пошел по проходу. Поймав обеспокоенный взгляд Анники, он остановился и наклонился к ней. Громким голосом, так чтобы его могли слышать и другие пассажиры, едущие в этом дорогом вагоне, где сиденья на ночь превращались в верхние и нижние спальные полки, он объяснил причину внезапной остановки поезда в пустынной местности.

— Произошла авария, — сказал он как бы между прочим.

— Что? — переспросила Анника.

— Авария. Котел взорвался.

— Кто-нибудь пострадал?

— Все трое машинистов. Последствия были бы более тяжелыми, если бы на них не было надето плотной одежды. Придется послать кого-нибудь назад на станцию, чтобы в Шайенн телеграфировали с просьбой прислать новую паровозную бригаду. Если нам повезет, через несколько часов тронемся.

Он сдвинул пальцем фуражку на затылок.

— Помните случай, который произошел в 1875 году, когда поезд застрял в пути из-за снегопада? Шел из Канзаса в Денвер и простоял одиннадцать суток. Я слышал, что в конце пассажиры питались устрицами, которые везли этим поездом в Калифорнию. — Он выпрямился, посмотрел в хвост вагона и объявил: — Вы можете выйти, размять ноги. Только не отходите слишком далеко. Надеюсь, мы скоро отправимся.

Проводник поспешил дальше, чтобы сообщить об аварии пассажирам других вагонов. Мужчины и женщины — соседи Анники по вагону — начали потягиваться и переговариваться. Девушка вместе с самыми непоседливыми из них направилась к выходу.

Подойдя к металлическим ступенькам и схватившись за холодный поручень, она осознала, что забыла перчатки, но, не желая уходить со свежего воздуха, решила не возвращаться за ними, а погулять до тех пор, пока не замерзнут руки. Осторожно спустившись вниз, она остановилась на неровной земле рядом с рельсами и огляделась.

Местность была пустынной и бескрайней, какой и казалась из окна вагона. Местами снег растаял и темно-коричневые грязные проталины напоминали дыры на белоснежном покрывале земли. Кустики густой побуревшей бизоньей травы и валявшиеся кое-где камни несколько оживляли пейзаж. Воздух был морозным, от резких порывов ветра щипало лицо, но Анника сочла это приятным разнообразием после сухого удушающего жара, распространяемого паровозной печью.

Анника пошла прочь от людей, толпившихся у поезда. Взглянув на запад, она заметила, что местность в этом направлении постепенно еле заметно повышается. Ей пришло в голову, что раз поезд стоит к востоку от Шайенна, значит совсем рядом находится ранчо ее брата, расположенное на землях, примыкающих к хребту Ларами. Ближайшим к ранчо городком был Бастид-Хил, но, по иронии судьбы, брат решил встретить ее в Шайенне, потому что собирался заодно сделать кое-какие покупки. Так и получилось, что он ждал ее сейчас в Шайенне, хотя мог бы находиться всего в нескольких милях от места их остановки.

Подставив лицо солнцу, прогревавшему холодный воздух, который овевал ее кожу, Анника попыталась вспомнить тот период своего детства — с двух до семи лет, — когда ее семья жила на равнинах Дакоты. Они жили в резервации индейцев сиу в Пайн-Ридж. Анника помнила, что у них был маленький домик и что она завидовала Кейсу, которому разрешали ездить на лошади и стрелять из ружья, тогда как ее мать старалась не отпускать от себя ни на шаг. Она вроде бы помнила такое же бескрайнее небо, какое видела сейчас, и ветер, который, казалось, никогда не прекращался, но это было все.

Она потерла ладони друг о друга и подула на них, надеясь согреть замерзшие пальцы. Затем спрятала руки под мышки. Ей хотелось подольше побыть на свежем воздухе и ярком солнце. Услышав за спиной шаги, Анника пошла помедленнее, подумав, что, может, ей удастся завязать разговор с кем-то из пассажиров. Мимо нее прошла молодая пара. Они кивнули ей, но не остановились. Говорили они на языке, похожем на немецкий, но это был не голландский, которому научила ее мать. Анника смотрела, как они идут вдоль рельсов, взявшись за руки.

На секунду ее охватило чувство одиночества. Если

бы она не отменила свадьбу, сейчас они с Ричардом были бы женаты уже два месяца. Они бы вместе отпраздновали Рождество, и, возможно, вздрогнув, подумала Анника, она даже носила бы уже ребенка Ричарда. Чувство одиночества исчезло, когда она призналась себе, что не готова к материнству и всем связанным с ним ограничениям собственной свободы.

Ричард был потрясен, когда она разорвала помолвку, но проявил понимание и такт. Во время праздников и в течение всего января, пока она списывалась с Кейсом и Розой и готовилась к поездке в Вайоминг, он продолжал навещать ее. Он даже пришел вместе с Калебом, Аналисой и Рут на станцию проводить ее. Он согласился с тем, что ей действительно нужно посмотреть мир и обрести себя, и не стал ограничивать ее во времени. В тот последний день в Бостоне, когда они стояли на платформе и поезд должен был вот-вот отойти, он, взяв ее за руки, пообещал, что будет ждать ее возвращения через полгода. Она хотела вернуть ему кольцо, но он отказался взять его. Аннике пришлось оставить кольцо на хранение матери.

Ричард воспринял ее решение спокойно, без жалоб и упреков. Но он всегда, все то время, что ухаживал за ней, поступал правильно и разумно. Следуя строгим правилам поведения, принятым в обществе, он до обручения никогда не предлагал ей опереться на его руку и, пока она не согласилась выйти за него замуж, не дарил ей подарков. Прощаясь с ней вечером, он, как положено, никогда не задерживался у ее дверей дольше чем на пять минут, а в тех случаях, когда она приглашала его в дом, вежливо откланивался по прошествии получаса.

Не было ничего удивительного в том, что он согласился дать ей время, чтобы все обдумать, но сейчас, оглядываясь назад, она понимала, что бежала именно от этой его предсказуемости. Жизнь с Ричардом была бы спокойной и упорядоченной, правильной и гладкой. Именно эти качества ценили в нем ее родители, но это была совсем не та жизнь, какую хотела вести Анника.

Ветер поднял полы ее накидки, и Анника плотнее запахнула ее, но руки у нее совсем окоченели. Она споткнулась о камень и едва не подвернула ногу. Анника решила, что пора заканчивать короткую прогулку. Она последний раз глубоко вдохнула свежий воздух и повернулась, чтобы идти обратно. Ближе к поезду пассажиры стояли маленькими группками вдоль путей, разговаривали и рассматривали окрестности с видом Рип Ван Винкля, только что пробудившегося от многолетнего сна.

Подойдя к своему вагону, Анника хотела подняться в него, но была вынуждена посторониться и пропустить спускавшуюся вниз женщину. Женщина была так худа, что выглядела почти истощенной. У нее были длинные тусклые волосы непонятно какого цвета — не белокурые и не каштановые, а какие-то выцветшие, — голубые глаза и болезненно желтая кожа. Из-за тонких губ, крепко сжатых под длинным носом, она выглядела старше, чем была на самом деле. Анника поклонилась ей, но женщина, не ответив на поклон, прошла вперед. Пожав плечами, Анника поднялась в вагон и скоро забыла об этой встрече. Она снова села на свое место, не сняв накидки, поскольку из-за открытых с обеих сторон дверей в вагоне был сквозняк, и открыла дневник.


Бак Скотт тихо выругался. Было десять минут первого, а он только ехал по Капитал-авеню к станции «Юнион Пасифик» в Шайенне. Он перестал следить за временем, зайдя в обувной магазин «Майерс энд Фостер» на Шестнадцатой улице, и теперь боялся, что опоздает к прибытию поезда и не встретит Алису Соумс. Из-за боязни опоздать он даже не зашел в парикмахерскую подстричься и побриться. Слишком много времени он потратил, распивая сан-луисское пиво в Тивани-холле, потом еще зашел в ювелирный магазин, где купил простенькое золотое кольцо, и напоследок постоял перед витриной «Вайоминг Хардвэр Компани», рассматривая красиво сделанную печку «Аладдин» с вытяжкой и размышляя, как бы заиметь такую у себя в хижине.

Если бы не эти задержки, он был бы на станции задолго до полудня, потому что добрался до Шайенна в рекордно короткий срок — за полтора дня, хотя путешествие было не из легких — ведь он вел с собой запасную лошадь и двух вьючных мулов. Оставалось лишь надеяться, что обратное путешествие пройдет так же гладко, учитывая, что на этот раз с ним поедет неопытный ездок со своим багажом. Бак понукал лошадь, стараясь не задеть повозок и фургонов, едущих по многолюдным грязным улицам, и пытался избавиться от нервозности, охватившей его на подъезде к Шайенну. Какая она, эта Алиса Соумс? Как она отнесется к нему и жизни в Скалистых горах? Почему, черт побери, он вообще решил, что женитьба — единственный выход для него в сложившейся ситуации?

Он привык к одиночеству. Охота и трапперство поглощали все его время, а периодические поездки в город вполне удовлетворяли потребность в общении. Если ему бывала нужна женщина, чтобы скрасить одиночество, он покупал ее себе на одну ночь. До сих пор этого было достаточно. Однако обстоятельства сложились так, что он больше не мог никуда уйти, оставив хижину без присмотра, поэтому после долгих раздумий Бак решил действовать единственно возможным в его положении способом — он ответил на объявление в бостонской газете и нашел себе жену.

Платформа была запружена народом, и, хотя Бак был на голову выше всех остальных, к тому времени, когда он, привязав своих животных, смешался с толпой, он так и не обнаружил никого похожего на Алису Соумс. Он заметил только одну одинокую женщину, скромно сидевшую в сторонке. Ей было под семьдесят. Бак надеялся, что это не Алиса Соумс.

Бак снял шляпу и провел рукой по волосам. Он завязал их сзади полоской кожи, но волосы были такими волнистыми и густыми, что некоторые пряди все равно выбивались. Снова нахлобучив шляпу, он пробрался к билетной кассе.

Подождав, пока служащий обратит на него внимание, он спросил:

— Здесь не было дамы, которая спрашивала бы Бака Скотта? Она должна была приехать двенадцатичасовым поездом.

— Она не могла спрашивать, — лаконично ответил служащий, — потому что поезд задерживается.

Бак оглядел толпившихся на платформе людей — одни ждали посадки на поезд, другие были встречающими — и задал следующий вопрос:

— На сколько он задерживается?

— Не знаю. Когда что-нибудь станет известно, я сделаю объявление, — он показал на пару, ожидавшую своей очереди.

Сунув руки в карманы, Бак протиснулся поближе к краю платформы и посмотрел вниз на рельсы, пожелав про себя, чтобы появился поезд, но поезд не появился. Тогда он взглянул на небо. Как обычно, с северо-запада дул ветер, и Бак вспомнил предсказание Теда о приближении бурана. Переступая с ноги на ногу, он опять сконцентрировал мысли на поезде. Черт, подумал Бак, он еще даже не зарегистрировал свой брак, а все уже идет не так, как надо.

Он еще раз оглядел стоявших вокруг людей, неуютно чувствуя себя в толпе. Бак никогда не любил находиться в окружении толкающихся людей, слишком уж они напоминали ему стадо. Он много раз видел, как животные погибали просто потому, что подчинялись вожаку. Следуя за вожаком, бизоны готовы были прыгнуть вниз с обрыва. Бак любил делать все по-своему. Одинокая жизнь была ему по душе. Но теперь этому предстояло измениться.

Оглянувшись через плечо, Бак не мог не заметить еще одного очень высокого мужчину. Мужчина был хорошо одет. Так обычно одевались владельцы ранчо — отделанная овчиной кожаная куртка, черные шерстяные брюки и новая шляпа, украшенная вместо ленты серебряной тесьмой. Особое внимание Бака привлекли сапоги мужчины — черные, начищенные до зеркального блеска и чистые, насколько это вообще было возможно на грязных улицах. Как и у Бака, у него были длинные, до плеч, волосы, завязанные сзади. Ростом он был выше шести футов и трех дюймов. И он был полукровка — наполовину сиу, догадался Бак, наполовину белый.

Мужчина в ответ уставился на Бака тяжелым холодным взглядом голубых глаз.

Бак отвернулся. Он видел такой взгляд и раньше. Похоже, даже полукровки считали себя лучше охотников на бизонов.

Новый порыв ветра, холодного и пронизывающего, отвлек Бака от его мрачных мыслей. Небо по-прежнему было чистым и голубым, но теперь Бак, также как и Тед, был уверен, что приближается буран. Ему необходимо перебраться через перевал до того, как он начнется. Он повернулся и стал проталкиваться к кассе. Но не успел он дойти туда, как служащий открыл маленькую дверцу сбоку, вышел и, сложив руки рупором, прокричал:

— Неподалеку от Бастид-Хила в поезде произошла авария. Не знаю, как скоро мы сможем направить туда другой паровоз. Может, вам лучше уйти с холода и подождать прибытия поезда в здании. Мы оповестим вас громким долгим свистком.

Вокруг послышался недовольный гул, но Бак, не обращая на это внимания, шагнул к окошечку кассы, в которую снова скрылся служащий. Ухватившись за решетку, отделявшую его от служащего, он спросил:

— Где, вы сказали, застрял поезд?

Уставившись на заскорузлые руки Бака, тот раздраженно ответил:

— Неподалеку от Бастид-Хила.

— Где это?

— Примерно в часе верховой езды к востоку отсюда.

Бак Скотт пробормотал нечто такое, что он не стал бы говорить в присутствии женщин, и пошел прочь с платформы.


Прослушав объявление служащего, Кейс Сторм огорченно покачал головой. Именно его сестру должно было угораздить сесть на поезд, который сломался.

Он любил Аннику, любил баловать ее, ухаживать за ней, так же как и мать с отчимом, и в любое другое время был бы рад принять ее у себя, но в этот раз, получив ее письмо, в котором она сообщала, что приедет меньше чем через две недели, он хотел было отправить ей телеграмму и попросить отложить поездку до весны. Но его итальянка жена Роза отговорила его.

— Как ты можешь даже думать об этом, Кейс? — удивилась она. — Твоя сестра сможет помочь мне, и я узнаю ее получше, как настоящую сестру, до того как появится ребенок.

У Кейса не хватило духу сказать Розе, что помощи

от Анники ждать нечего. Его сестра в жизни не занималась никаким полезным трудом. В отличие от Розы, которая, приехав одна в Вайоминг, открыла там собственный ресторанчик, потом продала его с неплохой прибылью, но все равно продолжала сама готовить для всех работников на их ранчо, Аннике никогда не приходилось ничего делать самой. Их родители позаботились о том, чтобы она получила образование, так что в случае необходимости она могла бы заработать себе на жизнь, но такая необходимость вряд ли когда возникнет, поскольку и ему, и Аннике безбедное существование было обеспечено до конца жизни — из наследства, оставленного отцом Калеба, им были выделены значительные суммы, находившиеся в трастовых фондах.

Два знакомых владельца ранчо поздоровались с Кейсом, и он ответил на их приветствие. Он приобрел известность в бытность свою начальником полицейского участка в Бастид-Хиле. Он занимал этот пост до того, как ушел со службы и занялся сельским хозяйством. До сих пор к нему частенько обращались по имени люди, которых он даже не помнил в лицо. Кейс иногда задавался вопросом, как бы сложилась его жизнь, если бы шесть лет назад он не стал начальником полицейского участка и не помог бы засадить за решетку банду Досона. И что бы с ним было, если бы он не женился на единственной в мире женщине, сумевшей помочь ему примириться со своим наследием и ощутить себя цельным человеком.

При мысли о Розе Кейсом овладело беспокойство. Она снова была беременна. Роды ожидались первого мая. Это была ее четвертая беременность за пять лет, и Кейс боялся даже надеяться, что все пройдет благополучно. У его жены уже был выкидыш, потом она родила мертвого ребенка, а в последнюю беременность новорожденная девочка прожила всего несколько часов. Поэтому в этот раз Кейс, узнав о беременности жены, испытал не радость, а всепоглощающий страх, хотя и хотел, чтобы все было иначе. Он не мог даже думать о том, что придется готовить еще один маленький деревянный гроб, он не хотел терять еще одного ребенка и тем более не хотел терять Розу, но для нее стать матерью было самым заветным желанием, и Кейсу ничего другого не оставалось, кроме как заботиться о том, чтобы Роза получала самый лучший уход, и ждать. И молиться.

В данный момент его единственным желанием было забрать сестру и поскорее вернуться на ранчо, чтобы быть рядом с Розой на случай, если он ей понадобится. Он знал, что все работники на ранчо готовы выполнить любое ее желание — никто не мог устоять перед обаянием миниатюрной итальянки, — но все равно предпочитал бо́льшую часть времени быть поближе к ней. Роза, однако, настояла, чтобы он поехал в Шайенн встретить сестру, как положено, чтобы они пообедали в лучшем ресторане, сходили в оперу, ночь провели в отеле, а уж после этого ехали бы на удаленное от города ранчо. После долгих споров — а Кейс, хотя он никому в этом не признался бы, гордился упорством, с каким Роза отстаивала свою точку зрения — он решил уступить жене и поехал в город.

И вот теперь поезд опаздывал, причем никто не знал на сколько.

Кейс молча наблюдал, как здоровый мужчина, одетый в костюм охотника на бизонов, протолкался сквозь толпу и спрыгнул с платформы. Огромный бородатый блондин был, должно быть, добрых шести футов четырех дюймов росту, длинные непокорные волосы были завязаны сзади в попытке придать им более цивилизованный вид. Одет он был в просаленные штаны из оленьей кожи, которые хорошо предохраняли от ветра и воды. Вся остальная одежда была, судя по ее виду, сшита вручную. Рукава и кокетка его куртки с капюшоном были отделаны длинной бахромой. Обут он был в мокасины до колен. Кейс нахмурился, увидев чехол, свисающий с пояса и привязанный к бедру охотника. В этом чехле находился нож для свежевания животных.

Кейс уже видел этого гиганта. Он рассматривал его, когда они стояли рядом на платформе, размышляя о том, мог ли этот молодой человек быть одним из тех, кто принимал участие в истреблении последних бизонов. Годы прошли с тех пор, как за пределами Йеллоустоуна видели крупные стада бизонов. Двадцать лет назад по прериям бродили миллионы бизонов. Теперь же в округе совсем не осталось этих животных, за исключением нескольких отдельных особей и маленьких стад, которыми владели частные хозяева, вроде стада в девятнадцать голов, какое держал сам Кейс. Охотники, подобные этому молодому человеку, только что ушедшему с платформы, уничтожили бизонов одного за другим. Они продавали шкуры вагонами, оставляя туши разлагаться на равнинах.

Уничтожение бизонов привело к почти полному вымиранию равнинных индейцев, а Кейс, хотя и не мог вплоть до недавнего времени смириться с тем, что он наполовину сиу, всегда уважал индейцев как народ, как уважал он любые проявления жизни. Этому научили его Калеб и мать.

Опасаясь, как бы гнев не толкнул его на какой-нибудь необдуманный поступок, Кейс отвернулся от охотника и направился к станционному служащему, чтобы оставить записку для Анники. Он решил пойти в гостиницу «Интероушн», снять там номер, потом купить, как он обещал Розе, все необходимое, а уж после этого вернуться на станцию и разузнать, что роисходит на линии. Если окажется, что прибытие поезда откладывается еще на какое-то время, возможно, будет разумнее вернуться в Бастид-Хил, встретить Аннику там и оттуда поехать на ранчо.

Он сошел с платформы и направился к гостинице, заметив попутно, что охотник на бизонов, ведя в поводу кобылу и двух вьючных мулов, быстро поскакал вниз по Пятнадцатой улице.

# ГЛАВА 3

Все, что увидела Алиса Соумс во время этого ужасного путешествия, ей не понравилось, а теперь, когда поезд остановился в пустынной безлюдной местности, она возненавидела и железнодорожную компанию «Юнион Пасифик». Мало того, что она проторчала столько времени в душном спальном вагоне, дыша спертым, лишенным всякой влаги воздухом, теперь, когда она надумала выйти наружу и размяться, даже погода ополчилась против нее. Ухватившись за воротник своего плотного шерстяного пальто и наклонившись вперед, чтобы противостоять ветру, Алиса медленно преодолевала легкий подъем, двигаясь вдоль путей.

Последние полтора дня она только и делала, что размышляла о своем решении выйти замуж за Бака Скотта, мужчину, откликнувшегося на объявление, которое она под влиянием минутного настроения дала в газете. Она определенно не жалела, что приняла деньги на проезд первым классом, которые он прислал ей сразу же после того, как она написала, что согласна на его предложение, и уж конечно не испытывала никаких сожалений по поводу того обстоятельства, что уехала из дома сестры. Ей надоело выступать в роли старой девы, надоело жить за счет Мюриэль и ее мужа, донашивать старые вещи сестры, чувствовать себя обязанной из-за каждого съеденного

за их столом куска. И все это только потому, что
она не встретила человека, который захотел бы жениться на ней.

Бредя по тропинке, уже протоптанной другими
пассажирами, Алиса не смотрела по сторонам, она
уставилась себе под ноги. Она терпеть не могла разговаривать с незнакомыми людьми, не видя в этом
никакой пользы. Пустая трата времени, сказала бы
она, если бы кто-то спросил ее мнение, но никто
никогда не спрашивал. Но она все-таки увидела иду-
щую впереди нее молодую пару. Они шли, взявшись
за руки, и качали сцепленными руками в такт шагам.
Аморально и неприлично, проворчала про себя Алиса, не в силах оторвать от них взгляда. Они были
ничем не лучше этой яркой блондинки, которая сидела через три места от Алисы.

Алисе уже доводилось встречать подобных девиц,
и она сразу поняла, что это за особа — молодая
дебютантка, разодетая в пух и прах, воображающая,
что все должны ей поклоняться. Проводник ходил
перед ней на задних лапках с той самой минуты, как
она села в поезд. По мнению Алисы, это было отвратительно.

Она возненавидела девушку с первого взгляда. Для
нее было почти невыносимо наблюдать, как та пялит
свои большие голубые глаза на каждого мужчину
в поезде, как она непринужденно и дружелюбно разговаривает со всеми. Любая женщина, обладающая
хоть каплей разума, знала бы, что не стоит расхаживать по всему вагону и разговаривать с незнакомыми
людьми, как знала это Алиса, но вот высокой блон-
динке это, судя по всему, было невдомек. А может, ей
просто было на это наплевать. Сразу было видно, что
денег у нее больше, чем разума. На ней был эффект-
ный костюм модного покроя. Она была обладатель-
ницей красиво отделанного ящика для письменных

принадлежностей с откидной крышкой и нового саквояжа и вдобавок ко всему щеголяла в блестящей черной атласной накидке, украшенной на груди инициалами А. С. — такими же, как у самой Алисы.

Алиса подумала о собственном поношенном пальто и плотнее запахнула его полы длинными тонкими пальцами. Когда она доберется до Шайенна и выйдет замуж за Бака Скотта, ее мытарствам придет конец. У нее будет тогда достаточно денег, и она им всем покажет. В конце концов, подумала она, он ведь без возражений прислал ей денег на проезд первым классом, а два его последних письма были посвящены описанию долины Блу-Крик. Письма были короткими, но написаны аккуратным четким почерком. В них он рассказывал о красотах долины, в которой никто, кроме него, не жил, о доме, который он построил и который им ни с кем не придется делить.

Алиса подняла голову и, мужественно противостоя порывам ветра, обернулась и посмотрела в том направлении, откуда пришла. Она зашла дальше, чем предполагала, поэтому быстро повернулась и пошла назад. Последнее письмо Бака Скотта было надежно спрятано в кармане пальто. Оно может пригодиться для удостоверения личности в том случае, если он сразу ее не узнает. Алиса надеялась, что такого не случится, хотя, если говорить откровенно, она и отклонилась немного от истины, описывая ему свою внешность. Но разве могла она написать единственному за всю ее жизнь кандидату в мужья, что она болезненно тощая, у нее тусклые светло-каштановые волосы, острые черты лица и блеклые голубые глаза? Конечно не могла. И не написала. Она решила, что объяснит это несоответствие, когда встретится с ним лицом к лицу.

Она задалась вопросом, что будет делать, если окажется, что Бак Скотт солгал ей относительно своей наружности, так же как это сделала она. Он писал, что выше среднего роста, светловолосый, что ему легко угодить. Она неоднократно рисовала в воображении его портрет — удачливый землевладелец в щегольском клетчатом костюме и котелке, с букетом в руке, с нетерпением ожидающий ее в новом экипаже, готовом отвезти их в их дом в горах.

Впереди она увидела группу людей и поспешила к ним, намереваясь встать в сторонке и посмотреть, что там такое происходит. Подойдя ближе, она заметила, что все смотрят на всадника, приближающегося к поезду с запада. Он ехал вдоль путей по тропинке, которая тянулась параллельно рельсам. Алиса негодующе фыркнула, когда мужчина подъехал ближе. Он был огромным, одежда на нем была темной и засаленной, белокурые волосы, завивавшиеся непокорными кудрями, выбивались из-под шляпы, доходя чуть ли не до середины спины. В молчании, как и все остальные, Алиса наблюдала, как мужчина остановил лошадь, за которой следовало еще несколько животных, и обратился к проводнику.

Она наклонилась вперед, любопытствуя, что он скажет. Ветер, к счастью, дул в ее сторону, и она смогла расслышать каждое слово.

— Меня зовут Бак Скотт. Я ищу белокурую женщину из Бостона, которая должна ехать в этом поезде.

Алиса отшатнулась, едва не налетев на молодую пару, стоявшую рядом с ней. Она попыталась выровнять дыхание, затем ухватилась за поручень и, ни секунды не колеблясь, поднялась в вагон. На площадке она постояла, дожидаясь, пока сердцебиение придет в норму. Она не смотрела на то, что происходило внизу, но продолжала слушать.

Проводник, чья голова находилась на уровне плеч гиганта, переспросил, покачиваясь с пятки на носок:

— Из Бостона? — Он оглядел мужчину с головы

до ног. — Не знаю. Вы не могли бы описать ее? Кроме того, — добавил он, охваченный внезапно чувством собственника по отношению к своим пассажирам, — что вам нужно от этой женщины?

Мужчина полез в карман своей грязной куртки из оленьей кожи и извлек оттуда, к величайшему огорчению Алисы, затертый конверт. Она и не глядя знала, что это одно из ее писем.

— У меня здесь письмо, в котором она пишет, что согласна выйти за меня замуж. Я оплатил ее проезд в первом классе, — добавил он, — и она написала, что приедет этим поездом. Я поехал в Шайенн встретить ее, но там мне сказали, что поезд застрял здесь, и я поехал прямо сюда, чтобы забрать ее прежде, чем начнется буран.

Казалось, с каждым его словом люди подходили на шаг ближе к нему. Мужчины смотрели на него настороженно, а женщины с благоговением. Некоторые даже прослезились, услышав, что он, как настоящий рыцарь, разыскал остановившийся поезд, чтобы снежный буран не разлучил его с невестой.

— Ее зовут Алиса Соумс, — добавил Бак Скотт, желая рассеять подозрения проводника.

Дородный проводник улыбнулся и расправил плечи.

— Я не из тех, кто стоит на пути стрел Купидона, — объявил он. — Сюда, пожалуйста. — Величественным взмахом руки он указал Баку на вагон первого класса. — Полагаю, ваша белокурая дама ждет вас там.

Алиса не стала слушать дальше. Она с первого взгляда на Бака Скотта поняла, что скорее научится летать, чем выйдет замуж за этого плохо одетого жителя гор с буйной шевелюрой. Возблагодарив судьбу за то, что описала себя Баку как привлекательную блондинку с великолепной фигурой, она быстро пошла по проходу, на ходу незаметно доставая из кармана его письмо. Проходя мимо молодой блондинки, Алиса украдкой обронила письмо на сиденье рядом с ее саквояжем.

Прежде чем проводник успел ввести Бака Скотта внутрь, Алиса уже скрылась в соседнем вагоне.

*«3 февраля 1892 года. Поломка поезда в пути — событие не слишком приятное, но все же это какое-никакое приключение в этом ничем не примечательном путешествии на запад. Незапланированная остановка позволила мне немного погулять. Вид вокруг такой, что дух захватывает. Небо кажется бескрайним. Ветер становится более холодным, и в нем будто слышится чей-то жалобный стон. Но солнце светит ярко, и под его лучами вся покрытая снегом равнина искрится. Не могу дождаться, когда же мы прибудем в Ша...»*

Шум в дверях вагона заставил Аннику прерваться и поднять голову. По проходу к ней шел проводник с широкой улыбкой на лице. У него был вид человека, которому не терпится крикнуть «Сюрприз!». За проводником шел здоровый мужчина, которого Анника до этого среди пассажиров вагона не видела. Проводник загораживал собой незнакомца, но Аннике все же были видны его голова и плечи. По всему своему облику — от буйной шевелюры до одежды из оленьих шкур — мужчина был типичным представителем Дикого Запада, как их описывали в журналах, которые читала Анника. Он был даже выше Кейса, хотя до сих пор Аннике почти не приходилось встречать таких мужчин. Она смотрела на незнакомца с нескрываемым любопытством.

За ними цепочкой тянулись пассажиры. Некоторые наиболее смелые даже проскользнули мимо проводника и заняли места, на которых сидели раньше. Никто не говорил ни слова. В вагоне воцарилась атмосфера напряженного ожидания. Анника с удивлением спросила себя, что же происходит, но вслух ничего не сказала.

Проводник остановился рядом с ее местом и пропустил незнакомца вперед.

— Вот она, — проговорил он, — ваша блондинка из Бостона. Живая и невредимая.

Анника моргнула, посмотрела на проводника, потом на незнакомого великана и спросила:

— Что?

— Ваш жених узнал, что поезд опаздывает, и приехал сюда за вами, мисс.

— Мой кто?

— Жених, — проводник покивал головой.

Мужчина прошел вперед, насколько позволял узкий проход.

— Я Бак Скотт, мэм. — Он улыбнулся и снял шляпу, затем наклонил голову с таким видом, словно его имя должно было что-то для нее значить.

Анника настороженно посмотрела на него, хотя эта путаница не слишком ее обеспокоила. Он, судя по всему, нервничал. Если он чуть крепче сожмет в своих больших руках шляпу, подумала Анника, та просто рассыплется.

Она открыла было рот, собираясь заговорить, снова закрыла и покачала головой. Наконец обратилась к проводнику:

— Я не знаю, о чем вы оба говорите.

— Это я, мэм, Бак Скотт. Человек, пославший вам деньги на проезд. — Мужчина сунул руку в карман куртки, вытащил смятый конверт и поднес его к лицу Анники. — Вот письмо, которое вы мне написали, мисс Соумс. Вы обещали выйти за меня замуж.

— Это так, мисс Соумс, — добавил проводник.

Анника опустила глаза, медленно и тщательно вытерла ручку, закрыла бутылочку с чернилами и убрала их вместе с дневником в ящик для письменных принадлежностей. Затем закрыла крышку ящика и поставила его рядом с собой на сиденье. Расправила юбку и плотнее запахнула накидку. Затем величественно, как королева, встала и сказала, обращаясь к ненормальному, судя по всему, мужчине, назвавшемуся Баком Скоттом:

— Я не Алиса Соумс, и я понятия не имею, кто вы, сэр.

По вагону пробежал шепот.

Проводник нахмурился.

— Вы уверены, мисс?

— Что значит, уверена ли я? Конечно, я уверена. Я никогда в жизни не видела этого человека, и меня зовут не Алиса Соумс.

Проводник выглядел смущенным.

Бак Скотт разозлился. Протянув руку, он поднял конверт, лежавший на сиденье рядом с саквояжем Анники.

— Тогда что это такое?

— Откуда мне знать? — ответила девушка.

— Это мое письмо, адресованное вам, и оно почему-то лежит рядом с вашим саквояжем.

Приглушенный шепот других пассажиров перешел в возбужденное бормотание. Анника старалась не обращать на них внимание, сконцентрировавшись на том, что говорил ей мужчина.

— Если я правильно вас поняла, вы утверждаете, что написали мне это письмо, что меня зовут Алиса Соумс и вы питаете иллюзию, что я выйду за вас замуж.

— Да, так. Только это не иллюзия.

Анника еще с минуту смотрела на мужчину, потом расхохоталась.

Бак сжал руку в кулак, зажав в ней письмо. Проводник покраснел как свекла. Все вокруг замолчали.

Обратив внимание на это мертвое молчание, Анника прекратила смеяться. Вытерев выступившие на глазах слезы, она улыбнулась двум мужчинам.

— Очень забавно, джентльмены. Надо поскорее написать об этом домой.

Проводник повернулся к Баку. Тот кивнул на дверь.

— Оставьте нас.

Проводник отошел.

Бак присел на корточки в проходе напротив блондинки. Сердце у него стучало так громко, словно это бежало стадо бизонов. Женщина была намного прекраснее, чем он когда-либо надеялся. Глаза у нее были круглые, как полная луна, и синие, как самое чистое горное озеро, какое ему когда-либо доводилось видеть. Золотые, как лютик, волосы, густые и волнистые, вызвали у него желание потрогать их. Но, несмотря на все свое изящество, она не производила впечатления тепличного цветка. Кожа у нее была золотистой, как мед из клевера. Углы глаз, обрамленных густыми черными ресницами, были слегка приподняты. Высокие скулы придавали ей экзотический и вместе с тем аристократический вид.

Опасаясь, что он поставит себя в неловкое положение, если сделает то, что ему очень хотелось — вытянет руку и прикоснется к ней, просто чтобы убедиться, что она настоящая, — Бак сжал руки в кулаки, зажав в одной оба письма — свое и ее, а в другой шляпу. Сознавая, что все на них смотрят, Бак понизил голос и наклонился к ней поближе, чтобы только она могла его слышать. Но, оказавшись с ней лицом к лицу, он тут же пожалел об этом. Его обдало смешанным ароматом душистого мыла и розовой воды.

— Мисс Соумс, я прекрасно понимаю, почему вы говорите, что не знаете меня. — Его голубые глаза

потемнели, он искал нужные слова. — Я знаю, что
я не такой, каким вы, наверное, меня представляли. —
Он провел рукой по спутанным волосам. — Я хотел
немного привести себя в порядок перед нашей встречей, но мне не хватило времени.

Баку было неприятно извиняться за свой внешний
вид в присутствии других людей, но он понимал, что
должен что-то говорить, если хочет, чтобы она сошла
с поезда и они вовремя отправились бы назад в Блу-
Крик. Он взглянул в окно за ее спиной. На небе,
к счастью, пока не было ни облачка.

— Сделка есть сделка. Я свои обязательства выполнил, послал вам деньги на билет, и вот вы здесь.
А теперь, — он посмотрел на ее саквояж и ящик
для письменных принадлежностей, — если это весь
ваш багаж, давайте я понесу его и мы поскорее отправимся в путь.

Он потянулся за ее саквояжем, но Анника обхватила его руками, словно защищая от прикосновения
мужчины.

— Я буду вам благодарна, мистер Скотт, если вы
не будете трогать мои вещи.

Она уставилась на него, впервые за все то время, что
продолжался этот кошмар, испытывая страх. При
ближайшем рассмотрении он выглядел не таким уж
дикарем, но явно был намерен заставить эту Алису Соумс
выполнить свою часть соглашения. По тому, с каким
отчаянием он смотрел на нее, Анника догадалась, что
намечавшийся брак много для него значит. Она попыталась понять, что за человек скрывается за длинными, до
плеч, вьющимися волосами, штанами из оленьей кожи
и мозолистыми руками. Он все еще сжимал в руках два
письма и шляпу и наклонился вперед, не желая, чтобы его
слова стали достоянием всего вагона.

Он был моложе, чем казался из-за спутанной бороды и огрубевшей на солнце кожи. Анника решила, что

ему нет и тридцати. Но его глаза, ясные и голубые, могли бы принадлежать гораздо более старому человеку. Старые глаза на молодом лице. Внезапно Анника почувствовала себя обязанной объяснить этому человеку, не обижая его, что она не Алиса Соумс.

— Мне очень жаль, мистер Скотт, но, боюсь, произошла чудовищная ошибка. Я не знаю, откуда взялось это письмо, правда не знаю. Я не Алиса Соумс, хотя и из Бостона.

Он наклонился к ней еще ближе и, вытянув руку, провел пальцем по вышитым золотым буквам на ее накидке — АС. Выгнув бровь, он покачал головой.

— Даже ваша накидка выдает вас. Неужели я настолько отвратителен?

Анника взглянула на длинные пальцы, касавшиеся ее груди чуть выше сердца, потом посмотрела прямо в глаза Баку Скотту.

— Меня зовут Анника Сторм, — медленно проговорила она.

Он ответил на ее взгляд, потом обвел глазами ее лицо, волосы, одежду. Он напряженно размышлял, и Аннике казалось, что она почти видит, как работает его мозг. Придя, видимо, к какому-то решению, он резко поднялся, решительно сунул письма в карман, надел шляпу и, нагнувшись, схватил ее саквояж.

— Вы идете, мисс Соумс, или я должен вынести вас из поезда?

— Если вы прикоснетесь ко мне, я добьюсь, чтобы вас арестовали.

— Сделка есть сделка, мисс Соумс.

— Да прекратите вы повторять эту фразу.

Мужчина, сидевший через три места от Анники, выкрикнул:

— Сделка есть сделка, правильно он говорит.

Внезапно все в вагоне сочли необходимым вмешаться и высказать свое мнение.

— Не сдавайте позиций, — громко проговорил какой-то коммивояжер в котелке.

Его поддержал молодой ковбой.

— Давайте, леди, отправляйтесь с ним.

— Вынесите ее из вагона, — посоветовал какой-то старый джентльмен.

— Нечего было и ехать, коли не хотела, — завопила какая-то женщина.

Анника огляделась и заметила топтавшегося у двери проводника. Она обратилась к нему, стараясь перекричать царивший в вагоне бедлам:

— Это смехотворно. Подождите, пока мы доедем до Шайенна. Я уверена, мой брат все разъяснит. Подождите, — она потянулась за своим ящиком для письменных принадлежностей, — я знаю, у меня должно быть что-нибудь, на чем написано мое имя.

Но не успела она открыть ящик, как Бак, наклонившись, схватил его и зажал под мышкой.

— Мы его тоже возьмем.

Он ухватил Аннику за запястья и рывком поднял с сиденья. Она попыталась вырваться, но он был таким большим, что попытка Анники освободиться была подобна попытке пылинки противостоять торнадо. Она оказалась перед открытой дверью вагона прежде, чем успела предпринять что-то еще.

Проводник отступил в сторону. На его круглом лице отразилась нерешительность.

— Вы не можете стоять просто так, ничего не предпринимая, — снова обратилась к нему Анника.

Проводник с безнадежным видом посмотрел на массивную фигуру Бака.

Бак Скотт сошел с поезда на неровную землю и стянул на собой Аннику.

— Ему нечего сказать по этому поводу, Алиса. Сделка есть сделка, это все знают. Кроме того, если ты не собираешься выполнять условия нашего соглашения, я добьюсь, чтобы тебя арестовали за кражу моих денег.

— Каких денег? — закричала Анника.

Он наклонился ближе и очень медленно и отчетливо, будто разговаривая со слабоумной, произнес:

— Денег, которые я послал тебе на билет.

С этими словами он повернулся и направился к лошадям, таща за собой Аннику. Она уперлась в землю каблуками, он дернул ее. Проводник, сопровождаемый пассажирами, снова сошедшими с поезда, чтобы посмотреть, чем все кончится, поспешил за ними.

Подойдя к лошадям с мулами, Бак хотел было отпустить Аннику, но передумал. Он взглянул на небо и, пытаясь не обращать внимания на поднявшийся сильный ветер, стал раздумывать, каким образом, действуя одной рукой, привязать к мулам ее саквояж и ящик для письменных принадлежностей.

— Если я отпущу вас, вы не убежите?

Анника поверить не могла, что он настолько глуп.

— А вы как думаете?

Он прокричал через плечо, обращаясь к проводнику:

— Подойдите сюда и привяжите эти вещи к переднему мулу.

— Послушайте, мистер, — осторожно заметил проводник, — может, действительно лучше подождать, пока мы прибудем в Шайенн. Вы можете сесть на поезд, а ваших животных отведут в товарный вагон и...

— У меня нет времени.

— Послушайте, — сделал еще одну попытку проводник, — по-моему, не так уж важно, является ли эта леди вашей невестой или нет. Она явно не хочет с вами ехать. Я думаю, будет лучше подождать до Шайенна и там все выяснить.

Бак посмотрел на стоявших вокруг людей. Леди

и джентльмены с Востока, фермеры, торговцы, парочка ковбоев, иммигранты с дикими глазами. Все они пристально смотрели на него. Оценивали его силы. Бак сталкивался с подобной реакцией с юношеского возраста. Четырнадцатилетним подростком он был выше большинства взрослых мужчин, и его считали старше и жестче, чем он был на самом деле. И именно поэтому ему время от времени бросали вызов те, кто хотел доказать, что они лучше, чем рослый сын какого-то бродячего охотника на бизонов.

Баку было знакомо и выражение в глазах женщин — неприкрытый страх у одних, презрение у других. Он был здоровым, грубым, плохо одетым и знал это, но его внешность отражала то, что ему довелось пережить в жизни. Измени он свой внешний вид, это нисколько не изменило бы его сути.

Бак чувствовал эмоциональный настрой толпы, которая от поддержки переходила к подозрительности. Уловив его колебания, девушка с удвоенной энергией стала вырываться. Он крепче схватил ее, о чем немедленно пожалел, увидев гримасу боли на ее лице, но хватку не ослабил. Притянув Аннику к себе, он швырнул ее саквояж и ящик для письменных принадлежностей проводнику, которому не осталось ничего другого, как подхватить их, прежде чем они упали на землю.

Движением, быстрым, как молния, Бак выхватил из чехла на бедре свой нож для свежевания туш и приставил его к горлу Анники. Она немедленно прекратила сопротивление и замерла.

— А теперь привяжите эти вещи к мулу, — прорычал Бак проводнику.

Стоявшая вокруг толпа безмолвствовала. Бак внимательно смотрел на них, следя за тем, не собирается ли кто-нибудь достать ружье.

— Я не хотел поступать с вами так, мэм, — тихо проговорил он прямо ей в ухо, — но вы не оставили мне выбора. Вы сами поймете, когда мы доберемся до хижины.

Анника боялась пошевелиться. Теплое дыхание, коснувшееся ее уха и шеи, не рассеяло ее страха, от которого сердце у нее билось с перебоями. На мгновение ей показалось, что она упадет в обморок, но она никогда не была слабонервной и не собиралась становиться такой сейчас. Кроме того, рассудила она, ей необходимо сохранять спокойствие, чтобы при первой же возможности сбежать от этого сумасшедшего.

Коммивояжер сунул руку за пазуху и вытащил револьвер. Бак Скотт застыл, крепче прижал к себе Аннику и сильнее надавил ножом на нежную кожу, угрожая пустить его в ход.

— Бросьте оружие, — предупредил он мужчину.

Коммивояжер бросил револьвер.

Бак начал двигаться назад, по-прежнему прижимая к себе Аннику и держа у ее горла зловещее лезвие своего длинного ножа. Анника не сопротивлялась, двигаясь вместе с ним. У нее было ощущение, что она идет, прижавшись спиной к крепкой стене. Через несколько шагов Бак Скотт на секунду опустил нож и перехватил ее за талию. Анника поняла, что они подошли к лошадям. Она и опомниться не успела, как он усадил ее в седло. Памятуя о ноже, который в любой момент мог вонзиться ей под ребра, Анника не пыталась ускользнуть. Вместо этого она поймала взгляд проводника и сказала медленно и отчетливо:

— В Шайенне меня будет встречать брат. Его зовут Сторм. Кейс Сторм. Пожалуйста, расскажите ему, что случилось, и скажите, что со мной все будет в порядке, пусть только поскорее отыщет меня.

Проводник лишь кивнул в ответ, опасаясь, что лишнее слово или движение могут рассердить мужчину, который тем временем уселся на лошадь позади Анники. Нож снова был у ее горла.

Слегка сжав колени, Бак заставил лошадь двигаться. Гнедая кобыла шарахнулась от толпы, за ней вынуждены были последовать вторая лошадь и мулы. Бак продолжал следить за толпой, пока они не отъехали на достаточное расстояние и не оказались вне пределов выстрела. Тогда он убрал нож, повернул лошадь на запад и пустил в галоп.

Бак Скотт поверить не мог в свое невезение.

Одно дело было принять решение жениться и совсем другое — узнать, что женщина, которая сначала обещала выйти за него замуж, теперь наотрез отказывалась выполнить свое обещание. Как же он сожалел, что не потрудился привести себя в порядок, купить хотя бы новую рубашку. Может, тогда он произвел бы на Алису Соумс более благоприятное впечатление и она пошла бы с ним добровольно. Может быть.

Но, подумав получше, он пришел к выводу, что новая рубашка, скорее всего, не помогла бы. Она была слишком красива, слишком хорошо одета, слишком цивилизованна для такого, как он. Достаточно было посмотреть на нее, чтобы понять, что она не впишется в его жизнь, не приспособится к жалкой обстановке его хижины, к замкнутой одинокой жизни в Блу-Крик. Так какого черта он не отпустил ее?

Бак задавал себе этот вопрос на протяжении последней части пути, но ответ нашел не сразу. Он попытался убедить себя, что причина — ее обещание выйти за него замуж. Сделка есть сделка. Сам он никогда не нарушал своих обещаний. Но в глубине души он знал, что обманывает сам себя и что причина его поступка заключалась совсем в другом. Она была самой прекрасной женщиной, какую ему когда-либо доводилось видеть, какую он мог мечтать назвать своей. С того момента, как он увидел ее, он мог думать только об одном: как бы удержать ее рядом с собой. Время будет его союзником, решил Бак. Со временем он убедит ее принять его.

В первые минуты, когда они скакали по равнине и Бак сжимал в руке нож, ловко удерживая его на таком расстоянии, чтобы напугать Аннику, но случайно не поцарапать ее, она вообще не осмеливалась сказать ни слова. Но, как только он убрал нож, она немедленно набросилась на него с упреками, и ее недовольный голос смешивался с непрерывным дребезжащим звуком, производимым ее саквояжем, ударявшимся о бок мула. Что бы там ни было в этом саквояже, оно бренчало и звякало. Она ворчала в течение добрых четверти часа, и хотя он пытался утихомирить ее, у него ничего не получилось.

— Мой брат убьет вас, когда обо всем узнает. — Она извивалась в его руках, пытаясь посмотреть на него.

Бак не позволил ей этого сделать. Он крепче прижал ее к себе, и она немедленно стала вырываться, продолжая бубнить что-то о своем брате. Он решил не обращать внимание на ее слова.

— Вы моему брату в подметки не годитесь. Он быстренько вас отыщет, даже если вы уедете на край земли.

Подумав об уединенной хижине в долине Блу-Крик, скрытой за перевалом Ларами, Бак едва не сказал, что именно на край земли они и направляются, но сдержался.

— Кейс Сторм совсем не трус, — говорила она. — Вот уж нет, сэр.

Большая гнедая лошадь неслась на северо-запад, оставляя позади милю за милей. Слова женщины неожиданно дошли до сознания Бака. Его внимание привлекло имя человека, чьей местью угрожала ему женщина. Он немного ослабил хватку.

— *Что* вы только что сказали?

— Я сказала, что лучше бы вам отпустить меня или...

Он встряхнул ее.

— Не это. Как, вы сказали, зовут вашего брата?

Он почувствовал ее злорадство, хотя и не мог видеть ее лица.

— Кейс Сторм! — выкрикнула она, перекрывая стук копыт.

— Тот самый Кейс Сторм, который одно время был начальником полицейского участка в Бастид-Хиле?

— Именно. Кейс Сторм, первоклассный стрелок, человек, сумевший обезвредить шайку Досона шесть лет назад.

Даже Бак слышал про Кейса Сторма. Если женщина говорила правду, то он был в беде, куда худшей, чем мог бы представить.

Он почти поверил ей. Он чуть было не остановился и не повернул обратно, но потом вспомнил один весьма существенный факт, относящийся к Кейсу Сторму, — тот был полукровкой.

Эта ослепительная блондинка с большими голубыми глазами никак не могла быть его сестрой. Бак улыбнулся и пришпорил лошадь.

— Думаю, в поезде вы понаслушались историй про Кейса Сторма и теперь пугаете меня его именем в расчете на то, что я отпущу вас.

— Неправда. Он мой брат, и, когда он найдет вас, он изобьет вас до смерти, всадит вам пулю между глаз, снимет с вас с живого кожу и зажарит на медленном огне.

Она действительно расплакалась.

— Господи, леди. Выберите что-нибудь одно.

Она ударила его кулачком по бедру.

— Я не шучу. Ради собственного блага разворачивайте лошадь и везите меня назад.

— Ни за что, Алиса.

— Я не Алиса! — завизжала она.

Он с удовлетворением уловил хрипотцу в ее голосе. Все что угодно, лишь бы немного отдохнуть от ее постоянного ворчания и нытья.

— Лучше бы тебе замолчать, Алиса. Вот наглотаешься холодного воздуха, и горло заболит.

Она застонала в бессильной ярости и некоторое время сидела надувшись, потом сказала:

— Мне нужно в туалет.

— Конечно нужно.

— Будьте вы прокляты.

— Заткнись, Алиса.

Бак всмотрелся в возвышавшиеся на горизонте горы. Они проехали приличное расстояние за сравнительно короткое время, хотя и ехали на одной лошади, и Бак понимал, что загонит лошадь, если вскоре не пересадит Алису на другую кобылу. Он оглянулся через плечо. Их никто не преследовал. На мили вокруг простиралась открытая местность, но он решил проехать еще милю, а уж потом сделать остановку и привязать Алису к другой лошади.

# ГЛАВА 4

Вцепившись в луку седла окоченевшими руками, Анника размышляла над тем, как же ей убежать от этого ненормального. У нее болели плечи, ныло все тело. Он связал ей руки и прикрепил конец веревки к седлу. Они ехали по неровной голой местности навстречу холодному ветру, направляясь к горной гряде, протянувшейся, судя по положению солнца, на северо-западе.

Тучи, зацепившиеся за горные вершины, начали тянуть в их сторону свои щупальца. Вид этих туч пока еще не вызывал тревоги, но по тому, как спешил Бак, как он постоянно поглядывал на небо, Анника понимала, что он уверен — скоро обязательно пойдет снег.

Анника начала мерзнуть — ее атласная накидка не слишком хорошо защищала от пронизывающего ветра. Она была рада, что на ней был ее шерстяной дорожный костюм, и ругала себя за то, что надела такую непрактичную накидку, хотя, с другой стороны, она же не собиралась ехать верхом. Если быть честной, она выбрала эту атласную накидку единственно по той причине, что это была ее любимая новая вещь. Когда она еще не расторгла свою помолвку, она представляла, как будет ходить в этой накидке в оперу в Париже во время их с Ричардом медового месяца, который они планировали провести в Европе. Взгля-

нув на широкую спину и плечи похитившего ее мужчины, она невольно задалась вопросом, увидит ли
когда-нибудь Ричарда Текстона или, если на то пошло, увидит ли она вообще кого бы то ни было из
своих родных и знакомых.

Уставясь прямо перед собой, Анника отключилась
от всего, словно загипнотизированная ритмичным стуком лошадиных копыт и звяканьем пуговиц, лежавших в коробке в ее саквояже. Саквояж ударялся о бок
мула при каждом шаге животного. Внезапно они остановились, и наступившая тишина вывела Аннику
из ее заторможенного состояния.

Бак Скотт на удивление ловким и быстрым движением спрыгнул с жеребца и двинулся к Аннике, сидевшей связанной на своей лошади. Он пристально смотрел на нее какое-то время, затем направился к голов-
ному мулу.

— Я терпел, сколько мог, но больше я не вынесу
этого проклятого звяканья, — проворчал он и начал
отвязывать ее саквояж. — Что бы ни производило
этот шум, я это выброшу.

Анника слегка сжала бока лошади каблуками, и та
повернулась. Девушка с ужасом увидела, что Бак
снял ее саквояж с мула.

— Не смейте этого делать! — закричала она. — Не
трогайте мои вещи.

— Еще как посмею. — Он принялся рыться в самых интимных ее вещах. Найдя позолоченную жестяную коробку, являвшуюся причиной его раздражения, он потряс ее и покачал головой.

Анника поняла, что нельзя терять ни минуты, если
она хочет отговорить его от того, что он задумал.

— Пожалуйста, мистер Скотт, прошу вас, не вы-
брасывайте ее. Положите в нее что-нибудь, если хотите, и она перестанет греметь. Это моя коллекция пуговиц. Я храню ее долгие годы.

— Ну, если ты хранишь ее долгие годы, может, как раз сейчас настало время ее выбросить, — холодно ответил Бак.

— Подождите! — Аннике стало противно, что в ее голосе прозвучало такое отчаяние, но он уже поднял руку, собираясь бросить коробку. — Вы не можете быть настолько жестоким, — снова начала Анника. — Ну что вам стоит запихнуть в нее мою ночную сорочку, например. Тогда пуговицы не будут греметь.

— Там, куда мы едем, они тебе не понадобятся.

Именно этого она и боялась, но она постаралась скрыть свой страх.

— А вдруг понадобятся. Кроме того, эти пуговицы не предназначены для использования по их прямому назначению. Большинство из них старинные и очень редкие пуговицы. Некоторые относятся к периоду войны за независимость.

Он опустил руку, посмотрел на коробку, потом перевел взгляд на Аннику.

Аннике пришло в голову, что с ним можно заключить соглашение.

— Если вы не выбросите пуговицы, обещаю, что вы не услышите от меня ни слова жалобы, пока мы не доберемся до того места, куда направляемся.

Приподняв бровь, он смерил ее долгим тяжелым взглядом, словно размышляя, чего стоит ее обещание. Затем вытащил из саквояжа тонкую белую батистовую ночную рубашку.

Анника смотрела, как своими огромными грубыми ручищами от скомкал тонкую ткань, открыл коробку и затолкал туда рубашку. По телу Анники пробежала дрожь. Она была так напугана, что даже не порадовалась этой маленькой победе.

Приняв, видимо, решение, Бак сунул коробку назад в саквояж и снова привязал его к мулу. Затем он подошел к Аннике. Она оцепенела, когда он остановился рядом с ее лошадью и проверил связывавшую ей руки веревку. Пальцы у Анники онемели, а кожа под веревкой покраснела и припухла. Глядя на ее руки, Бак нахмурился. Когда он снова взглянул на нее, Аннике показалось, что в глубине голубых глаз мелькнуло сострадание, но она тут же сказала себе, что этого не может быть. Мужчина, способный так грубо обходиться с женщиной, не будет проявлять никакого сострадания.

Она прикусила губу и подавила дрожь страха, когда он стал развязывать веревку. Он обмотал веревку вокруг луки, затем взял ее руки в свои и, не говоря ни слова, не глядя ей в лицо, принялся растирать их.

Этот неожиданный жест так поразил Аннику, что она отвела взгляд от его рук и стала смотреть на его необычную куртку из оленьей кожи с капюшоном, сшитую, судя по всему, вручную, размышляя над тем, кто же не пожалел времени, чтобы сшить куртку точно по его фигуре. Куртка была оторочена каким-то мехом, мягким и пушистым, который хорошо защищал его от холода. Анника и сама была не прочь оказаться в такой же куртке. Капюшон куртки был поднят, и мех обрамлял его загорелое лицо. Щеки у него покраснели от ветра и холода, глаза казались более яркими, чем ей запомнилось. С такого близкого расстояния она смогла рассмотреть красивые загнутые кверху золотистые ресницы и подивилась тому, что у этого грубого дикаря ресницы, которым позавидовала бы любая женщина.

Она вздрогнула, потому что именно в этот момент он поднял голову и встретился с ней взглядом. Анника обнаружила, что смотрит прямо в его ясные голубые глаза. Осознав, что он отпустил ее руки, она стиснула их.

Он откашлялся.

— Простите за ваши руки.— Он начал снимать перчатки.

Это извинение удивило ее, но в целом ее отношение к нему не изменилось. Ей хотелось закричать на него, сказать, что, если он не хотел сделать ей больно, не следовало стаскивать ее с поезда, но, опасаясь, что ее жалобы разозлят его, она прикусила язык и просто кивнула. Он взял ее правую руку и надел на нее свою перчатку, осторожно натянув ее на все пальцы. Затем проделал то же самое с левой рукой.

— Почему ты не взяла с собой теплой одежды, Алиса? Разве у тебя нет подходящего пальто?

Не утруждая себя более протестами по поводу своего имени, Анника в отчаянии покачала головой.

— Нет пальто? Ха! Да у меня четыре превосходных пальто, и все они находятся в чемоданах, оставшихся в багажном вагоне. Если бы вы прислушались к тому, что я говорила вам в поезде, если бы поехали в Шайенн и выяснили, кто я на самом деле, вы бы знали, что у меня четыре чемодана и три чехла с одеждой, которую я взяла с собой к брату. Но нет, вы предпочли действовать как дикарь и стащить меня с поезда...

Она замолчала, увидев, как помрачнело его лицо. Он сдвинул брови и скрестил руки на широкой груди. Тихо, так что она с трудом смогла разобрать слова, он проговорил:

— Ты обещала, что не будешь жаловаться, если я не выброшу твою коробку с пуговицами.

Анника закрыла рот.

Несколько секунд Бак смотрел на нее, потом отвернулся. Анника спрашивала себя, неужели он окажется настолько жестоким, что все-таки выбросит ее коробку. Он подошел ко второму мулу, быстро отвязал какой-то узел и развернул его. Это оказалось толстое шерстяное одеяло. Подойдя снова к Аннике, он протянул ей одеяло.

— Завернись в него. Нам еще долго ехать, привал мы устроим не скоро.

С этими словами он направился к своей лошади, вскочил на нее, взял в руки поводья лошади, на которой ехала Анника, и двинулся вперед с той же головокружительной скоростью, что и раньше, даже не потрудившись оглянуться и проверить, успела ли Анника ухватиться за свою лошадь.

Анника попыталась поплотнее закутаться в одеяло, не упав при этом с лошади, и наконец ей удалось подоткнуть его под себя. После этого она изо всех сил вцепилась в луку. Она ездила верхом с двенадцати лет, но никогда таким необычным способом, когда она не контролировала собственную лошадь. Анника осознала, что именно утрата контроля бесит ее больше всего. Этот мужчина, этот Бак Скотт, распоряжался сейчас ее жизнью. Она ненавидела подобное положение вещей так же, как ненавидела самого Бака.

Бак продолжал погонять лошадей. Аннике стало ясно, что он хорошо знает местность. Он выбирал путь по каким-то ему одному известным приметам, и они взбирались все выше, оставляя позади широкие открытые равнины. Деревьев становилось все меньше, некоторые породы вообще перестали встречаться. Скоро их окружали лишь островерхие ели и осины. Воздух стал холоднее и суше. Анника была рада, что Бак Скотт дал ей одеяло, и, хотя она пыталась убедить себя, что это меньшее, что он мог сделать, она все же задавалась вопросом, не холодно ли ему без перчаток.

Кобыла под ней взмокла, и от ее спины валил пар. Лошадь тяжело, со всхрапами дышала, преодолевая подъем. Анника подумала было позвать Скотта, попросить его поберечь животных, но у нее стучали зубы, сводило челюсти и ныло все тело, и в общем-то ей было все равно, даже если бы кобыла упала под ней. Это по крайней мере приостановило бы их ненормальное путешествие.

Анника пропустила момент, когда лошади стали замедлять ход. Она задремала в седле и, вздрогнув, проснулась, когда Бак Скотт прокричал:

— Проснись, Алиса, или ты свалишься с лошади.

Она давно уже перестала поправлять его, говорить, что ее зовут не Алиса, но каждый раз при упоминании имени этой неизвестной Алисы у Анники возникало желание схватить ее за горло и задушить. А может, применить какую-нибудь изощренную пытку индейцев сиу. Анника никогда не обращала особого внимания на богатую коллекцию индейского оружия, имевшуюся у ее отца, но сейчас хотела, чтобы у нее под рукой было что-нибудь из этой коллекции.

Быстро темнело, все вокруг приобретало какой-то мрачный вид. Пока она дремала, солнце скрылось за горами и в ущельях и впадинах на склонах гор начала сгущаться тьма. Анника полагала, что они все еще двигаются на северо-запад, но теперь, когда солнце закатилось, не была в этом уверена. Кроме того, она вдруг осознала, что, по крайней мере в данный момент, у нее пропало желание сбежать от своего спутника. Она бы ни за что не нашла в такой темноте дорогу вниз, к подножию гор. По ее мнению, они и так уже заехали в никуда, и она не собиралась подвергать себя еще большей опасности.

Не обращая внимания на мужчину, ехавшего рядом с ней, Анника выпрямилась, решив не показывать ему, насколько она устала. Она попыталась вспомнить какой-нибудь роман, чтобы отвлечься от тягот их путешествия, но, к несчастью, в дороге она читала «Собор Парижской богоматери» Гюго. Она остановилась как раз на том, как Квазимодо унес Эсмеральду на колокольню, и потому поневоле начала сравнивать положение бедной цыганки со своим собственным.

Отвлечься от мучивших ее вопросов о том, куда везет ее Бак Скотт и что он намерен делать, и думать вместо этого о страшных сценах романа было не лучшим выходом. Анника исподтишка взглянула на Бака Скотта и отвернулась. Нет, в мыслях о горбуне не было ничего утешительного. Совсем ничего.

Она стала думать о своей семье. Прибыл ли поезд в Шайенн? И если да, то что сейчас делает Кейс? Она надеялась, что брат не стал сразу же, не попытавшись сначала разыскать ее, телеграфировать родителям и не заставил мать волноваться. Аналиса просто с ума сойдет от беспокойства. Анника знала, что мать очень тревожилась из-за решения дочери путешествовать в одиночку, хотя и старалась не показывать этого. Анника даже представить не могла, что с ней станет, когда она узнает о похищении дочери.

Анника не имела понятия, куда везет ее Бак Скотт, и не пыталась догадаться, что он будет делать, когда они туда прибудут. Она не попала бы в такое положение, если бы не вбила себе в голову, что ей необходимо набраться жизненного опыта, не пустилась бы на поиски приключений. Она проклинала себя за то, что в глубине души испытывала противоестественное возбуждение при мысли о том, что на ее пути встретилось приключение, о котором она и мечтать не могла. И, как это обычно с ней бывало, она верила в то, что все окончится благополучно, что Кейс найдет ее прежде, чем случится что-то плохое. Должен найти.

Они ни разу не остановились, исключая коротенький привал, во время которого они наспех перекусили жестким, как подошва, вяленым мясом и черствым ржаным хлебом, запив это глотком воды из фляжки. Забыв о своем обещании, Анника постоянно громко жаловалась, говоря, что ей нужно в туалет. В конце концов Бак подвел ее к нескольким скученно растущим деревьям, привязал один конец веревки к запястью, а другой к талии и сказал, что у нее есть пятнадцать секунд.

Она слишком устала, замерзла и была слишком напугана окружавшим их черным лесом, чтобы помышлять о бегстве. Сделав быстренько свои дела, она вернулась к Баку. Исполненная решимости сопротивляться ему в чем только можно, она отказалась от предложенной ей для умывания воды.

По его реакции она поняла, что ее упрямство ему не понравилось. Повернувшись к ней спиной, он повел ее к лошади. Анника попыталась пригладить волосы, но обнаружила, что это невозможно, настолько они спутались. Ее шляпа, вернее то, что от нее осталось, съехала набок. Кокетливое перышко куда-то исчезло, лента оборвалась и свисала на одно ухо. Она оторвала ее совсем и выбросила, надеясь, что тот, кто пойдет по их следу, найдет ее. Она хотела даже снять и выбросить шляпу, но шляпа превратилась для нее в своего рода талисман, символ цивилизации, от которой ее оторвали. Неважно, что шляпа помялась, она все равно не станет ее выбрасывать.

На следующий день ближе к вечеру они добрались до перевала высоко в горах. Еще раньше пошел снег. Большие серебристые хлопья безостановочно падали на землю. Анника давно уже натянула одеяло на голову и съежилась под ним. Снег скапливался в складках одеяла, скапливался у нее на коленях. Анника бездумно уставилась на собственные колени. Она настолько устала, что даже не строила больше предположений о том, куда они едут.

Проехав перевал, они стали спускаться в небольшую долину, по которой протекал извилистый ручей. Анника не могла больше держать голову прямо. *Может, я упаду с лошади*, сонно подумала она, *может, тогда он пожалеет*.

\* \* \*

Бак оглянулся, пытаясь разглядеть что-нибудь сквозь плотную завесу падающего снега. Голова Алисы была опущена на руки, девушка опасно наклонилась в седле. Бак остановился и подтащил к себе лошадь Алисы. Сейчас он мог позволить себе остановиться — они преодолели перевал за хорошее время.

Когда лошадь поравнялась с ним, Бак спешился и пересел на нее, устроившись позади девушки. Обхватив руками, он притянул ее к себе и пустил лошадь неспешным шагом. Чем дольше проспит Алиса, тем лучше будет себя чувствовать. По крайней мере он на это надеялся. Может, сон улучшит ее настроение.

Они ехали вниз по тропе в долину, и Бак размышлял о том, каковы будут последствия его поступка, если окажется, что Алиса сказала правду. Если она и в самом деле никакая не Алиса Соумс, то он дорого заплатит за ее похищение, когда правда выйдет наружу. Но в глубине души он все еще надеялся, что она Алиса, и в глубине души с болью понимал, почему она отвергла его. Кто же захочет выйти замуж за нищего траппера?

Он злился на себя за то, что ему вообще пришла в голову глупая идея жениться. Но, с другой стороны, все его надежды и мечты всегда были далеки от реальности. Мальчиком он мечтал стать врачом, в двенадцать лет с этой мечтой пришлось расстаться. Не так уж много лет прошло с тех пор, как он попытался использовать приобретенные самоучкой знания и спасти жизнь Сисси, когда та заболела. Но он потерял ее. Он думал, что сумеет позаботиться о Пэтси, сумеет защитить ее, пока состояние ее не ухудшилось настолько, что он уже не мог пробиться к ней через оболочку безумия, в которое она погрузилась. В конце концов он был вынужден увезти ее. Это было худшее из всего, что он когда-либо делал, а ему за свою жизнь пришлось совершить немало страшных поступков.

Алиса покачнулась. Он притянул ее ближе к себе. Ну и вид у нее сейчас был. Ничего похожего на ту изящную леди, которая предстала перед ним в поезде. Вся покрытая дорожной пылью, волосы спутанные и влажные от тающего на них снега. Маленькая шляпка, недавно гордо сидевшая на ее голове, смялась под одеялом, которое Алиса натянула себе на голову, и стала совершенно бесполезной. Изящные ботинки на низком каблуке, застегивающиеся на многочисленные пуговицы, истерлись так, что починить их будет уже невозможно. Единственной приличной вещью, которая на ней осталась, были его перчатки. Он надеялся, что ей подойдут вещи Сисси, но, глядя на нее, видел, что она на голову выше его маленькой сестры.

Тропинка сделала поворот, и он, выглянув из-за плеча Алисы, увидел хижину, приютившуюся в долине Блу-Крик. Ручей еще не замерз. Он извивался по долине, как блестящая серебряная змейка, отражая свинцовое небо.

Из трубы шел дымок. При виде родного дома настроение у него улучшилось. Старый Тед, судя по всему, все сделал как нужно. Бак с облегчением улыбнулся. Проблема, связанная с Алисой и ее нежеланием ехать с ним, показалась ему такой незначительной в сравнении с тем, что бы он потерял, если бы Тед не справился со своими обязанностями.

Анника почувствовала, что они остановились, и попыталась стряхнуть с себя сон. Когда она полностью пришла в себя, она поняла, что Бак Скотт сидит сзади, нежно прижимая ее к себе. Ей было тепло, как не было ни разу за последние два дня.

Она огляделась. Лошади стояли перед хижиной, такой маленькой, что ее можно было назвать лачугой. Она целиком уместилась бы в комнате для приемов в ее доме. Белый дымок поднимался из трубы, и она поймала себя на мысли о том, как было бы хорошо погреться у огня. Окна снаружи были закрыты ставнями, и невозможно было определить, кто находится внутри. Сколько еще дикарей ждут, чтобы напасть на нее?

Она заставила себя думать об огне, о том, чтобы согреться и поесть. Бак Скотт отодвинулся от нее, и она почувствовала, что ей не хватает его тепла. Он спешился и, на секунду застыв на месте, с угрозой посмотрел на нее.

— Не вздумай убегать, — предупредил он.

— Зачем же мне это делать, когда мы приехали в такой очаровательный домик?

Как ни странно, это замечание задело Бака. Она поняла это по тому, как он сжал челюсти, как посмотрел на жалкую хижину, потом на нее и наконец уставился в землю. Аннике и в голову не могло прийти, что ее мнение может что-то для него значить. Выходит, это был его дом? И это было все, что он мог предложить Алисе Соумс? Внезапно ей стало предельно ясно, почему женщина обманула его. Настоящая Алиса Соумс, едва увидев Бака Скотта, изменила свое решение.

Не говоря ни слова, он отвернулся и начал разгружать мулов, складывая поклажу на усыпанном снегом дворе. Затем похлопал каждого мула по крупу, и они потрусили к наполненному зерном корыту, стоявшему под навесом односкатной крыши сарайчика, пристроенного к дому.

Бак вернулся к лошади и потянулся за Анникой. Прежде чем она успела возразить, что сама в состоянии слезть с лошади, он обхватил ее за талию, снял с лошади и поставил на землю. Колени у нее подогнулись, и она едва не упала.

Бак поймал ее за талию и поддержал, пока она не восстановила равновесие. Анника сделала слабую попытку сбросить его руки.

— Отпустите меня, — потребовала она.

— Ты не упадешь?

— Нет.

— Ты уверена?

— Отпустите меня или я закричу.

Он склонил голову набок.

— Зачем?

— Позову на помощь, вот зачем. Или здесь все такие же сумасшедшие, как вы?

В нем мгновенно произошла перемена. Лицо стало пунцовым, потом побелело. Он уставился на Аннику, и этот взгляд был таким же грозным, как покрытые снегом горные вершины, окружавшие долину. На секунду ей показалось, что он ударит ее, но он отвернулся и направился к хижине, даже не оглянувшись, чтобы проверить, идет ли она за ним.

После всего того, через что он заставил ее пройти за последние полтора дня, Анника считала, что ее уже ничем не удивишь. Она была убеждена, что, когда дверь хижины откроется, перед ее глазами предстанет какая-нибудь адская картина.

Ступая по нетронутому снегу, чувствуя, как белые хлопья ложатся на ее некогда блестящие туфли и тают на щиколотках, Анника снова подумала об Эсмеральде. Она вот-вот войдет в колокольню. Воображение ее разыгралось не на шутку, и, впервые за всю свою жизнь она пожалела, что была таким неутомимым читателем.

Бак Скотт скрылся внутри с ее саквояжем и ящиком для письменных принадлежностей. Дверь была распахнута. Аннике был виден лишь край грубого стола. Пол казался слоем утрамбованной грязи. Она услышала негромкие голоса, доносившиеся изнутри, и не знала, радоваться ей или печалиться тому, что здесь есть еще люди кроме нее и Бака Скотта.

Испуганная, но в то же время полная любопытства Анника поправила пестрое одеяло, в которое завернулась. Оно намокло от падающего снега и лежало у нее на плечах тяжелым грузом, словно ее судьба. Анника сбросила его с головы и расправила на плечах. Ее чудесная атласная накидка была безнадежно испорчена. Вся в пятнах от воды, она потеряла форму и сморщилась как вареный лист шпината. Стараясь не слишком расстраиваться из-за этого, Анника заставила себя двигаться вперед. Она еле переставляла ноги, но не от усталости, а от страха. Дойдя до двери, она не сразу вошла внутрь, а какое-то время стояла, глядя в изумлении на то, что предстало ее глазам, как глядят на картину в музее. Она успела миллион раз представить, что может происходить в бревенчатой хижине, но действительность не шла ни в какое сравнение с тем, что рисовало ей воображение.

Бак разговаривал с бородатым стариком, сидевшим на стуле с прямой спинкой. Мужчины не заметили ее, занятые взаимными приветствиями.

Лицо старика сплошь заросло щетиной. Похоже, он не брился несколько дней, а может, и несколько лет. Длинная седая борода спускалась до середины груди, кончаясь как раз над выдающимся вперед животом. Щеки у него были красными, но Анника, конечно, не могла определить, по какой причине: то ли от жары, то ли от холода, а может, и от слишком обильных возлияний.

Одежда старика, сшитая вручную из оленьих шкур и шерсти, мало чем отличалась от одежды Бака. На ногах вместо мокасин были поношенные коричневые сапоги.

— Ну, как дела, Тед? — спросил Бак.

— Не знаю, как ты со всем справляешься, — старик вздохнул. — Не удивительно, что тебе понадобилась жена. Я бы ни за что не выдержал, если бы это продолжалось изо дня в день. После твоего отъезда я ни разу не поспал как следует.

— Когда я уезжал, все было спокойно, — заметил Бак.

— Так было недолго, — фыркнул Тед.

Анника проследила направление их взгляда и чуть не вскрикнула, увидев предмет их обсуждения.

Маленькая девочка, не старше трех с половиной лет, одетая в какое-то подобие платья, сшитое из мешковины, сидела привязанная к стулу и, не обращая на мужчин никакого внимания, с удовольствием давила на столе вареные бобы. Ее лицо и светлые, как решила Анника, волосы были вымазаны бобовой смесью. Бобы были повсюду — на ребенке, на столе, на стуле, на грязном полу. Не обращая внимания на взрослых, ребенок счастливо играл, время от времени запихивая горсть бобов в рот.

Ничего более отталкивающего Аннике видеть не доводилось.

Прежде чем она успела что-то сказать, Бак поднял глаза и увидел ее в дверях.

— Входи и закрой дверь. Ты выпускаешь тепло.

При звуке его голоса Анника вздрогнула. В тот же момент ребенок оторвал взгляд от стоявшей перед ним эмалированной миски и сбросил ее на пол.

— Бум, бум, — закричала малышка и замахала руками, стараясь привлечь внимание Бака.

Анника повернулась посмотреть, что будет делать Бак, и обнаружила, что он пристально смотрит на нее.

— Мама, мама! — закричала вдруг маленькая девочка, обратив на Аннику большие голубые глаза.

Анника оглядела комнату, ожидая что сейчас откуда-то материализуется мать девочки, но этого не произошло. Тогда она заметила, что девочка продолжает смотреть на нее. Глаза у девочки были точь-в-точь такие, как у Бака Скотта.

— Почему она называет меня мамой? — прошептала Анника.

— Почему? — обратился Бак к Старому Теду.

Тед равнодушно пожал плечами.

— Ребенок не давал мне покоя, когда, проснувшись, обнаружил, что тебя нет. Я должен был объяснить, куда ты уехал, и я сказал ей, что ты поехал, чтобы привезти ей маму.

— О Боже, — прошептала Анника. — Так вот почему вы сделали предложение Алисе Соумс. Чтобы она растила вашего ребенка. И когда же вы собирались сообщить мне... ей... об этом?

— Это не мой ребенок, — ответил Бак.

— Разве это не Алиса Соумс? — спросил Тед, махнув рукой в сторону Анники.

Бак покачал головой.

— Она говорит, что нет, но это потому, что она не хочет выполнить условия соглашения.

Анника гневно взглянула на Бака, потом перевела взгляд на Теда.

— Я не Алиса Соумс. Этот человек похитил меня с поезда и привез сюда против моей воли. — Одеяло соскользнуло у нее с плеч. Она поправила его.

— Ты согласилась выйти за меня замуж, — прервал ее Бак, но внезапно в его голосе прозвучала такая же усталость, какую испытывала Анника.

Не обращая на него внимания, она обратилась к Теду:

— Если вы отвезете меня назад в Шайенн, вам хорошо заплатят. У моей семьи есть деньги. Много денег. Не важно, сколько вы запросите.

— Может, ты все-таки войдешь и закроешь

дверь? — резко и с явным нетерпением скомандовал Бак.

Он подошел к столу, осторожно отвязал от стула измазанного ребенка и опустил его на пол, чудом не измазав бобами собственные руки. Девочка заползла под стол, довольная устроилась там и принялась собирать раскатившиеся по полу бобы и складывать их на колени.

Анника снова обратилась к Теду, по-прежнему игнорируя и Бака, и ребенка.

— Так вы сделаете это? — Она подхватила соскользнувшее опять одеяло. Ее некогда нарядная шляпка сбилась набок и едва держалась.

Тед покачал головой.

— Нет, мэм. Предоставляю вам двоим решать этот вопрос. Я не вмешиваюсь в супружеские споры.

Он отвернулся и принялся собирать свои вещи — куртку, похожую на куртку Бака, ружье, которое он положил на широкую деревянную полку над очагом, шапку, сшитую из какого-то пушистого меха.

Надежда оставила Аннику, уступив место изнеможению. На секунду она прислонилась к дверному косяку, потом переступила через порог. В ту же минуту маленький полуголый грызун выбежал из-за бочки, стоявшей у камина. Анника вскрикнула. Грызун запрыгал к ней на кривых ножках, непроизвольно подрагивая всем тельцем. Анника подумала, что сходит с ума, услышав, как он залаял. Она не предполагала, что крысы умеют лаять, но, с другой стороны, она никогда и не подвергалась нападению крысы.

Выпучив свои выпуклые глаза, животное впилось зубами в ее ботинок. К счастью для Анники, оно не причинило ей большого вреда — девушка тут же тряхнула ногой и отбросила его в угол комнаты, после чего побежала через всю комнату и остановилась только тогда, когда наткнулась на кровать — самый массивный предмет обстановки.

— Оно укусило мой ботинок! — негодующе воскликнула Анника.

Старый Тед затопал по комнате, поднял визжащую собачку на руки, поцеловал в губы, получил ответный поцелуй и засунул ее за пазуху.

— А чего же вы ожидали, напав на бедную маленькую Мышку?

— Это она напала на меня. И кроме того, это не мышь, а крыса. — Анника вздрогнула от гнева, указывая на набросившееся на нее животное.

— Пойдем, Мышка, — проговорил Тед. Вид у него был очень обиженный. — Мы понимаем, когда мы лишние.

Анника повернулась к Баку.

— Оно укусило меня, — простонала она, но ее жалоба была оставлена без внимания.

— Собираешься уходить, Тед? — Бак, видимо, твердо решил проигнорировать и сам факт нападения, и недовольство Анники.

— Да, здесь я не останусь. Если пойдет снег, кто сможет сказать, насколько мне придется застрять здесь со всеми вами.

— Спасибо, что присмотрел за Бейби, — крикнул Бак вдогонку захлопнувшему дверь Теду.

Оставшись одни, Бак и Анника смотрели друг на друга в неловком молчании, пока маленькая девочка не вылезла из-под стола. Она потрусила к Аннике и остановилась в футе от нее. Исходивший от ребенка запах сказал Аннике, что с малышки нужно смывать не только бобы.

Девочка уставилась на нее, засунув палец в рот. Другой рукой она поглаживала раздавленные бобы, прилипшие к волосам.

— Мама?

Анника, вздохнув, села на краешек кровати и закрыла лицо руками.

— Как насчет того, чтобы приготовить нам поесть? — спросил Бак.

При звуке его голоса Анника медленно опустила руки и уставилась на грязный пол. Кое-где в утоптанную грязь попали куски травы и сосновые иголки. Она знала, что он ждет ее ответа, что стоит, глядя на нее, как глядел все это время, с того самого момента, как она переступила порог. Ему было мало протащить ее через полстраны, не давая передышки. Теперь, когда она так устала, что могла бы уснуть сидя, он хотел, чтобы она приготовила им поесть.

Когда она наконец посмотрела на Бака, в ее взгляде горела ярость.

— Вы со мной разговариваете?

— А с кем же еще?

Анника посмотрела на девочку, приблизившуюся к ней еще на шаг, хотя Анника не сделала ни одного движения, которое могло бы подтолкнуть ее к этому.

Бак тоже посмотрел на ребенка и снова уставился на Аннику.

— Ты ведь умеешь готовить? Я так голоден, что, кажется, съел бы целого медведя.

Не дождавшись ответа, он отвернулся и поднял один из пакетов, которые недавно внес в комнату.

Анника встала. Одеяло соскользнуло с плеч и упало на кровать. Она схватила первый подвернувшийся ей под руку предмет — им оказался медный подсвечник, стоявший на грубо сколоченном ящике рядом с кроватью. Тщательно прицелившись, она отвела руку и запустила подсвечником в Бака.

# ГЛАВА 5

Подсвечник попал Баку в плечо. Инстинктивно он пригнулся и обернулся, готовясь отразить новое нападение.

— Что за...— Он скрючился за столом, когда мимо его виска пролетел кувшин для виски, ударился о стену за его спиной и разбился. Комнату наполнил запах джина.

Бак, словно зачарованный, смотрел, как женщина попыталась сорвать с головы шляпку. Она сморщилась, когда здоровая шляпная булавка запуталась в волосах, но потом сумела вынуть ее. Отбросив испорченную шляпку, Анника направилась к нему, сжимая в руке длинную булавку, которой по виду вполне можно было убить человека.

— А ну выходи оттуда, трус.— Она оттолкнула одну из бочек, которые он приспособил под стулья, и стала огибать стол. Бак вытянул перед собой руки.

— Послушай, Алиса.

— Прекрати! — завизжала она.— Я больше не выдержу. *Я не Алиса*, понятно? — Лицо ее исказилось от гнева. Наклонившись ближе к нему и ткнув пальцем себе в грудь, она проговорила угрожающим тоном: — Меня зовут Анника Марика Сторм. Я родилась 7 октября 1871 года в Бостоне. Я вас не знаю и *знать не хочу*. Если вы сейчас же не отвезете меня назад в Шайенн, я убью вас.

— Шляпной булавкой? — Он, не удержавшись, рассмеялся. Подобная реакция явно пришлась женщине не по вкусу — она отвела руку назад, намереваясь заколоть его.

Бак схватил ее за запястье. Совсем небольшое усилие потребовалось для того, чтобы она разжала руку и выпустила булавку. Тогда он отпустил руку Анники и нагнулся, чтобы поднять булавку, прежде чем Бейби найдет ее и поранится.

Он уставился на красивую вещицу, удивляясь тому, как много можно узнать по простой шляпной булавке о ее владелице. Булавка была пяти дюймов в длину с изящной золотой бабочкой на конце. Филигранно сработанные крылышки бабочки, создающие ощущение полета, были украшены жемчужинками и цветными драгоценными камнями. Бак повертел булавку в руках, продолжая изучать ее, и постепенно не дававшее ему покоя подозрение превратилось в уверенность.

Он и в самом деле похитил не ту женщину.

Начать с того, что женщине, судя по всему, состоятельной, не говоря уж о ее красоте, вообще незачем было соглашаться выходить за него замуж. И она вовсе не нуждалась в том, чтобы он оплачивал ее проезд. Об этом нетрудно было догадаться, глядя на ее вещи. Он посмотрел на нее и увидел, что она все еще пребывает в ярости. Она внимательно наблюдала за ним. Грудь ее быстро поднималась и опускалась.

Она была похожа на поникший тепличный цветок в этой ее черной накидке, промокшей и обвисшей, подол которой облепил ей щиколотки и волочился по полу. Прекрасный атлас, черный как ночь, смотрелся каким-то чужеродным вкраплением на фоне натуральных мехов, дерева и картона, являвшихся основным отделочным материалом его грубого жилища.

Увидев, что ее взрыв не нашел никакого отклика

и что Бак молча смотрит то на нее, то на булавку, Анника покачала головой и уже потише проговорила:

— Я думаю, вы просто сумасшедший.

Бак среагировал автоматически. Шляпная булавка была мгновенно забыта. Она упала на пол, а Бак, схватив мускулистыми руками края Алисиной накидки, оторвал женщину от пола. Приблизив ее к себе, так что их лица почти соприкасались, и глядя в ее озадаченные глаза, он прохрипел голосом, который ему самому показался незнакомым:

— *Никогда*, слышишь, *никогда* не говори этого. — Он как следует тряхнул ее. — Понятно?

Женщина молча кивнула. Глаза ее быстро наполнились слезами. Эти слезы были для Бака как пощечина. Затем до него вдруг дошло, что он держит ее на весу, зажав в кулаке затянутую вокруг шеи ткань. Он сразу отпустил ее и отступил назад, словно прикосновение к ней обожгло его. Он подумал, что она, по своему обыкновению, разразится гневной тирадой, но она отпрянула назад. Бак дышал, как после подъема на вершину горы. Когда женщина быстро зашла за стол и села, съежившись, на краешек кровати, он понял, что до смерти напугал ее.

Он хотел извиниться, но передумал. Будь он проклят, если станет извиняться. Она вывела его из себя, высказав вслух то, чего он в душе больше всего боялся. Кроме того, это была первая за два дня минута покоя, и он не хотел снова заводить ее.

Пусть-ка немного остынет, подумал Бак, наклонившись, поднял булавку и положил на широкую каминную полку, где ее не сможет достать Бейби.

Оглянувшись через плечо, он обнаружил, что Бейби спокойно сидит на полу перед камином со злополучной шляпой, которую Анника бросила в порыве негодования. Он продолжал думать о ней как об Алисе, как бы ее ни звали на самом деле. Бросив на нее взгляд, Бак понял, что на время заставил ее замолчать, но он был уверен, что этот период спокойствия продлится недолго.

Испытывая непреодолимое желание оказаться подальше от женщины, сидевшей с ужасно подавленным видом, Бак накинул на голову капюшон куртки и пошел к двери. Бросив через плечо:

— Присмотри за Бейби, — он вышел и захлопнул за собой дверь.


Анника уставилась на дверь, положив на колени стиснутые руки. За всю ее жизнь ни один мужчина не поднимал на нее руку. Ее отец и брат были крупными мужчинами, способными применить силу в борьбе против несправедливости, но по отношению к ней и матери, да и вообще к любой женщине, оба были кроткими как ягнята. Ричард, так тот даже голос на нее ни разу не повысил. Анника сидела на краешке огромной самодельной деревянной кровати, спрашивая себя, что же заставило Бака Скотта взорваться как пороховая бочка. В конце концов она пыталась убедить его в том, что она не Алиса Соумс, с самой их первой встречи. Почему же сейчас, когда она назвала его сумасшедшим, он действительно словно сошел с ума?

Анника посмотрела на маленькую девочку, сидевшую неподалеку. Ребенок был занят тем, что надевал и снимал испорченную шляпу. Потом малышка подняла глаза и проговорила, улыбаясь губами, к которым прилипли остатки бобов.

— Мама?

— Я не твоя мама.

— Красивая? — Лукавая улыбка не сходила с веснушчатого личика.

Анника хотела было не обращать на нее внимания, но не смогла.

— Великолепная, — с сарказмом проговорила она и тут же устыдилась. В конце концов малышка не была виновата в том, что ее отец был сумасшедшим. — И правда красивая, дорогая. Ты можешь оставить ее.

— Оставить? — Девочка встала, медленно шагнула к Аннике и снова спросила, желая получить одобрение: — Красивая?

Анника смотрела на маленькую девочку с неровно подстриженными волосами, в которых застряли раздавленные бобы, и грязным ртом, одетую в покрытое пятнами платьице из мешковины. Она пожала плечами, но не могла не улыбнуться в ответ.

— Очень красивая. Красивая как картинка.

— У меня есть картинка. — Девочка подбежала к деревянному ящику, стоявшему у противоположной стены, и наклонилась над ним так, что ее голова и плечи исчезли внутри и кверху торчал только маленький задик, как у утки, нырнувшей за добычей. Круглое зеркало с изнанкой из жести упало на пол, за ним нитка стеклянных бус. Наконец Бейби выудила измятый газетный лист, вырванный из «Харперз базар», и подбежала с ним к Аннике.

— Красивые леди.

Анника протянула руку, взяла ветхую страницу и посмотрела на изображенные на ней модели платьев, которые были в моде добрых шесть лет назад, то есть еще до рождения этой девочки.

— Они очень красивые. — Она вернула девочке страницу и спросила: — Как тебя зовут?

— Бейби.

Анника нахмурилась.

— Это твое имя? Бейби? У тебя есть другое имя? Бейби покачала головой.

— Может, тебя зовут Энн? — настаивала Анника. — Или Сьюзи?

Ребенок очевидно счел ее глупой. Он весело засмеялся и повторил:

— Бейби.

— А меня зовут Анника. — Аннике было приятно произнести свое имя вслух, приятно сознавать, что она сама еще не рехнулась окончательно.

— Анка.

— Примерно так. Попробуй сказать Ан-ни-ка. Сможешь?

Бейби кивнула.

— Анка.

— По крайней мере она не будет называть меня Алисой, — прошептала Анника самой себе.

Дверь распахнулась, и Бейби тут же забыла про Аннику.

— Бак, Бак! — закричала она и, бросившись к нему, обхватила за колени.

Бак Скотт, нагруженный свертками, снятыми с мулов, вошел в комнату и сразу посмотрел на Аннику.

Она быстро отвернулась.

Она слышала, как он ходит по комнате, раскладывает вещи, но не смотрела в его сторону. Она была в ярости от того, как он обошелся с ней, а еще она боялась, что он снова может выйти из себя. Если он ударит ее, она никак не сможет себя защитить, не сможет противостоять его силе. Ей вдруг стало по-новому ясно, что она одна и совершенно беспомощна и что все что угодно может случиться с ней, пока он держит ее пленницей в этой маленькой хижине.

Такого мужчину нельзя было не принимать в расчет.

— Старый Тед купал тебя, Бейби? — услышала она голос Бака.

Он сбросил куртку и повесил ее на крючок у двери. Фланелевая рубашка облегала его как вторая кожа. Без толстой куртки он казался не таким внушительным, но Анника все равно не могла чувствовать себя спокойно, видя узлы мускулов, вырисовывавшиеся под плотно прилегающей рубашкой.

В ответ на его вопрос Бейби покачала головой.

— Значит, тебя надо выкупать, так?

— Фу,— Бейби опять покачала головой.

— А я думаю, надо.

Анника подивилась про себя тому, что после их довольно бурной стычки он может говорить так спокойно, полностью игнорируя ее присутствие. Посмотрев в его сторону, она обнаружила, что он поставил на пол перед камином половинку бочки и стал лить в нее воду из чайника, висящего над огнем.

Бейби пыталась стянуть через голову платье. Анника увидела ее жалкое дырявое белье, маленькие голые и очень хорошенькие ножки, пританцовывающие ступни. Она прислушалась к их разговору. Бейби рассказала, как она гонялась за Мышкой. Анника предположила, что это, видимо, отвратительная маленькая собачка Старого Теда. Бак в свою очередь сказал, что привез ей из Шайенна подарок. Это едва не застопорило всю процедуру мытья, потому что Бейби потребовала, чтобы он немедленно показал ей подарок. Бак нашел выход из положения, пообещав, что обязательно покажет его, но только после того, как Бейби вымоется.

Он подбросил еще одно полено в камин и поворошил угли под горящими дровами. В комнате и так уже было очень тепло, воздух стал сухим и душным. Пока Анника наблюдала за Баком и ребенком, которого он называл просто Бейби, ее страх отошел на задний план, уступив место усталости. Она медленно встала и, стараясь производить поменьше шума и не привлекать к себе внимания, сняла накидку и повесила ее на спинку стула.

Ее дорожный костюм безнадежно измялся, но благодаря накидке он по крайней мере остался относительно сухим. Анника провела рукой по волосам, что, впрочем, не принесло большой пользы ее прическе, потом вернулась к кровати. Ей страшно хотелось лечь и заснуть, но она не осмеливалась, пока Бак был рядом, а ее судьба не была решена. Она ограничилась тем, что откинулась на подушки у стены и вытянула перед собой ноги, свесив их вниз, чтобы не запачкать ботинками выцветшего покрывала.

Скрестив руки на груди, Анника со вздохом подумала, что, может, тетя Рут предвидела эту неприятность, составляя свои гороскопы, но по рассеянности забыла ей об этом сказать.

Бак по-прежнему не обращал на нее внимания. Плеск воды и хихиканье стали громче. Бейби наслаждалась своим купанием в самодельной ванне у камина. Полусонная Анника смотрела, как Бак присел на корточки перед бочкой-корытом и тер маленькую девочку, пока ее щечки не заблестели как закатное небо. Он убедил малышку, что не позволит мылу попасть ей в глаза, и та согласилась, чтобы он вымыл ей голову, причем, к удивлению Анники, мыло и вправду не попало ей в глаза. Скоро грязные волосы преобразились в золотистые кудри. Наблюдая за ними, Анника не переставала удивляться тому, что такой большой грубый мужчина способен с такой нежностью обращаться с маленьким ребенком.

Она подумала о собственных спутанных волосах и ноющих мускулах, и ей захотелось оказаться на месте маленькой девочки в бочке с теплой мыльной водой. И пусть бы кто-нибудь вымыл ей голову. Она представила, как было бы прекрасно вновь почувствовать себя чистой, а потом завернуться в одно из толстых шерстяных одеял или меховых пледов, сложенных в ногах кровати, и спать до тех пор, пока от усталости не осталось бы и следа.

Анника зевнула и сползла пониже, положив голову на подушки за спиной.

Бак вынул Бейби из ванной, положил мыло на печку и завернул малышку в толстое одеяло. Вытерев концом одеяла ей волосы, он отнес ее к столу и принялся перебирать привезенные пакеты. Наконец он нашел пакет с парой маленьких черных кожаных башмачков. Уезжая встречать Алису, Бак измерил ножку девочки веревкой и взял эту веревку с собой в Шайенн, где и купил ботинки в магазине «Майер энд Фостер», прочитав рекламу в витрине. Они обошлись ему в девяносто центов, но по крайней мере была гарантия, что они не порвутся.

Он вынул их из пакета и протянул девочке. Бейби прижала свою первую пару настоящих ботинок к груди так, словно это было величайшее в мире сокровище.

— Туфли и шляпа, — объявила она.

— Шляпа?

— Анки.

Бак оглянулся через плечо на женщину, спавшую на кровати. Он подозревал, что она заснула — слишком уж давно она притихла, — но, стыдясь своей вспышки, не смотрел на нее. Сейчас он с облегчением убедился в том, что страх не помешал ей заснуть. Баку нужно было обдумать все в спокойной обстановке, не чувствуя, как ее взгляд сверлит ему спину.

— Тебе повезло, — тихо сказал он Бейби.

Малышка согласно кивнула. Ее кудряшки подпрыгнули.

— И тебе хочется спать.

— Не-а. — Она покачала головой.

— Да. — Он кивнул. — Что, если я положу тебя на кровать рядом с... красивой леди и ты постараешься уснуть? Только веди себя тихо.

— Ботинки?

— Можешь взять их с собой, только надевать их в кровати нельзя.

Немного подумав, Бейби согласилась, и Бак осторожно положил ее подальше от Анники, чтобы ребенок не потревожил ее. Кровать была такой широкой, что они втроем могли бы удобно разместиться на ней, но как Бак ни устал, он заставил себя не думать о соблазнительной перспективе.

Он укутал Бейби одеялом и знаком велел ей молчать. В ответ Бейби приложила палец к губам и прошептала:

— Ш-ш-ш.

Когда Бак отвернулся от нее, она уже спокойно играла своими новыми ботинками. Анника даже не пошевелилась.

Бак вернулся к столу и принялся изучать принадлежавший женщине ящик для письменных принадлежностей с откидной крышкой, стоявший среди его пакетов. Ящик был расписан позолоченными завитушками, а крышка обтянута дорогой коричневой кожей. Бак дотронулся до нее, оглянулся, чтобы удостовериться, что Анника по-прежнему спит, и поднял крышку. За время их путешествия содержимое ящика пришло в беспорядок, но Бак подумал, что в обычных условиях все хранящиеся в нем принадлежности наверное аккуратно разложены. Он вынул чернильницу. Он никогда не видел таких, хотя и слышал, что бывают непроливающиеся чернильницы. Внимательно осмотрев, он отложил ее в сторону. Еще в ящике были листы чистой бумаги разного размера, конверты, маленький пенал с ручками и перьями. Была также необычная прямоугольная книга с обложкой, украшенной беспорядочно разбросанными сердцами, цветами и ангелами.

Бак вынул ее и открыл. Не первой странице было написано: «Для памяти... Мысли и наблюдения».

А ниже тем же красивым почерком: «Анника Марика Сторм, 1892».

Бак не стал читать дальше и осторожно положил дневник на место.

*«Мой брат Кейс Сторм».*

А он не поверил ей.

*«Когда мой брат обо всем узнает, он убьет вас».*

Тот Кейс Сторм, о котором Бак слышал, именно это и сделает. И что тогда будет с Бейби?

Бак подтащил стул к огню и тяжело опустился на него. Он скрестил длинные ноги, скрестил руки на груди и уставился в огонь. Пора было посмотреть правде в лицо. Он сглупил, отказавшись ее слушать. Попытка заставить эту прекрасную женщину, которую он принимал за Алису Соумс, выполнить условия их договоренности была величайшей в его жизни ошибкой. Завтра ему придется извиниться перед Анникой Сторм и отвезти ее через горы к брату. Да, надо смотреть правде в лицо.

Он спросил себя, каким образом его письмо Алисе Соумс оказалось рядом с Анникой, и вдруг все понял. Настоящая Алиса Соумс увидела его намного раньше, чем он ее, и подкинула Аннике письмо, чтобы сбить его со следа. Ее отказ не вызывал никаких сомнений.

*Я думаю, вы просто сумасшедший.*

Как сумасшедший он и повел себя, похитив Аннику с поезда. Даже будь она Алисой Соумс, все равно было глупо поступать так. Ему не следовало забивать себе голову мыслями о женитьбе. Никогда. Это была смехотворная идея. Какая женщина в здравом уме захочет выйти замуж за потенциального безумца?

Бак повернулся посмотреть на Бейби и обнаружил, что она заснула рядом с Анникой Сторм. Розовощекая с густыми светлыми волосами девочка выглядела как невинный ангел. Когда он повезет женщину назад, надо будет найти приличный дом для Бейби.

Никто не стал бы винить его, если бы он отказался от Бейби, никто, кроме него самого. Вот уже три года он растил ее. Он даже стал брать ее с собой на охоту, привязывая к спине на манер индейцев, когда она выросла настолько, что оставлять ее дома в колыбели, которую он смастерил для нее, стало опасно.

Сейчас Бейби еще подросла, стала слишком шумной и активной, и он больше не мог брать ее с собой, отправляясь добывать меха и шкуры, дающие им средства к существованию. Нельзя было и оставлять ее дома одну. Он думал, что женитьба решит эту проблему, что Алиса Соумс возьмет на себя ответственность за воспитание его племянницы наряду с другими обязанностями жены, но все его планы пошли прахом. Алиса Соумс отвергла его, даже не поговорив с ним, и в результате он похитил сестру человека, который разделался с бандой Досона.

Хуже и быть не могло.

Бак встал и провел рукой по полосам. Грязное платье Бейби валялось на полу рядом с бочкой-лоханью. Он поднял его и прополоскал в теплой воде. Отжав платье, он повесил его у огня, где оно должно было высохнуть к утру. Он осознал, что больше не испытывает зверского голода, но все же подошел к столу, открыл один из пакетов и достал из него остатки вяленого мяса. Открыв дверь, выглянул наружу. Снег все еще шел. Крупные снежинки бесшумно падали на землю, образуя плотный белый занавес, ограничивавший видимость несколькими дюймами. Бак надеялся, что снег прекратится, не успев засыпать перевал. Он решил, что Старый Тед преодолел перевал до снегопада, иначе он уже вернулся бы назад и сейчас стучал бы в дверь.

Если бы старик следовал своим привычкам, Бак не увидел бы его до весны, но по счастливой случайности он завернул к нему раньше и смог посидеть с Бейби. В противном случае Баку пришлось бы брать ее с собой в Шайенн.

Огонь в камине почти догорел. Бак подложил еще одно полено и снова сел. Может, он уже сошел с ума, но не знает об этом? Сошел с ума, как Па и Пэтси. Па в конце даже не узнавал его. *Почему*, подумал Бак, *со мной должно быть по-другому?*

Да, хуже и быть не могло. Правда, подобная мысль нередко приходила ему в голову, и судьба каждый раз доказывала, что он не прав. Все становилось еще хуже. Он почти забыл то время, когда все было относительно хорошо, таким недолгим оно было.

Он родился в Кентукки в 1860 году, а год спустя отец ушел воевать на стороне конфедератов. Жили они тогда в холмистой местности, и Бак рос, бегая по холмам и лощинам, босоногий и беззаботный. Его мать, Айрин, была повитухой. Она разрешала ему бродить там, где он хотел, только всегда брала с него обещание не отходить далеко от ручья, чтобы не заблудиться. Она всегда брала его с собой, когда ехала в какую-нибудь деревушку принимать роды.

Силас вернулся с войны сломленным душевно. Он постоянно пребывал в подавленном состоянии и не желал ничего делать, лишь сидел, уставившись в стену, пил виски или занимался любовью с матерью. Баку было шесть, когда родилась Пэтси, а спустя два года появилась Сисси. Айрин содержала их всех, продавая лечебные эликсиры собственного приготовления и оказывая акушерские услуги. С того времени как Бак начал немного разбираться в травах и целебных снадобьях, он мечтал стать настоящим врачом, целителем.

Когда ему исполнилось двенадцать, Айрин Скотт

сбежала с красивым коммивояжером, который заглянул к ним в попытке продать новую сковороду. Предательство матери повлекло за собой две вещи: Силас был вынужден заняться делом, чтобы прокормить детей, и с мечтой Бака стать врачом было покончено.

Бродяга, проходивший через их деревушку, сказал Силасу, что хорошие деньги можно заработать охотой на бизонов на Западе. Слов этого незнакомого человека оказалось достаточно, чтобы старший Скотт, уложив их скудные пожитки, снялся с места и уехал из Кентукки вместе с Баком и девочками, которым было тогда шесть и четыре. Они направились в Додж в старом фургоне, запряженном двумя старыми мулами. С этого момента забота о девочках легла на плечи Бака. Он должен был следить, чтобы они были накормлены и, как выражался его отец, «доведены до ума».

Мать научила Бака читать по тем немногим книгам, что у них имелись: Медицинский альманах доктора Джейн, справочник «Секреты хорошего здоровья», Библия с оборванными краями и потрепанный экземпляр «Антония и Клеопатры» — единственный том из собрания сочинений Шекспира, оставленный еще одним коммивояжером в качестве образца. По тем же книгам Бак учил читать Пэтси и Сисси. Пэтси нравилось читать, как утке плавать, но вот с Сисси было совсем другое дело. Стоило ей попытаться сосредоточиться, как какой-нибудь неожиданный шум, пролетевшая мимо бабочка или пришедшая ей в голову фантазия отвлекали ее, и она застывала, уставившись в пространство. Подобное отсутствие внимания скоро надоело Баку, и он оставил попытки научить Сисси читать. Пэтси же наизусть выучила историю египетской царицы и заставляла Бака и Сисси разыгрывать пьесу вместе с ней.

Зимой 1872 года охотники из Атчисона, Топеки и Санта-Фе впервые сделали полем своей деятельности окрестности Додж-Сити. С появлением железной дороги охотиться стало намного легче — охотники ехали по железной дороге и отстреливали животных из окон поезда. Шкуры грузили в вагоны, стоявшие на запасных путях, забивая их до потолка. Животных уничтожали с такой скоростью, что ко времени прибытия в Додж Силаса Скотта с детьми поголовье бизонов было почти полностью уничтожено.

Они жили как кочевники. Бак пытался присматривать за девочками, но большую часть времени его светловолосые чумазые сестры носились где и как хотели. Друзей у них не было. Они никогда не задерживались на одном месте и не успевали обзавестись друзьями, к тому же городские дети не слишком искали их дружбы. Семья переезжала с места на место как цыгане, устраиваясь всякий раз на окраинах маленьких городков в ветхих хижинах или дешевых пансионах.

Когда канзасские равнины были опустошены, прошел слух, что бизоны сохранились в Техасе, и отец двинулся на юг. К 1867 году власти Техаса и «Пасифик рейлвей» закончили строительство железной дороги до Форт-Уорта, и началась новая бойня. Баку к тому времени исполнилось шестнадцать. Начиная с того дня, когда ему стало невмоготу присматривать за девочками, он в течение двух лет свежевал туши бок о бок с отцом. Те годы запомнились ему как кровавые годы — с утра и до позднего вечера он видел одну лишь кровь, и ему начало казаться, что весь мир купается в крови.

Хороший охотник на бизонов может освежевать от ста пятидесяти до двухсот туш в день, а Бак был одним из лучших. В Техасе он выполнял свою работу, держа нож в одной руке, другая была свободна, чтобы сразу схватить ружье, если появятся индейцы, которые иногда нападали на охотников, недовольные тем, что истребляют животных, являющихся основой их существования.

Бак выучился не только свежевать туши. По очереди с другими охотниками из их группы он растягивал и тюковал шкуры. Вокруг него всегда витал запах смерти, смешанный с запахом крови и сала. Все дни напролет — за вычетом времени на сон — он убивал бизонов и снимал с них шкуры.

Вскоре стало ясно, что и в Техасе поголовье бизонов будет вот-вот уничтожено. Силас Скотт, желая опередить остальных, в 1879 году переехал с семьей на Север. После того как «Нозерн Пасифик» проложила железную дорогу через равнины Монтаны, они пробыли на Севере два года. Скотты и подобные им так поднаторели в своем деле, что за два года уничтожили в том районе всех бизонов. Впервые за десять лет Силас Скотт остался без работы.

Бак предложил отцу заняться фермерством — тогда на Севере можно было купить гомстед, — но Силас и слышать об этом не хотел. С какой стати гнуть спину, возделывая землю, когда они нажили целое состояние охотой? Силас при этом обходил молчанием тот факт, что бóльшую часть этого состояния он истратил на дорогие ружья, ножи с ручками из слоновой кости, виски, женщин и азартные игры.

Они стали охотниками на волков, влившись в многочисленный отряд тех, кто подкладывал яд в бизоньи туши, а потом приходил и снимал шкуры с волков, барсуков, койотов и лис, пришедших покормиться падалью. Когда туши были обглоданы дочиста, доходила очередь до рогов, копыт и костей. Те же вагоны, что некогда перевозили шкуры, теперь везли на восток бизоньи кости. Свежие жженые кости использовались в рафинадном производстве для очистки сахарного сиропа. Выдержанные кости шли на изготовление фосфорных удобрений.

У Сисси оставалось все больше свободного времени. Она, правда, помогала им при обработке волчьих шкур и возне с костями. Она не любила уходить одна, в отличие от Пэтси, которая, бывало, исчезала на несколько недель, а потом объявлялась в лагере с каким-нибудь охотником на бизонов. Мужчины в лагере использовали Сисси, когда это им ничем не грозило. За побрякушку или новую ленту она готова была лечь под любого, и Баку приходилось заниматься не только свежеванием туш, но и оберегать сестру от любителей развлечься.

В конце концов он настоял на том, что им нужен настоящий дом. Отец с годами становился все более рассеянным и безответственным, и Бак решил, что пора ему самому решать все вопросы. Он перевез Пэтси, ее сожителя, Силаса и Сисси в долину Блу-Крик, расположенную высоко в горах Ларами. Здесь они могли выжить, занимаясь тем, чем занимались последние десять лет, и не опасаясь при этом осуждения благовоспитанных обывателей маленьких городков и развивающихся больших городов Запада.

Итак, кровавые годы закончились почти так же быстро, как и начались. Бак по-прежнему охотился, ставил капканы, но все эти занятия были отодвинуты на второй план тем, что происходило с обитателями горной хижины. Он назвал эти годы безумными, и не без оснований. К этому времени его отец окончательно сошел с ума, его прежняя забывчивость и рассеянность переросли в настоящее безумие.

У Бака внутри все переворачивалось при воспоминании о том, как он привязывал отца к кровати, когда ему самому необходимо было отлучиться. Но особенно отчетливо врезался ему в память тот день, когда он в последний раз видел отца живым.

Бак находился не слишком далеко от дома, когда услышал крик. Он занимался своим обычным делом, проверяя капканы высоко в горах, когда до него донесся этот крик, высокий и пронзительный как крик баньши в аду. Он никогда не забудет, как спускался по горному склону вниз к хижине, молясь про себя, чтобы крик прекратился. Но ужасный крик продолжался, достигнув крещендо, когда Бак ворвался в хижину и увидел своего отца, стоявшего над окровавленным телом сожителя Пэтси. Пэтси и Сисси забились в угол и с безумным выражением в широко раскрытых глазах, не прекращая кричать, смотрели, как Силас снимает кожу с друга Пэтси с той же сноровкой и проворством, с какими когда-то снимал шкуры с бизонов.

Бак не колебался ни минуты. Выстрелом из ружья он уложил отца на месте...

Тихий звук, раздавшийся внезапно за его спиной, отвлек его от мрачных мыслей. Он выпрямился на стуле, оглянулся через плечо и увидел Аннику Сторм, сидевшую на краю кровати. Вид у нее был растрепанный и растерянный.

Бак встал и засунул руки сзади за пояс брюк. Она смотрела на него так, что ему снова захотелось встряхнуть ее как следует, но ведь именно поэтому она и смотрела на него так, словно он был чудовищем. Сзади в камине затрещало полено, и вверх в дымовую трубу устремился столб искр. Бак знал, что должен успокоить ее, сказать, что знает, кто она, и что отвезет ее назад, как только позволит погода, но как же, черт возьми, ему не хотелось признавать, что он вел себя как сумасшедший, за которого она его и приняла. Сумасшедший, которым он наверняка станет.

Он наблюдал, как она встала и, пошатнувшись, оперлась о край кровати. Ее шерстяная юбка и жакет в тон юбке были измяты до невозможности, волосы рассыпались по плечам. Они были длиннее, чем он предполагал, и красивые, как золотая пряжа. Глаза, под которыми залегли фиолетовые тени, были как озера, полные тревоги.

— Я знаю, кто вы, — медленно произнес он.

— Ну, начинается, — пробормотала она.

Он очень хорошо ее расслышал и покачал головой.

— Нет, в самом деле. Я знаю, что вы действительно та, за кого себя выдаете. Я прочел ваше имя в дневнике.

— В дневнике?

— В том, что в ящике для письменных принадлежностей.

Она кивнула. Ей не понравилось, что он рылся в ее вещах.

— Жаль,, что вы не подумали сделать это перед тем, как снять меня с поезда. — Она посмотрела на свой саквояж и ящик для письменных принадлежностей, стоящий на столе, потом перевела взгляд на Бака. — Когда вы отвезете меня обратно?

Ему хотелось, чтобы она перестала смотреть на него с таким осуждением. Это начинало действовать ему на нервы. Она сидела, с силой обхватив себя за талию, словно пытаясь унять дрожь в пальцах.

Он не умел извиняться и знал это.

— Мы отправимся в Шайенн, как только снег прекратится.

— Хорошо.

— Ваш брат действительно тот самый Кейс Сторм?

Как только он сказал это, на лице Анники появилось выражение самодовольства. С видимым облегчением она проговорила:

— Да, это действительно он, мистер Скотт, и я уверена, вы еще пожалеете о своем поступке.

— Мэм, я уже сожалею, поверьте мне.

Она шагнула вперед, забыв на мгновение свой страх. Он обрадовался этому, хотя и был уверен, что, избавившись от страха, она снова примется за свои жалобы.

— Не думайте, что вы можете просто извиниться и я тут же забуду о том, что вы со мной сделали.

— Не думайте, что я собираюсь извиняться,— предупредил он,— я не намерен этого делать.

— Нет?

— Нет.

— Возможно, вы все-таки извинитесь, когда брат направит на вас ружье.

— Не тратьте слов зря.

Она покраснела.

— Ничего, скоро вы узнаете.

— Вы всегда бежите за помощью к брату, когда с вами что-нибудь случается?

— Раньше мне этого делать не приходилось, но раньше меня никто и не похищал.

— Вот значит как вы это называете.— Он подошел ближе к ней, и они стояли почти вплотную.

— А как вы это называете?

— Ошибочное опознание.

— Ха! — Она почти кричала.— Я-то никаких ошибок не делала. Я прекрасно знала, кто я такая, но вы и слушать меня не захотели.

Не в силах противиться своему желанию, Бак протянул руку и убрал прядь волос с ее плеча.

Она стряхнула его руку.

— Как Сторм может быть вашим братом? Ведь он полукровка.

Она мгновенно напряглась.

— Он наполовину сиу. И он мой сводный брат. Я похожа на мать. Она голландка.

Бак вздохнул. У нее не было причин лгать, раз ее имя стояло на первой странице дневника. Да, дело ничем хорошим не кончится, даже если он отвезет ее назад в Шайенн. Сторм, наверное, уже получил описание его внешности от других пассажиров. Он выследит его. Бак вдруг вспомнил хорошо одетого полукровку, которого видел на платформе среди пассажиров, ожидавших прибытия двенадцатичасового поезда. Ноющее чувство в животе подсказало ему, что это, должно быть, и был Кейс Сторм.

Бейби забормотала во сне, и они оба тут же на нее посмотрели. Потом Анника перевела взгляд на Бака.

— Тед ушел. С кем вы оставите ее, когда повезете меня назад?

Он пожал плечами.

— Возьму с собой. Она к этому привыкла.

Анника нахмурилась.

— Но ведь там холодно.

— Она к этому привыкла.

Какое-то время оба молчали. Анника оглядывала комнату, а он смотрел на нее. Она безусловно была очень красивой женщиной. И высокой к тому же. Достаточно высокой, чтобы рядом с ней он не чувствовал себя неуклюжим гигантом, как рядом с большинством женщин. Лучше, конечно, если бы она не была такой упрямой, но с другой стороны ему нравилось ее мужество. Испугалась она только один раз — когда он схватил ее, но справедливости ради Бак вынужден был признать про себя, что в подобных обстоятельствах даже многие мужчины стали бы вести себя потише. И он не мог не восхищаться тем, как сидел на ней ее костюм, который в его нынешнем виде едва ли мог кого-то украсить. Он попытался представить, как она выглядела бы в настоящем платье из мягкой тонкой ткани, облегающем ее как вторая кожа.

— Вы замужем? — Он готов был откусить себе язык, едва у него вырвался этот вопрос.

Было видно, что она удивилась, но быстро замаскировала удивление негодованием.

— А это вас не касается.

Бак быстро, прежде чем она успела ему помешать, взял ее левую руку, посмотрел и отпустил.

— Кольца нет.

— Даже и не думайте об этом, мистер Скотт. Я бы не вышла за вас замуж, будь вы последним мужчиной на земле.

— Нет, конечно нет. Я и просить не стану.

Он отвернулся, подошел к бочке-ванной, стоявшей посредине комнаты, поднатужившись, поднял ее и понес к двери. Там поставил ее на пол, открыл дверь, снова приподнял бочку и, выйдя на холод, выплеснул в снег грязную воду.

Когда он повернулся, Анника стояла у него за спиной.

— Я не хотела, чтобы это прозвучало таким образом, — сказала она, недоумевая про себя, почему она вообще чуть ли не извиняется.

Он помолчал, стоя на холодном ветру, глядя на нее и пытаясь понять, к чему она ведет.

— По-моему, все было предельно ясно.

— Я хотела сказать, что где-то, я уверена, есть женщина, которая прекрасно вам подходит. — Она сплела пальцы рук, не в силах на самом деле представить, кто бы согласился выйти замуж за мужчину такого пугающего вида.

Бак закрыл за собой дверь и отставил в сторону самодельное корыто. Запах алкоголя в комнате был еще так силен, что ему казалось, он может попробовать его на вкус. Сожалея, что не может выпить стаканчик, Бак вместо этого подобрал осколки кувшина и затер лужу половой тряпкой.

— Эта женщина, эта... Алиса много для вас значила?

Бак, стоявший на одном колене, посмотрел вверх и повертел в руках осколки кувшина.

— Я даже ни разу ее не видел. Только написал

несколько писем, — признался он. — Ответил на объявление, которое она дала в бостонской газете.

Она выдвинула из-под стола сделанный из бочки стул и села.

— Тем не менее вы хотели жениться на ней.

— Мне нужен был человек, который присматривал бы за Бейби, когда я ухожу на охоту.

— Вы хотите сказать, что вашему ребенку нужна мать?

Бак встал и сложил осколки на верстак.

— Она не моя.

— Какой смысл отрицать, мистер Скотт? Она очень на вас похожа.

Бак подумал, что у Анники, рассчитывавшей, видимо, услышать повторные отрицания, был слишком чопорный вид.

— Это ребенок моей сестры, — сообщил он.

— А где ваша сестра?

Опершись ладонями о стол, он наклонился так, чтобы смотреть ей прямо в лицо.

— Моя сестра сумасшедшая. — Он почти улыбнулся.

Впервые Анника не сразу нашлась, что сказать, но ее молчание продлилось недолго.

— Сумасшедшая? — Она недоверчиво посмотрела на него.

— Да. Она живет со старой шотландкой на ранчо неподалеку от Шайенна.

## ГЛАВА 6

**В**нимательно вглядевшись в Бака Скотта, Анника пришла к выводу, что такие, как он, не шутят. Она сомневалась, что он вообще знает, как это делается. Она опустила голову на руки и стала потирать пальцами виски.

— Посмотрим, правильно ли я все поняла, — проговорила она, размышляя вслух. Взгляд ее был прикован к облезлой поверхности стола. — Меня похитил мужчина. Сделал он это, по его словам, по ошибке, приняв за свою невесту, с которой познакомился по переписке. Он хотел жениться на этой женщине только ради того, чтобы она заботилась о ребенке его сестры. Сестра не способна сама заботиться о ребенке, потому что она психически нездорова. — Подняв голову, она посмотрела Баку в лицо. — Я ничего не упустила?

— Собачка Теда укусила ваш ботинок.

— Ну конечно, как глупо с моей стороны. — Анника подавила улыбку. Значит, чувство юмора у него все-таки было. Она внимательно смотрела на него, думая, что еще сказать.

Ей неожиданно стало ясно, почему некоторое время назад он пришел в такую ярость. Под влиянием разочарования и гнева она назвала его сумасшедшим, и теперь, когда он спокойно признал, что у него сестра сошла с ума, Анника поняла, какое впечатление произвели на него ее необдуманные слова. Ее первым побуждением было извиниться, но гордость не позволила ей это сделать. Она не привыкла извиняться за то, в чем не было ее вины. Откуда ей было знать, что у него в семье были сумасшедшие? Слава Богу, что Бак Скотт, в отличие от мистера Рочестера из «Джен Эйр», не держал свою сестру взаперти где-нибудь в доме.

Он зажег еще одну лампу, поставил ее в центре стола и принялся раскладывать свои свертки. Она наблюдала, как он молча трудится, не обращая на нее внимания. Странным образом то, что она узнала о его сестре, сделало его в ее глазах более уязвимым. До сих пор она видела в нем лишь дикаря, который, привыкнув действовать не размышляя, похитил ее и притащил в эту Богом забытую глушь. И вдруг он превратился в человека, в жизни которого была трагическая тайна, в человека, который сделал предложение совершенно незнакомой женщине ради того только, чтобы кто-то мог заботиться о ребенке его сестры. Теперь стало понятно, почему он так спешил вернуться домой до снегопада. Ему нужно было успеть к ребенку.

— Вы голодны?

Заданный тихим голосом вопрос заставил ее вздрогнуть. Она хотела было сказать «пст», но поняла, что просто умирает с голоду. Но вдруг он опять предложит ей заняться готовкой?

— Немного, — призналась она. Бак тоже чувствовал себя голодным как волк, хотя и не заметил, когда же у него вновь разыгрался аппетит. Анника Сторм, похоже, так устала, что была способна только сидеть, так что он сам занялся приготовлением простенького ужина.

Анника смотрела, как он двигается по комнате. Сейчас она могла изучить его в домашней обстановке.

Он достал глиняный горшок с широкой полки над камином, на которой стояло еще несколько подобных горшков. Поставил его на стол, затем поднял крышку с бочки, стоявшей под полкой. В бочке в рассоле хранилось мясо. Достав из чехла у пояса нож, Бак отрезал два куска, бросил их на сковороду, залил водой и поставил на угли.

Из миски, стоявшей на низенькой скамейке, взял тряпку, намочил водой из ведра и тщательно вытер стол. Из стопки тарелок с отбитыми краями, стоявшей там же на скамейке, взял две и поставил одну перед Анникой. Приборы хранились в кувшине на полке, где их не могла достать Бейби. Бак дал Аннике вилку и нож.

Наконец он заговорил:

— Трапеза будет весьма скромной. Наверное, совсем не то, к чему вы привыкли.

Анника попыталась улыбнуться.

— Я и в самом деле голодна.

Заметив, что он избегает встречаться с ней взглядом, она поняла, что он смущен, что ему стыдно за свое жилище, свои скудные пожитки. Она оглядела комнату, думая, что бы такое сказать, чтобы подбодрить его. Кто-то предпринял довольно неуклюжую попытку скрасить хоть немного убогую обстановку и частично оклеил стену над камином рекламами из газет. Очевидная бесполезность этой попытки производила удручающее впечатление. Вырезки составляли какой-то немыслимый коллаж, края их были неровно оборваны, одна вырезка находила на другую. Это была реклама печей, обуви, готовой одежды, тканей. Их с трудом можно было разглядеть в тусклом свете лампы. Неужели земляной домишко ее матери был обставлен так же убого и безвкусно? Всю свою жизнь Анника романтизировала образ матери, которая одно время жила совершенно одна в жалкой хибарке в Айове, и, следуя полету своей фантазии, рисовала в воображении картины, весьма далекие от реальности. Как же в сходных условиях выжила ее мать? Анника осознала, как мало она, оказывается, знает о жизни матери в те годы.

Она честно призналась самой себе, что, окажись она одна в этом примитивном жилище Бака Скотта, она бы понятия не имела, как удовлетворить самые насущные свои потребности. Она все еще рассматривала газеты, наклеенные на стене, когда Бак прервал молчание.

— Что вы делали в поезде?

Анника пожала плечами. Казалось, с тех пор прошла целая вечность.

— Ехала к Кейсу с женой.

Она была рада сказать что-нибудь, все равно что, лишь бы немного разрядить обстановку, но решила не упоминать о своей разорванной помолвке. Это Бака Скотта совсем не касалось.

Согнувшись над огнем, Бак перевернул мясо длинным и опасным на вид ножом. Этот нож был смертоносным оружием. Анника не скоро забудет ощущение, вызванное прикосновением холодного лезвия к горлу. Она оглянулась на кровать, на которой мирно спала Бейби, и спросила себя, где же Бак Скотт собирается уложить ее самое.

— У Бейби есть настоящее имя? — выпалила она и принялась крутить прядь волос.

— Бейби и есть ее настоящее имя.

— Да? Бейби?

— А чем оно вас не устраивает?

Не желая сердить его теперь, когда обстановка несколько разрядилась, она ответила:

— Просто я подумала, понравится ли девочке, что ее будут называть Бейби, когда она вырастет.

— Никогда об этом не задумывался. Мы все время называли ее Бейби, так это имя и пристало.

Он подтащил стул к столу и сел напротив нее. Они ждали, когда будет готово мясо. Бак снова принялся ее разглядывать. Он знал, что это неприлично, но ничего не мог с собой поделать. Анника все время смотрела в сторону, и он чуть ли не физически ощущал, как работает ее мозг в поисках еще какой-нибудь темы для разговора. Он был удивлен тем, что она не стала задавать ему вопросов о Пэтси, но решил, что она, наверное, умирает от желания узнать побольше, но не хочет его спрашивать.

Аннике хотелось, чтобы он перестал на нее таращиться. Она встала, пересекла комнату и подошла к саквояжу, который Бак раньше внес в дом. Открыла его, вынула щетку для волос и села на краешек кровати. Она понятия не имела, сколько времени готовится мясо, и, чтобы чем-то занять себя, стала водить щеткой по волосам. Она так сосредоточилась на этом занятии, что почти забыла о присутствии Бака. Прикосновение щетки к коже было настолько приятным, что она громко вздохнула.

Подняв глаза, она обнаружила, что Бак сидит без движения, словно окаменев, и все так же смотрит на нее. Его взгляд был таким откровенным и горячим, что Анника опустила глаза и осмотрела свою одежду, проверяя, не свалилась ли она с нее.

Потом резко вскочила, убрала щетку в саквояж и принялась расхаживать по маленькому пятачку между кроватью и столом.

— Сколько вам лет, мистер Скотт? — Вопрос казался довольно безобидным.

— Тридцать два.

Она на мгновение замерла.

— Я думала, вы моложе.

— А вам сколько?

Ее присутствие раздражало Бака больше, чем он хотел в том себе признаться. Он был рад, что она не

Алиса Соумс, он вообще был рад, что из его матримониальных планов ничего не вышло. Он слишком долго жил один и вряд ли смог бы привыкнуть к постоянному присутствию рядом другого человека. Одно дело Бейби, с ней легко сладить, совсем другое — разговорчивая женщина.

Она гордо выпрямилась.

— Мне двадцать.

— Как много.

Она немедленно набросилась на него.

— А сколько лет Алисе Соумс?

— Она писала, что ей двадцать пять.

Анника фыркнула. Бак с усилием подавил улыбку.

— Как вы думаете, мясо готово? — Она скрестила руки под грудью, но, проследив направление его взгляда, опустила их.

— Думаю, да.— Он не сделал попытки встать. Если уж он вынужден терпеть ее присутствие в своем доме до следующего дня, решил он, по крайней мере он может не церемониться с ней.

Выгнув бровь, она заметила ледяным тоном:

— Как вы думаете, нам удастся поесть до утра?

— Я думаю, что раз я приготовил еду, может, вы разложите ее по тарелкам.

— Подумайте еще раз.

— Вы привыкли к тому, что вам прислуживают, мисс Сторм?

Она хотела было ответить, что именно к этому она и привыкла, но убогая обстановка хижины слишком живо напоминала ей о разнице между ними. Она промолчала.

Бак взял тряпку и ухватил сковороду за ручку.

— Если вы хотите есть, вам лучше сесть. — Подцепив ножом кусок мяса, он бросил его на тарелку на ее конце стола.— Угощайтесь.

* * *

Огни Бастид-Хила светили сквозь падающий снег
как желтые маяки. Кейс Сторм предпочел бы, чтобы
это были огни его дома, но все же он был благодарен
судьбе, что добрался до города, а не сбился с пути
в сгущавшейся темноте да еще при таком сильном
снегопаде. Он подъехал прямо к местной платной
конюшне, открыл боковую дверь, которую на случай
подобных обстоятельств никогда не запирали, и ввел
своего черного жеребца Синдбада внутрь. После долгой дороги тепло огромного сарая показалось ему
особенно приятным. Звуки, которые производили ук-
ладывающиеся на отдых животные, были знакомыми
и успокаивающими. Он поставил своего коня в пустое
стойло, повесил седло на боковую перегородку и вышел из конюшни.

Снег хрустел под ногами, пока Кейс шел по Мейн-
стрит к тюрьме, удивляясь, что за несколько часов
нападало так много снега. Настроение у него было
неважное — он знал, что придется еще одну ночь
провести вне дома вдали от Розы, но при таком
сильном снегопаде не было никакой возможности про-
должить путь, не рискуя заблудиться в темноте.

Кейс поднялся на деревянный порожек, потопал
ногами, стряхивая снег, потом подошел к двери и постучал. Внутри горела лампа. Через окно он видел
эту лампу, стоявшую на столе, который он когда-то
называл своим. Со времени его недолгого пребывания
на посту начальника полицейского участка в Бастид-
Хиле прошла, казалось, целая вечность, хотя на самом деле минуло всего пять лет.

Никто не ответил на его стук, поэтому он постучал
еще раз, погромче. Услышал приглушенное проклятие и улыбнулся про себя. Зак Эллиот, его старый
друг, ставший начальником полицейского участка
после того, как Кейс оставил этот пост и завел соб-

ственное ранчо. Проблема тут заключалась в том, что Заку было за семьдесят, причем никто не знал, как много за семьдесят, и, хотя все в городе считали, что Зак давно уже достиг пенсионного возраста, ни у кого не хватало духа попросить вздорного старика уйти. Окружающие прощали ему легкую глухоту и приступы забывчивости, покрывали его ошибки и вызволяли из неловких ситуаций.

Не так давно Зак засунул куда-то ключи от тюрьмы. Конечно, постоянно в тюрьме никто не сидел, но когда какой-то бродяга вздумал перебить лампы в салуне Пэдди О'Халохана «Рафлд Гартер», всем пришлось искать пропавшие ключи, чтобы водрузить нарушителя спокойствия в камеру.

Пэдди, владелец салуна, и Слик Нокс, местный игрок, ставший парикмахером, в случае необходимости выполняли обязанности помощников, и такие случаи начали учащаться с тех пор, как Вайоминг стал штатом.

Дверь чуточку приоткрылась, и на Кейса уставился полусонный Зак. Внешность старика была столь же колоритной, как и прожитая им жизнь. Когда-то он был армейским разведчиком и жил в Техасе, где женился на индейской женщине из племени команчей и у них родился сын, но, после того как жену и сына убили, Зак уехал из Техаса. Он лишился одного глаза, но это никак не повлияло на его активность. Длинный тонкий шрам пересекал его щеку, пустая глазница затянулась пленкой.

Кейс никогда не видел Зака чисто выбритым, нижняя часть лица всегда была покрыта щетиной. Он никогда не отращивал настоящей бороды, но и бриться начисто тоже не желал, так и ходил с вечной щетиной.

Зак научил Кейса ездить верхом и стрелять. Зак был рядом в самые трудные моменты его жизни, он помог ему уладить отношения с Розой, когда Кейс из упрямства отказывался признать, что любит ее. Зак Эллиот был такой же неотъемлемой частью семьи, как и тетя Рут.

— Ты войдешь или будешь стоять там и пялить на меня глаза? — проворчал Зак.

— Войду, если ты откроешь дверь пошире.

— Черт, — выругался Зак, но отошел в сторону, постаравшись встать так, чтобы из-за двери были видны только его голова и плечи. Войдя, Кейс понял почему. На Заке были надеты только длинные красные кальсоны.

От находившейся в углу комнаты черной чугунной печки тянуло теплом. Кейс был рад теплу. Он снял перчатки, шляпу и положил их на стоявший неподалеку стол, заваленный всякой всячиной. Счистил снег с куртки и тряхнул длинными волосами, стряхивая снег, налипший на концах.

— Я вижу, что после моего отъезда ты так и не удосужился убраться здесь, — заметил он.

— Я подумал, раз при тебе был такой беспорядок, значит так и должно быть, — возразил Зак.

Он вошел в камеру, в которой спал, сдернул с кровати одеяло, завернулся в него и вернулся в главную комнату.

— Теперь я понимаю, почему ты никогда никого не сажаешь под арест. — Кейс кивнул в сторону пустой камеры. — Где же ты тогда будешь спать? — Он положил ноги на никелированную решетку, обрамлявшую печь сбоку, и вытянул вперед руки.

Зак почесал в паху и зевнул.

— Что ты вообще-то здесь делаешь? Я думал, ты встречаешь сестру в Шайенне.

Лицо Кейса омрачилось.

— Я ездил встречать ее, но она не сошла с поезда.

— Не села на него или отстала в пути?

Кейс покачал головой.

— Ни то, ни другое. У тебя есть кофе? Это долгая история.

Зак снял с печки старенький кофейник, заглянул в него, потом подошел к стоявшей в углу бочке с водой. Окунув в нее кофейник, он наполнил его водой и поставил на маленькую плитку. Кейс молча наблюдал, как старик выдвинул ящик стола, достал оттуда мешочек с кофейными зернами и высыпал пригоршню на стол.

— Садись и рассказывай. Пока-то я еще приготовлю кофе. — Зак зашел в камеру, вынул из чехла ружье, вернулся к столу и принялся толочь зерна прикладом. Несколько зерен упали на пол, но в целом получилась приличная кучка расплющенных зерен, которые он сгреб в ладонь и понес к кофейнику. — Через минуту закипит.

— Прямо не могу дождаться. — Кейс снял куртку и повесил ее на спинку стула у печи. — Ты не думал купить кофемолку?

Зак пропустил вопрос мимо ушей.

— Так что же случилось с твоей сестрой?

Он подвинул у себе стул и уселся напротив Кейса. Движения его были размеренными, но на лице отражалось беспокойство. Наклонившись вперед, он приготовился внимательно слушать.

— Ее не оказалось среди прибывших, но меня разыскивал проводник, — Кейс уставился на носки своих сапог. — Собственно говоря, он искал брата Алисы Соумс, блондинки из Бостона. В конце концов, когда я описал ему Аннику, стало ясно, что мы говорим об одной и той же женщине, но он все равно не сразу поверил, что я ее брат.

— Ну, ты совсем на нее не похож.

— Да, потребовалось время, чтобы убедить его. Мне пришлось просить начальника станции подтвердить, кто я. Проводник сообщил мне, что во время вынужденной остановки поезда Аннику забрал какой-то мужчина. Этот мужчина заявил, что она якобы Алиса Соумс, согласившаяся выйти за него замуж.

— По мне, так это вранье. Он что же, не знал, как выглядит его невеста? — Зак потер глаза и покачал головой.

— Не знал, потому что никогда ее не видел. Он был убежден, что Анника лжет.

— А почему Анника не сказала ему, кто она?

— Она пыталась. Но мужчина угрожал ей ножом. Рядом с ней на сиденье лежало письмо этого человека его невесте. Анника пыталась все отрицать, но ей никто не поверил. Все подумали, что она просто не хочет выполнять свое обещание.

— Черт, я слышал, что у нас пока еще свободная страна. Почему он не мог смириться с тем, что женщина передумала, пусть даже это была не та женщина?

— Он оплатил ее проезд. Наверное, считал, что это скрепляет их соглашение.

— Ты говоришь, он оплатил проезд Анники?

Кейс безнадежно покачал головой.

— Нет, — он повысил голос, — я сказал, он оплатил проезд этой Алисы Соумс. И он думал, что Анника — это Алиса. Когда проводник описал мне мужчину, похитившего Аннику, я вспомнил, что видел его на платформе в Шайенне. Он ждал поезда.

— Как он мог быть в двух местах сразу?

Кейс с отчаянием вздохнул и объяснил, перейдя почти на крик:

— Мы все ждали двенадцатичасового поезда, но поезд сломался неподалеку от Бастид-Хила. Этот здоровяк-траппер сорвался с места, будто летучая мышь из ада, когда объявили, что поезд задерживается. К тому времени, когда поезд прибыл в Шайенн — с трехчасовым опозданием, — он уже увез Аннику.

— По крайней мере, ты его видел.

Кейс предпочел бы никогда не видеть этого человека. Может, тогда он сумел бы справиться со своими ненавистью и тревогой.

— Похоже, кофе готов, — сказал он Заку.

Старик встал и достал из шкафчика две чашки.

— Я и забыл про него. — Он пересек комнату, налил в одну из чашек ложку холодной воды, вернулся к печке и снял кофейник. Поставив его на край стола, он тоненькой струйкой влил в носик холодную воду, чтобы осели кофейные зерна, и минуту спустя разлил кофе по чашкам.

Кейс отхлебнул кофе. Прошла пара минут, прежде чем он снова заговорил. Зак не нарушал его молчания.

— Он здоровый мужчина, выше меня. Должно быть шесть футов три дюйма. Длинные волосы до плеч.

— Индеец?

Кейс покачал головой и сделал еще глоток.

— Охотник на бизонов. Светловолосый, бородатый, голубоглазый.

— Охотник, вот как?

Оба без слов знали, что охотники на бизонов ни у кого не вызывают уважения. Не было ничего благородного в этом занятии, о котором восторженно писали газеты. Даже плохой стрелок мог без труда подстрелить этих животных, у которых было слабое зрение.

Теперь в прериях, где раньше бродили бесчисленные стада, с трудом можно было отыскать бизона. Именно такие люди, как этот мужчина, который увез его сестру, способствовали полному истреблению животных. Кейс провел пять лет в поисках уцелевших животных, пока собрал свое стадо в двадцать голов. Он чувствовал себя обязанным спасти бизонов, которые были источником существования его предков.

— Да, охотник, — повторил он, — и если он причинит Аннике вред, я убью его.

— А если он не причинит ей вреда? — спросил Зак.

— Если он не причинит ей вреда? А для чего, ты думаешь, он увез ее? Играть с ней в шахматы долгими холодными ночами? — Кейс поставил чашку на печку и встал. Запустив руки в волосы, он подошел к окну и выглянул на улицу, но увидел только свое отражение в стекле.

— Я найду ее, — пообещал он самому себе и Заку. — Найду и привезу домой.

— Родителям будешь сообщать?

— Пока нет. Я был в полицейском участке в Шайенне, пообещал награду в десять тысяч долларов тому, кто ее найдет.

— За десять тысяч долларов я готов оторвать свой зад от стула и сам отправиться на поиски.

— Надеюсь, ее будут искать многие в Вайоминге, Монтане и Колорадо.

— Кто-нибудь его знает?

Кейс кивнул.

— В поезде все слышали его имя. Бак Скотт. Шериф побеседовал с траппером, охотящимся в районе южного хребта, тот думает, что Скотт живет в горах Ларами к северо-западу отсюда.

— Я не могу представить, чтобы член семьи Стормов не сумел постоять за себя.

— Ей никогда не приходилось этого делать, Зак.

У Кейса заныло сердце. Едва научившись ходить, его сестра всегда ходила за ним по пятам. Не считая Розы, она была единственной, кто заставлял его чувствовать себя сильным, мудрым, справедливым. Если что-нибудь случится с ней, он знал, что не сможет жить в мире с самим собой, пока не отомстит.

— Ты сегодня уже не поедешь на ранчо? — Зак

встал и потянулся. За окном по-прежнему валил снег, будто падали огромные ватные хлопья. — Слишком темно, не говоря уж о снеге.

— Переночую у Флосси. — Кейс вытащил из кармана часы и, открыв крышку, посмотрел на циферблат. — В такой снегопад посетителей, наверное, не густо.

— Может, у нее свободна твоя старая комната. — Зак улыбнулся. — Слышал, девочки были очень огорчены, когда ты женился на Розе и уехал из публичного дома.

Кейс улыбнулся в ответ.

— Не позволяй им тебя дурачить. Не таким уж я был хорошим клиентом. А жил я там по одной причине: старая курица — владелица пансиона — не захотела держать под своей крышей полукровку.

— Ну, — Зак снова потянулся, — не могу упрекать тебя за это. — Он встал и поплотнее завернулся в одеяло, придерживая его у горла морщинистой рукой.

Кейс тоже встал, взял свою куртку, натянул ее, потом надел шляпу.

— С поездом из Шайенна пришлют объявления о награде за обнаружение Анники. Скажи Джону Татлу в депо, чтобы подержал их для меня. Я уеду на рассвете.

Старик подошел к двери, и оба посмотрели в ночь на падающий снег.

— Поедешь домой? — спросил Зак.

— Да. Я должен рассказать Розе, что случилось. — Кейс вышел на дорожку и посмотрел на небо, спрашивая себя, где-то сейчас его сестра, что с ней. Вслух он сказал: — Надеюсь, снег скоро прекратится, Зак, потому что мне предстоит отправиться на охоту.

* * *

Анника не назвала бы это ужином. Бак приготовил соленую свинину, но не подал ни овощей, ни фруктов, ни хлеба. Они ели в неловком молчании, и Анника смотрела то на тарелку, то на Бака Скотта. Он был поглощен едой. Поднимая глаза, Анника каждый раз видела, как он отрезает себе здоровые куски мяса. На нее он не обращал никакого внимания.

Покончив с едой, Бак встал, взял у Анники тарелку, даже не спросив, наелась ли она, и положил обе тарелки в миску, стоявшую на скамейке у стены. Приборы звякнули о миску, и Анника посмотрела на Бейби. Ребенок продолжал спать.

Ее неловкость усилилась, когда она осознала, что подошло время укладываться спать. Ей стало невмоготу продолжать сидеть, пока этот здоровяк расхаживал по комнате, поэтому она встала и отряхнула юбку. Шерстяной «горный» костюм был безнадежно помят и испачкан. Нарядные доходившие ей выше щиколоток ботинки с целым рядом блестящих черных пуговиц, украшавших замшевую вставку, были заляпаны грязью. Подобрав подол платья, Анника глядела на испорченные ботинки, покачиваясь с пятки на носок.

— Скоро начнется снежный буран. Я выйду проверю животных, а вы можете пока готовиться ко сну. — Бак надел свою отделанную мехом куртку из оленьей шкуры и поднял капюшон.

Анника мгновенно замерла и повернулась к нему.

— Я так не думаю, сэр.

Бак остановился у открытой двери и прислонился к косяку, скрестив руки на груди. В комнату вместе с током холодного воздуха полетели снежинки.

— Если вы хотите сидеть всю ночь, — проговорил он, — дело ваше. Но я собираюсь поспать.

— Где же вы ляжете?

Он взглянул на нее, на кровать и снова на нее.

— На кровати.

Представив, каково будет провести ночь на грязном полу, Анника решила, что слишком поспешила со своим возражением.

— А если я выберу кровать?

Бак пожал плечами.

— Места хватит на троих.

Ее лицо вспыхнуло от смущения. Ненавидя его за то, что он не считался с ее стыдливостью, она отвернулась.

— Если вы собираетесь переодеться, сделайте это до моего прихода. Я не смогу ждать слишком долго.

Анника не обернулась, пока не услышала, как закрылась входная дверь. Если бы ей не надоело так носить запачканный дорожный костюм, она легла бы в нем спать. Но ей хотелось почувствовать себя хоть немного чище. Она поспешила к своему саквояжу и достала из него коробку с пуговицами. Открыла ее и, стараясь не вытрясти пуговицы, извлекла батистовую ночную сорочку, сейчас больше похожую на мятую тряпку. Анника встряхнула ее, держа над столом, чтобы проверить, не попали ли в нее пуговицы.

Одна пуговица выпала из рубашки. Это была английская пуговица. На ее эмалевой поверхности была выгравирована пасторальная сцена, изображавшая молодую пару на охоте верхом. Взяв в руки пуговицу, Анника созерцала иддилическую сцену, которая ничем не напоминала то путешествие верхом с головокружительной скоростью, которое совершили они с Баком. Осторожно положив пуговицу на место, она вспомнила предупреждение Бака, что ей следует поторопиться.

Несмотря на потрескивание пламени в огромном камине, в комнате становилось все холодней. Анника начала дрожать, когда, расстегнув застежку на поясе, выскользнула из юбки. Посматривая на дверь, она расстегнула длинный ряд пуговиц на жакете, сняла его, затем быстренько сняла и блузку. Решив, что белье она снимет после того как наденет рубашку, она поспешно накинула прозрачную вещицу на голову и просунула в рукава руки.

За стенами хижины завывал ветер. Анника посмотрела на потолок, надеясь, что грубое строение выдержит, если буря усилится. В тот момент, когда она, кончив снимать нижнее белье и нижние юбки, вытаскивала их из-под подола ночной рубашки, дверь открылась и в комнату вошел Бак.

Капюшон и плечи его куртки уже были засыпаны снегом. Остановившись в дверях, он стал стряхивать снег. Он был похож на неуклюжего косматого медведя. Но вот он откинул капюшон, и слабый свет масляной лампы упал на его светлые с золотистым оттенком волосы. Голубые как небо глаза потемнели до цвета сапфира, когда он посмотрел на Аннику. Она застыла как статуя, вцепившись в высокий ворот рубашки.

## ГЛАВА 7

Шли секунды. Они молча смотрели друг на друга. Бак не знал, что делать дальше. Ни Пэтси, ни Сисси не стеснялись раздеваться в его присутствии, но он сам считал, что это неудобно, и всегда уходил. По его расчетам, у Анники было достаточно времени, чтобы переодеться. Он ужасно замерз, дожидаясь, пока она наденет ночную рубашку, и думал, что за то время, что он там прождал, она успела уже и лечь в постель.

Вместо этого он обнаружил, что она стоит, словно приросши к полу, вцепившись мертвой хваткой в ворот своей рубашки. Он не мог не обратить внимания на ее руки — красивой формы с длинными пальцами и белой кожей, не испорченные ни тяжелым трудом, ни непогодой. Осматривая ее с головы до ног, он заметил, что ботинок она не сняла.

— Собираетесь спать в ботинках?

— К вашему сведению, я не успела их снять.

Бак сбросил куртку и повесил ее на крюк возле двери. Когда он повернулся, Анника все еще стояла не двигаясь.

— Собираетесь простоять так всю ночь?

— Поскольку вы утащили меня, не дав ничего взять с собой, то, может, у вас найдется что-то вроде халата, который я могла бы позаимствовать?

Он провел рукой по волосам.

— Шелкового, конечно.

— Ваш сарказм неуместен, мистер Скотт. Положение и без того невыносимое.

— Меня оно тоже не радует.

Он подошел к кривобокому деревянному сундуку, стоявшему около кровати, и опустился перед ним на одно колено. Подняв крышку, он принялся рыться в содержимом, вытащил наконец мужскую рубашку из плотной фланели и без церемоний кинул ее Аннике. Она поймала рубашку и прижала к себе.

— Спасибо. — Тон у нее был таким же холодным, как воздух в комнате. Несмотря на огонь, в хижине становилось холоднее с каждой минутой.

Бак краем глаза наблюдал, как она встряхнула рубашку и внимательно осмотрела ее, прежде чем надеть. Пока она пыталась просунуть в рукава рубашки пышные рукава своей ночной сорочки, Бак подошел к камину и подбросил в него дров. Проверив, сколько осталось дров, он решил, что их хватит на ночь. Если похолодает так, как он предполагал, то всех дров в мире не хватит, чтобы сохранить тепло.

Он зачерпнул ведром воды из бочки, стоявшей у двери, и плеснул ее в ту же миску, в которой мыл посуду. Женщина сидела на стуле, расстегивая многочисленные пуговицы на своих некогда элегантных ботинках. Бросив на нее быстрый взгляд, он оценил ее женственные формы, длинную изящную шею, мягкий изгиб плеч, тонкую талию, обрисовывавшуюся, когда она наклонялась. Она была статной, но не толстой, с округлостями именно в тех местах, которым у женщины положено быть округлыми и соблазнительными.

Бак наклонился над тазом и плеснул холодной водой на лицо и шею. Прикрыв глаза, он повторил эту процедуру, а намочив как следует лицо и бороду, потянулся за куском мыла, лежавшим на кухонной полке, намылился, потом смыл мыло, не обращая внимания на летящие во все стороны мыльные брызги.

Все еще не открывая глаз, он нащупал хлопчатобумажное полотенце, схватил его и насухо вытерся. Он почувствовал на себе взгляд женщины, даже не обернувшись, а когда обернулся, увидел, что она и вправду снова уставилась на него. Завернувшись в рубашку, которую он ей дал, она восседала на стуле, подобрав ноги и поставив их на перекладины. Яркая мужская рубашка доходила почти до подола ее белоснежной ночной сорочки.

Налетевший ветер со всей силы ударил в обращенную на север стену хижины, и стена задрожала. В щели стали проникать снежинки. Масляные лампы зашипели, а лампа на камине и вовсе погасла.

Бак подошел к кровати и тщательно укрыл свернувшуюся клубочком Бейби. Затем из сложенных стопкой на полу шкур вытащил две самых толстых — волчьих, с густым серым мехом, расстелил их на кровати, подогнув одну сторону так, чтобы можно было залезть между ними. Было слишком холодно, чтобы ложиться в нижнем белье, как он обычно делал.

Он оглянулся через плечо на Аннику, молча сидевшую у стола. Она смотрела в потолок с таким видом, будто ожидала, что он вот-вот обвалится.

— Если вы намерены сидеть так всю ночь, дело ваше, а я лягу.

Она напряглась. Взглянула на кровать, потом на него.

— Спасибо за ваше гостеприимство.

— Я предложил вам лечь. Если бы вы хотели спать, давно уже были бы в постели.

Анника посмотрела на Бейби, на широкое незанятое место рядом и отвернулась. Бак сидел на краю кровати и развязывал ремешки из сыромятной кожи, удерживавшие его высокие до колен мокасины.

— Вы можете устроиться у огня, — он кивнул на стопку шкур и добавил: — Возьмите их. Когда будете готовы, погасите свет.

Анника поверить не могла, что мужчина может быть таким бессовестным. Дрожа и потирая руки, она с изумлением смотрела, как Бак взобрался на кровать, улегся между шкурами и, повернувшись к ней спиной, приготовился спать. Она поймала себя на том, что с завистью думает об уютной теплой постели. Взяв несколько шкур, она расстелила одну на полу, настолько близко к огню, насколько это было возможно, остальные бросила сверху.

Потянувшись за поленом, которое она хотела подбросить в огонь, она услышала голос Бака:

— На вашем месте я бы этого не делал. Вы не уснете, если огонь будет слишком жарким. Кроме того, от искры ваша постель может загореться.

Она положила полено назад к другим дровам и, подойдя к столу, задула лампу. Комната погрузилась в полумрак, только отсветы пламени плясали по стенам. Бак Скотт, лежавший на кровати, казался бесформенной глыбой.

Анника заползла на свою убогую постель, натянула на себя толстые шкуры и попыталась не обращать внимание на ноющую боль и ломоту во всем теле — результат долгой езды верхом. Она ворочалась с одного бока на другой, но никак не могла найти удобного положения на твердом полу. Наконец она решила спать на животе. Это было лучше, но все равно неудобно. К тому же шум ветра стал казаться громче, едва она закрыла глаза. Ветер стучал ставнями, колотил в стены. Сон не шел к Аннике. Она уставилась в камин, наблюдая, как языки пламени лижут дрова.

Она попыталась представить, что сделал Кейс, не встретив ее в Шайенне. Послал ли он телеграмму ее родителям? Она надеялась, что он не стал делать этого сразу, потому что, если все пойдет хорошо и Бак Скотт сдержит свое слово и отвезет ее в Шайенн, родителей и волновать-то незачем. Может, Кейс уже отправился на ее поиски, если проводник рассказал ему, что произошло. Она очень надеялась на это. Она молилась, чтобы завтра он встретил их, когда они будут возвращаться в Шайенн, и показал бы этому Баку Скотту.

Передняя дверь заскрипела, заставив ее вздрогнуть. Но это был всего лишь ветер, пытавшийся проникнуть внутрь. У снега это уже получилось. Он набивался внутрь через трещины и щели в стенах. Обмазка из грязи, которой были заделаны многочисленные щели, засохла, раскрошилась и выпала. Анника задавалась вопросом, уцелеет ли хижина к утру.

Огонь еле горел, комнату постепенно начало выстуживать. Анника по-прежнему лежала без сна. Услышав скрип веревок на кровати и шуршание одеял, она притворилась спящей. Натянув шкуры до подбородка, она ждала, боясь пошевелиться и даже вздохнуть, пока Бак Скотт бродил вокруг. Он протопал по комнате, и Анника, хотя и не осмелилась посмотреть, почувствовала, что он остановился над ней.

Она не двинула ни единым мускулом. Он стоял над ней.

Она все-таки взглянула из-под опущенных ресниц, но он находился где-то за ее головой, и она не смогла его увидеть. Наконец, когда ее мускулы начали невыносимо болеть, Бак сдвинулся с места. Он осторожно переступил через нее и, наклонившись, поднял длинное полено.

Анника оцепенела от ужаса, глядя, как он вытаскивает его из кучи дров.

*Вот оно. Он собирается размозжить ей голову.*

Она приготовилась закричать, откатиться в сторону, чтобы избежать смертельного удара, но он просто положил полено в огонь. Взял кочергу, поворошил угли и поставил ее на место. Потом подул на ладони и, переступив через Аннику, пошлепал назад к кровати.

Анника громко вздохнула, испытывая невероятное облегчение. Она опять закрыла глаза, но тут же поняла, что он еще ходит по комнате. Он снова подошел к ее ложу и снова остановился над ней. На этот раз он набросил на нее еще одну шкуру.

Тыльной стороной обветренной руки он случайно коснулся ее щеки, подтыкая под нее шкуру.

— Вам лучше поспать. — Его голос, гораздо более нежный, чем раньше, прозвучал у нее над ухом. Анника побоялась повернуть голову и посмотреть на него, зная, что его необыкновенные голубые глаза окажутся совсем близко. Отказываясь признать его доброту, она продолжала держать глаза закрытыми.

Слишком поздно Бак Скотт решил компенсировать все те неудобства, которые он ей уже причинил.

Бак проснулся с первыми лучами солнца, проникшими сквозь неплотно прилегавшие друг к другу кривобокие ставни. Слабый утренний свет еле освещал холодную комнату. Возле самых больших щелей в стене на полу образовались маленькие сугробы. Бак, спавший одетым, страшно не хотел вылезать из кровати и принимать на себя удар холода, который будет особенно чувствительным после теплых толстых одеял. Но кому-то нужно было развести огонь и поставить греться воду для завтрака.

Какое-то время Бак лежал на спине, уставившись в старые доски потолка и пытаясь мысленно придать свищам и царапинам на дереве форму лиц и фигур. Он услышал, как Анника Сторм беспокойно ворочается на своем ложе, и спросил себя, спала ли она вообще. Сам он долго не мог заснуть, прислушиваясь к тихому шуршанию шкур, которыми она была укрыта, и ее тяжким вздохам. Каждый звук напоминал ему, какого же дурака он свалял, забрав ее с поезда. Бак перевернулся на бок и посмотрел на ножки стола и сделанные из бочек стулья под ним.

Минувшей ночью он пришел к выводу, что, наверное, он все-таки сошел с ума. Он действовал как настоящий безумец, когда силой заставил Аннику поехать с ним, отказываясь верить, что она не Алиса Соумс.

Ветер колотился в дверь; этот стук не прекращался всю ночь. Баку не нужно было открывать ставни, он и так знал, что увидит снаружи: высокие сугробы, наметенные у стен. Перевал, конечно, тоже занесен. Он откинул одеяла и приготовился к встрече с холодом, который, он знал, вцепится ему в суставы. Он подавил стон. Из года в год он занимался зимой тем, что переходил вброд ледяные горные потоки и расставлял ловушки. Суставы его утратили свою гибкость, и он чувствовал себя старше своих лет.

Он тихо прошел по комнате и, стараясь не наступить на Аннику, подбросил дров в огонь. На сей раз она вроде бы действительно спала, а не притворялась. Она перестала ворочаться и вздыхать незадолго до рассвета. С минуту он постоял, разглядывая ее спящую. Она с головой укрылась шкурами, так что видны были только ее золотистые волосы. Они словно сияли на фоне густого волчьего меха. Бак отвел взгляд от соблазнительного зрелища и провел руками по собственным длинным волосам, отбросив их назад.

Вода в высокой бочке у двери покрылась тонкой ледяной коркой. Лед затрещал и раскололся на отдельные кусочки, когда он опустил в бочку ковшик, из которого наполнил почерневший медный чайник и повесил его над огнем. Затем он засыпал в горшок овсянку и отставил его. Чуть позже он сварит кашу, их обычное блюдо на завтрак. В другом конце комнаты Бейби села на кровати и улыбнулась.

— Я встала, — объявила она и стала вылезать из-под одеял.

Бак постарался говорить потише, чтобы не разбудить Аннику.

— Оставайся в постели, пока я не одену тебя. Сегодня холодно.

Он снял со стула, куда он его вчера повесил, маленькое платьице. Оно высохло, но было холодным, поэтому Бак подержал его над огнем, чтобы согреть, а потом надел на Бейби. Как только платьице было надето, Бейби нырнула под одеяло и, достав свои новые ботинки, стала просить Бака надеть их.

Бак начал было надевать ботинки, но сообразил, что, в отличие от ее старых мягких и легких мокасин, жесткие кожаные ботинки нужно обязательно надевать на носок, иначе ножкам будет холодно и на них могут появиться мозоли. Но носки он купить не догадался.

— Никаких новых ботинок на сегодня, Бейби. Почему бы тебе не поносить старые, пока не потеплеет?

Бейби тряхнула спутанными белокурыми кудряшками и выразительно сказала:

— Нет.

— Ну пожалуйста, — он говорил тихо, но твердо, пытаясь убедить ее. — Ботинки нельзя носить без носков. У тебя будут мозоли.

— Хочу новые ботинки.

— Ты хочешь, чтобы у тебя болели и кровоточили

ноги? — В попытке отговорить Бейби Бак нахмурился и покачал головой.

— Хочу новые ботинки.

— Нет. — Он попытался забрать у нее ботинки. С глаз долой из сердца вон. — Рано их еще надевать.

— Почему бы вам не надеть на ребенка эти ботинки? — послышалось приглушенное ворчание с места, где спала Анника.

Бак подхватил извивающуюся Бейби и подошел к Аннике. Она слегка отвернула край шкуры и уставилась на него. Глаза у нее были налиты кровью от недостатка сна и слишком сухого воздуха. Его гостья явно была недовольна им, ребенком и ситуацией в целом.

— Ну? — спросила она.

— Что ну? — переспросил он в ответ.

— Вы наденете на ребенка эти ботинки, чтобы она наконец перестала хныкать? И когда мы поедем?

— Поедем?

Она нахмурила брови и, прищурившись, с подозрением посмотрела на Бака.

— Вы сказали, что сегодня повезете меня назад в Шайенн.

Бак отвернулся и понес лягавшуюся, вырывавшуюся Бейби к ближайшему стулу. Усадив девочку на стул, он поднял с пола крошечные мокасины.

— Нет! Нет! Я хочу боти-и-инки! — Бейби орала во весь голос.

Бак сосредоточился на том, чтобы, удерживая Бейби на стуле, надеть мокасины на ножки, которыми она не переставая болтала.

— Вы сказали, что отвезете меня к брату. — Охваченная паникой Анника села и обеими руками откинула с лица волосы. — Вы должны. Вы обещали. Если мой брат найдет вас первым, вы можете...

Маленькая ножка ударила Бака в челюсть. Он

пошатнулся, едва не опрокинув при этом стол, и замысловато выругался. Выпрямившись, он окинул Аннику холодным взглядом, потом посмотрел на Бейби, ревевшую от страха и разочарования. Крошечные мокасины в сжатых в кулаки руках Бака превратились в бесформенные шарики. Не говоря ни слова, он бросил их на стол и повернулся спиной к расстроенным, обозленным женщине и ребенку.

Сорвав с крючка свою куртку, он рывком открыл дверь. За ночь у двери образовался сугроб, и пол тут же засыпало снегом, а ветер принялся изо всех сил задувать внутрь, норовя нанести в комнату еще больше снега.

Расчистив снег так, чтобы можно было закрыть дверь, Бак вышел в ослепительную белизну.

Как только дверь за ним закрылась, Бейби тут же перестала плакать. Держа в руках новые ботинки, она слезла со стула, заковыляла к Аннике и, пройдя по волчьим шкурам, плюхнулась ей на колени.

— Ботинки? — Ребенок доверчиво протянул ей свое бесценное сокровище, ожидая, что женщина наденет ей ботинки.

Анника закрыла глаза, пожелав, чтобы все, что ее окружало, исчезло как дурной сон, потом открыла их и попыталась улыбнуться круглолицей девочке, взиравшей на нее с такой надеждой в глазах. Случаи, когда Аннике лично приходилось иметь дело с детьми, можно было пересчитать по пальцам одной руки. Она заговорила медленно, стараясь придать голосу уверенность и как можно более доступно объяснить Бейби, что от нее требуется, хотя нелегко было одновременно думать и подавлять нараставший страх, вызванный подозрением, что Бак Скотт не намерен выполнить свое обещание и отвезти ее в Шайенн.

— Послушай, Бейби, давай сделаем так. Я встану

оденусь и уж тогда попробую найти тебе какие-нибудь носочки и мы наденем ботинки. Хорошо?

Бейби шмыгнула носом, драматически вздохнула, потом кивнула. Прижав ботинки к груди, она встала, протопала по шкурам, заменявшим Аннике кровать, и уселась на кирпичи у камина.

Окрыленная этим успехом Анника решила, что, может, с детьми не так трудно управляться, как ей казалось. Она заметила, что Бейби дрожит, но не могла определить, эмоции или холод были тому причиной. Однако ответ стал ей ясен, едва она выбралась из-под одеял и встала. Несмотря на огонь, горевший в камине, в комнате стоял лютый холод. Анника подбросила в камин еще одно полено и стала поспешно одеваться. Она взяла свой помятый грязный костюм, решив надеть его поверх рубашек, в которых спала. Натянула нижнюю юбку, потом шерстяную. Узкий жакет едва сходился на груди — столько на ней всего было надето, но в конце концов ей удалось застегнуть бо́льшую часть пуговиц.

Одевшись, она натянула ботинки, радуясь, что не стала снимать на ночь чулки, и одновременно размышляя, из чего можно сделать носки для Бейби. Ловко сложив блузку и убрав ее в саквояж, она достала оттуда щетку с расческой, расчесала волосы, завязала их узлом на макушке и ладонями разгладила юбку.

Бейби все так же сидела у огня, дрожа и всхлипывая.

— Где твое пальто? — спросила Анника.

Малышка показала на крючок в углу над ящиком с набором всякой дребедени, которую Бейби называла игрушками. Анника сняла с крючка пальто — уменьшенную копию куртки Бака, только полностью подбитую мехом, — помогла Бейби надеть его и принялась рыться в своем саквояже в попытке отыскать что-нибудь, из чего можно было бы смастерить носки для Бейби.

Пощупала свою голубую блузку и покачала головой. Блузка ей еще пригодится. Взгляд ее упал на шкуры у ее ног, и она задумалась, нельзя ли как-нибудь оторвать кусочки меха и сделать из них стельки в ботинки наподобие стелек в мокасинах.

— Можно мне посмотреть твои новые ботинки? — Она протянула руку.

Бейби крепче прижала к груди ботинки и отрицательно покачала головой. Потом принялась сосать палец.

— Мне нужно на них посмотреть, иначе я не смогут сделать подходящие носки.

Бейби снова покачала головой.

Анника присела на кирпичи рядом с ней, сжала замерзшие руки и подула на них, пытаясь согреть. Она мечтала о чашке горячего чая, но, отогнав эту мысль, сосредоточила внимание на Бейби. В опущенных плечах девочки, в том, как она смотрела на дверь, ожидая возвращения Бака, была какая-то безнадежность.

— Разве ты больше не хочешь надеть ботинки?

По щеке Бейби покатилась одинокая слезинка. Она утвердительно кивнула.

— Тогда ты должна дать их мне. Я посмотрю на них и сделаю тебе носки. — Внезапно Аннику осенило. — Ты можешь дать мне только один ботинок.

Бейби взглянула на ботинки, на Аннику, потом медленно и нерешительно протянула ей один ботинок.

Анника встала и поблагодарила девочку.

— Пожалста, — тихо ответила Бейби.

По крайней мере Бак научил ее кое-каким правилам поведения, подумала Анника. Взяв одеяло, она обернула его вокруг голых ножек девочки.

— Теперь сиди тихо и не двигайся, и я мигом все устрою.

Анника открыла сундук, из которого Бак доставал для нее рубашку, и стала рыться в ворохе старой одежды — тут были чулки от разных пар, разодранные выцветшие рубашки, ситцевые и льняные женские платья, тоже непригодные к носке. Отложив в сторону коробку из-под сигар, она извлекла из сундука пару грубых шерстяных женских чулок с дырами на пятках и торжествующе улыбнулась. В своем чемодане нашла маленькие ножницы и срезала у чулок носки.

Держа в руке обрезанные чулки, она подошла к Бейби и надела их девочке на ноги. Чулки были неуклюжими, но плотно облегали ногу и в целом хорошо подходили, не считая того, что у них не было носков. Бейби внимательно оглядела свои ноги, потом стала наблюдать за Анникой, которая в задумчивости жевала нижнюю губу, решая, что делать дальше.

В саквояже у нее был маленький швейный набор — иголка и немного ниток — на случай, если оторвется пуговица. Теперь, столкнувшись с проблемой носков, Анника достала его и принялась за работу. В мгновение ока она зашила носки и Бейби была обута. Черные чулки доходили ей почти до бедер.

— Ну вот, — сказала Анника, поглядывая на дверь, — это было просто. Теперь займемся чаем.

Ей потребовалось какое-то время, чтобы убедить Бейби, что, хотя на ней надето пальто, они не пойдут на улицу к Баку.

— Если нам повезет, он там замерзнет до смерти, — прошептала про себя Анника.

Бейби влезла на стул и потребовала каши.

— Я не умею готовить кашу, — строго сказала Анника. — И не собираюсь учиться, так что сиди тихо, и я дам тебе глоток чаю, а твой дядя, когда придет, сварит тебе кашу.

Бейби утешилась, глядя на свои новые ботинки.

Она то влезала на стул, то слезала с него и расхаживала по комнате, пока Анника перебирала жестяные коробки, стоявшие на каминной полке, бормоча про себя:

— Должен же здесь быть чай.

Она переставляла коробки, кувшины, бутылочки, открыла какой-то кувшин с широким горлом и тут же отшатнулась: в нос ей ударил отвратительный сальный запах. Быстро завернув крышку, она отставила кувшин в сторону. Большинство банок и кувшинов были заполнены травами и вонючими жидкостями. Наконец в заднем ряду она обнаружила маленькую восьмиугольную коробочку с выцветшими золотыми буквами: Чай. Она стояла на цыпочках, пытаясь дотянуться до коробочки, когда дверь открылась и вошел Бак.

— Черт! — Одним прыжком он оказался рядом с Анникой, схватил ее, стащил вниз и повалил на пол.

Анника завизжала и попыталась откатиться в сторону. Бак поднял ногу и стал топтать подол ее юбки. Чем быстрее были его движения, тем громче визжала Анника. Бак прекратил свое необъяснимое топтанье так же внезапно, как и начал. Анника перестала кричать. Наклонившись, он помог ей подняться на ноги.

Она отшатнулась, глядя на него широко открытыми безумными глазами. Грудь его вздымалась, он пытался поймать дыхание.

— Никогда больше не прикасайтесь ко мне, — проговорила Анника.

— Прекрасно. — Все еще тяжело дыша, он отвернулся и поднял Бейби, которая снова начала хныкать. — В следующий раз я буду просто смотреть, пока вы не сгорите. — И, не обращая больше на Аннику внимания, он, придерживая одной рукой Бейби у бедра, другой снял с огня чайник.

— Мои ботинки, Бак.— Бейби счастливо улыбнулась и подняла ножку.

— Вижу.— Он внимательно рассмотрел самодельный носок.

По комнате распространился запах горелого, и до Анники наконец дошло, почему Бак повел себя так на первый взгляд странно. Она глянула вниз на свои юбки. По подолу шерстяной юбки, словно неровно пришитый кант, шла полоса обгоревшей ткани. Она взглянула на Бака и увидела, что он наблюдает за ней, но когда их глаза встретились, он отвернулся и занялся своим делом.

Анника открыла рот и снова закрыла. Если бы он не вернулся и не бросился затаптывать огонь, она могла бы обгореть до смерти.

Анника сглотнула. Бак заливал овсянку в горшке кипящей водой.

— Извините,— проговорила она, надеясь, что он ее слышит.— Похоже, я должна поблагодарить вас.

— Похоже, вы обязаны мне жизнью,— проворчал он, обращаясь наполовину к самому себе.— В будущем ведите себя осторожнее, находясь рядом с огнем.

Анника, не удержавшись, огрызнулась:

— Никакого будущего не будет. Мы ведь скоро уедем,— и, когда он не ответил, повторила: — Мы ведь уедем?

— Вам так хочется поскорее выбраться отсюда?

Анника широко раскинула руки.

— Хочется ли мне? Да, очень хочется. Меня насильно увезли Бог знает куда, я провела ночь на холодном твердом полу и так и не заснула. Мои родители, наверное, с ума сходят от беспокойства. Я заперта здесь с вами и ребенком без имени. Мой костюм испорчен, я мерзну, я чуть не сгорела. Хочется ли мне уехать? Да, мистер Скотт, я жду не дождусь, когда выберусь отсюда.

Он помешал кашу и потянулся за банкой с медом. Звякнули тарелки, которые он поставил на стол. Анника встала, с трудом переводя дыхание, и уставилась на Бака. Наконец он посмотрел на нее.

— Что ж, по крайней мере вы не жалуетесь.

Анника направилась к нему, сверля его убийственным взглядом, запуталась ногой в одной из шкур и чуть не упала. Быстрая реакция спасла ее от падения, но настроение у нее от этого не улучшилось. Она в ярости наклонилась, сгребла в охапку шкуры и бросила их на неубранную кровать.

— Хотите каши? — Бак положил каши в тарелку, стоявшую перед Бейби, которая сидела в ожидании.

— Нет!

Он наполнил свою тарелку и отставил горшок поближе к огню, чтобы каша не остыла. Анника, кипя от ярости, смотрела, как он полил обе порции теплым медом и принялся за еду.

Опустошив свою тарелку наполовину, он прервался и, посмотрев на Аннику, печально покачал головой.

— Лучше бы вам поесть. Нам предстоит долгий день.

— Я не думаю...

— По сути дела, — перебил он Аннику, понимая, что она готовится произнести очередную тираду, — пройдет, видимо, больше, чем один долгий день, прежде чем я смогу отвезти вас назад.

— Что вы хотите этим сказать? — Она подняла руку к горлу, вопросительно глядя на него широко раскрытыми глазами.

— Я хочу сказать, что нас отрезало снегопадом.

## ГЛАВА 8

— Отрезаны снегопадом? — Анника мгновенно оказалась у стола. Уперев ладони в видавшую виды столешницу, она наклонилась к Баку. — Что значит *отрезаны*?

— После такого бурана, какой был вчера, этот перевал становится непроходимым. — Он не спеша съел еще пару ложек каши. — Может, на несколько дней, может, на несколько месяцев. Зависит от того, когда прекратится буран. — Он пожал плечами. — Однако, если поднимется чинук [1], снег может растаять через несколько часов. — Он склонился над тарелкой с дымящейся кашей. — Трудно сказать.

Не в силах смотреть на него, не желая, чтобы этот ужасный человек увидел слезы, наполнившие ее глаза, Анника отвернулась. Ветер все еще сотрясал северную стену хижины. Снег с шипением заползал во все возможные щели. Анника подошла к окну. Стекло замерзло. Ставни почти не пропускали солнечного света, и из-за этого хижина казалась унылым и каким-то нереальным местом, где царствовали лишь отблески пламени, слабый свет лампы и скользящие тени. Испытывая глубокую подавленность, Анника обхватила себя руками и прошептала:

— Что же мне делать?

— Поешьте каши.

---

[1] Чинук — ветер.

Она резко обернулась. Если бы не Бак Скотт с его тупостью, ей не пришлось бы сейчас терпеть его присутствие, не пришлось бы быть пленницей в этом жалком подобии дома.

Не похоже было, чтобы он смеялся над ней, но тем не менее она шагнула к нему с таким видом, будто готова была убить собственными руками.

— Идите вы со своей кашей к...

— Здесь же ребенок, — перебил он ее.

— Не пытайтесь спрятаться за ребенком. Это немыслимо! У меня слов нет. Я не могу ждать несколько месяцев. Я с ума сойду.

— Почему? В конце концов это же мне придется терпеть вас здесь.

Она представила, как день за днем в течение долгих недель будет жить с ним в этой маленькой комнате, как каждую ночь на протяжении месяцев будет лежать у камина, отгоняя сон, зная, что он лежит всего в нескольких футах от нее. Она чувствовала, как нарастают ее беспокойство и страх, но не могла с ними справиться. Бросив еще один взгляд на окно, она сказала:

— Не могли бы вы по крайней мере выйти и открыть ставни? Здесь слишком мрачно.

По-прежнему пристально глядя на нее, Бак покачал головой.

— Они завалены сугробами. Иногда я не могу откопать их до весны.

Анника стиснула руки и подошла к столу. Медленно вытащила из-под стола стул и с безнадежным видом села. Потом обхватила голову руками и простонала:

— Я этого не вынесу.

— Все равно нет смысла морить себя голодом.

Бак откинулся на стуле и, дотянувшись до скамейки за спиной, достал еще одну миску. Накладывая в миску кашу, он смотрел на опущенные плечи Анники, не сомневаясь, что она того и гляди расплачется. Он представить не мог, что ему тогда делать.

— Послушайте, — он поставил перед ней миску с дымящейся кашей и дал ей ложку, — если это вас хоть немного утешит, я готов просить прощения за всю эту ужасную путаницу, но сейчас я ничего не могу сделать. Ровным счетом ничего.

Анника справилась с подступившими слезами и снова посмотрела на Бака. Он пододвинул к ней миску.

— Вы уверены, что мы не сможем выбраться? — спросила она прерывающимся голосом.

— Я пойду на разведку, как только прекратится снег. В любом случае нам нужно свежее мясо. — У Анники был очень печальный вид, и он попытался подбодрить ее. — Если я увижу, что есть хотя бы малейший шанс преодолеть перевал, я отвезу вас в город.

Подняв глаза, она обнаружила, что он стоит над ней. Она не могла определить, что пугает ее больше — его огромный рост или то, как он всегда наблюдал на ней, словно хотел застать врасплох и... сделать что? Возможно, больше всего ее пугало то, что она не могла угадать его намерений.

— А до тех пор?

— До тех пор... придется постараться и не слишком досаждать друг другу.

Бейби стукнула ложкой о пустую миску.

— Съела, — объявила она.

Бак снял ее со стула, что было излишне, поскольку девочка провела все утро, то влезая на стул, то слезая с него без всякой помощи. Прежде чем поставить малышку на пол, он высоко поднял ее, и ребенок просиял.

— Иди играй, — тихо сказал он и немного постоял, наблюдая, как ребенок засеменил к самодельному ящику, в котором были сложены разные ненужные предметы, служившие Бейби игрушками.

Анника вглядывалась в выражение его лица и вспоминала, с какой нежностью этот огромный мужчина обращался с девочкой накануне. Она задумалась, пытаясь решить для себя, что же за человек был Бак Скотт.

Он тем временем собрал пустые тарелки и сложил их в тазик для мытья посуды, потом подошел к камину и снял чайник с кипящей водой. Когда он проходил мимо стола, Анника уже не смотрела на него, а мрачно уставилась в стоявшую перед ней миску с быстро остывающей кашей.

Снаружи над долиной Блу-Крик свирепствовала буря. Внутри в хижине Анника и Бак, заключив на время хрупкое перемирие, коротали, как могли, томительно долгие часы ожидания. Они неловко двигались по комнате, стараясь не задевать один другого, и напоминали танцоров, исполняющих па незнакомого танца. Пока Бак мыл посуду после завтрака, Анника расправила шкуры, которые она швырнула на кровать, и забралась под них, пытаясь согреться. Бак, старательно избегая смотреть в ее сторону, начал сбривать свою трехмесячную бороду.

К Аннике под шкуры залезла Бейби и стала приставать к ней, предлагая поиграть с деревянной куклой, одетой так же неказисто, как и сама Бейби. Анника время от времени бросала косые взгляды в сторону Бака — ей было любопытно, как он будет выглядеть без бороды.

Однако, не желая, чтобы он перехватил эти ее любопытные взгляды, она на какое-то время полностью сосредоточила внимание на Бейби. Маленькая девочка была так похожа на Бака, что ее вполне можно было принять за его дочь. У нее были такие же, как у Бака, необыкновенные глаза, приковывавшие к себе внимание, а ровные золотистые брови подчеркивали задумчивое выражение лица, тоже очень напоминавшее выражение лица Бака.

Анника взяла жалкую маленькую куклу, которую протягивала ей малышка, осторожно, будто кукла была сделана из тончайшего фарфора, покачала ее и разгладила кусочек протертой красной фланели, служивший кукле одеялом.

— Мой ребенок, — сказала Бейби.

— Она очень хорошенькая, — ответила Анника, думая о собственной коллекции кукол, оставшейся дома в Бостоне. Отец обычно привозил ей куклу из каждой своей деловой поездки и даже и сейчас не совсем отказался от этой привычки. Отдавая грубо сделанную куклу назад Бейби, Анника пожалела, что не может подарить ей одну из своих или все сразу, если уж на то пошло.

Шли минуты. Анника и Бейби тихо разговаривали, передавая куклу из рук в руки, и когда Анника в очередной раз посмотрела на Бака, она, к своему разочарованию, увидела, что он уже снова сидит у стола, повернувшись таким образом, что его выбритое лицо, скрытое длинными вьющимися волосами, ей не видно. Бак был занят починкой снегоступов — вплетал тоненькие веточки ясеня в каркас в форме медвежьей лапы и связывал их полосками кожи. Должно быть, он заметил, что она сидит на его кровати, но никак на это не прореагировал. Не зная, стоит ли ей привлекать к себе внимание, Анника продолжала развлекать Бейби.

Однако спустя некоторое время недостаток сна ночью и ощущение тепла от одеял из шкур, в которые она завернулась, как в мягкий кокон, сыграли свою роль — Анника почувствовала ужасную сонливость.

Она усиленно таращила глаза, наблюдая за Бейби, которая бормотала какой-то вздор своей кукле, то заворачивая, то разворачивая ее, а потом принялась разглядывать свои новые ботинки и носки. В конце концов сон одолел Аннику. Не заботясь больше о том, что подумает Бак, она перестала бороться со сном и крепко заснула.

Вскоре Бак, несмотря на завывание ветра и потрескивание дров в камине, различил ровное ритмичное дыхание женщины. Он решил не будить ее, поскольку ночью она почти совсем не спала. Он обернулся посмотреть на нее, довольный тем, что может сделать это, не опасаясь встретить яростный взгляд ее голубых глаз.

Она полусидела-полулежала, привалившись к подушкам, сложенным в изголовье кровати. Прядь великолепных светлых шелковистых волос выбилась из узла, завязанного на макушке, и лежала у нее на плече, отражая отблески пламени в камине. У Бака появилось искушение подойти к кровати и потрогать эту прядь, почувствовать на ощупь ее структуру и качество, как сделал бы он с каким-нибудь дорогим мехом. Он взглянул на свои мозолистые руки и, сжав их в кулаки, прижал к бедрам.

У него не было права прикасаться к ней. Никакого права.

Но ему очень хотелось.

Господи, как же ему хотелось это сделать. Однако признание этого перед самим собой мало чем ему помогло.

Бак встал и подошел к камину. Стараясь не потревожить Аннику, он подложил в огонь еще одно полено. Покончив с этим, повернулся и, опершись одной рукой о каминную доску, снова принялся рассматривать лежавшую на его кровати женщину.

У нее была безупречная кожа, щеки порозовели от холода. Густые ресницы медового цвета полукружьями лежали на золотистых щеках, губы, слегка приоткрытые во сне, были свежими и соблазнительными. Бак спросил себя, не грех ли это с его стороны — воспользоваться случаем и разглядеть ее, когда она об этом и не подозревала. Анника Сторм пришла бы в ярость, знай она, что он ее рассматривает, в этом Бак нисколько не сомневался. Но она спала, а мужчина в конце концов может делать в собственном доме все, что захочет — в пределах разумного, конечно.

Его взгляд вернулся к лицу Анники, потом скользнул по длинной, гладкой, как шелк, шее к скромно застегнутому воротнику шерстяного жакета от дорожного шоколадного цвета костюма, который она надела поверх ночных рубашек. Бак подавил улыбку, подумав, сколько же на ней всего надето, но тут же нахмурился, вспомнив, как ее юбка едва не загорелась, когда Анника подошла слишком близко к огню. Неужели она и в самом деле такая беспомощная, какой кажется, спросил себя Бак. Если он собирался доставить ее в Бастид-Хил к брату в целости и сохранности, ему придется следить за ней в оба.

Рука Анники лежала на подушке. Бак снова обратил внимание на ее руки — красивой формы с длинными изящными пальцами, гладкие, не испорченные тяжелой работой. Он подумал о руках матери и сестер — огрубевших, покрывшихся раньше времени морщинами от частого использования жесткого мыла из щелока и от других многочисленных домашних дел. Интересно, была ли у Анники за всю ее жизнь хоть одна мозоль?

Бак покачал головой, подумав о причудах судьбы, сведшей его с Анникой, потом вспомнил Алису Соумс. Где бы она сейчас ни была, наверняка ей там было гораздо лучше, чем было бы здесь, выйди она за него замуж. Теперь, когда он увидел Аннику в той обстановке, в какой протекала его жизнь, он понял, что было бы несправедливо требовать от того, кого любишь, отказаться от цивилизации и жить в полной изоляции. И еще более несправедливо было бы требовать этого от совершенно чужого человека.

Он перевел взгляд на Бейби и с болью в сердце понял, что у него нет выбора и ему придется отказаться от нее. Не было никакой возможности продолжать растить ее как собственного ребенка — ему ведь приходилось отлучаться из хижины на долгие часы, если не дни, чтобы проверить ловушки, освежевать убитых животных.

Бейби была ему слишком дорога, и он не хотел подвергать ее опасности, беря с собой. Она стала слишком большой для того, чтобы носить ее повсюду, слишком любопытной, чтобы сидеть на одном месте, пока он работал, но была еще слишком мала, чтобы можно было оставлять ее дома одну.

Да, ему ничего другого не оставалось, кроме как отказаться от Бейби, по крайней мере до тех пор, пока она не вырастет.

Глядя, как Анника повернулась на бок, он подумал, что, хотя из нее никогда не получится той жены, какая ему нужна, она все же может помочь ему решить вставшую перед ним проблему.


Анника потерла глаза и потянулась, затем, обнаружив, что Бак Скотт стоит у края кровати, резко села. Прижав к груди волчьи шкуры, которые, впрочем, едва ли можно было считать средством защиты, она постаралась принять уверенный вид.

— Что вам нужно?

— Я ухожу.

Ей пришло в голову, что без бороды он очень

красивый мужчина. У него была твердая челюсть, жесткий, несмотря на полные губы, рот. Вокруг глаз залегли морщинки — свидетельство, как решила Анника, частого пребывания на солнце, а не частых улыбок. Морщинки нисколько его не портили. Без бороды он выглядел моложе и казался более уязвимым, хотя все равно сильным и властным. Он завязал волосы сзади кожаной тесемкой. Только сейчас Анника разглядела, что они были не ровного золотистого цвета, а местами выгорели почти до белизны. Вместо куртки с капюшоном он надел длинное, до щиколоток, пальто, сшитое из шкуры бизона. Анника подумала, что ей, наверное, не удалось бы даже поднять такое пальто. Через плечо у него было перекинуто ружье, на бедре висел длинный нож.

Анника свесила ноги вниз и откинула одеяла. Бейби крепко спала рядом.

— Что значит, вы уходите? Я думала, что нас занесло.

С тяжелым вздохом, словно выполняя нелегкую работу, он объяснил:

— Занесен перевал. Мы не можем выбраться из долины, но не из хижины. Я полчаса расчищал снег вокруг домика. Пурга практически прекратилась, сейчас идет лишь мелкий снежок, вот я и подумал, что следует пойти на разведку и выяснить, как там все обстоит на самом деле.

— А мне что делать?

— Оставайтесь с Бейби.

Плохо соображая со сна, она последовала за ним к двери. Он уже надел на голову большую меховую шапку, завязав ее под подбородком. Лицо в тех местах, где росла борода, казалось странно бледным по сравнению с загорелыми и покрасневшими сейчас от мороза щеками.

У Анники возникло искушение приложить к его

щекам теплые ладони, но она тут же опомнилась и отступила на шаг.

— Я не нянька, мистер Скотт.

— Я в этом не сомневаюсь. — Он посмотрел на нее так, будто собирался сказать что-то еще.

— Да?

— Не знаю, что вы умеете делать, мэм, но полагаю, если вы постараетесь, то сумеете недолго присмотреть за трехлетним ребенком.

С этими словами он открыл дверь и вышел, захлопнув ее за собой прямо перед носом у Анники.

Анника молча уставилась на дверь. Как бы ей хотелось, чтобы Бак вернулся, она бы тогда высказала ему все, что думает по этому поводу.

Ветер действительно стих. Снег, набившийся в щели, начал таять, и на полу тут и там появились мокрые грязные пятна. В хижине воцарилось молчание, и Анника поняла, что впервые за три дня она осталась одна без своего похитителя. Она немедленно стала готовиться к побегу.

Оглянувшись на спящего ребенка, она подхватила с пола свой саквояж, затем поискала глазами накидку. Та висела на крючке у двери под курткой Бака. Сняв их с крючка, она надела накидку, а сверху длинную куртку и обнаружила, что, утеплившись таким образом, едва может двигаться. Не прошло и нескольких секунд, как она нашла в саквояже перчатки и с трудом натянула на пальцы холодную задубевшую кожу. Теперь она была готова.

Она осторожно открыла дверь, и в комнату тут же с током холодного воздуха, кружась, полетели снежинки. Анника вышла. Все вокруг было ослепительно белым. Единственным цветовым пятном в этой белизне была зелень сосновых веток.

Она почти закрыла за собой дверь, когда из комнаты донесся детский крик:

— Анка, я тоже пойду.

Анника сделала ошибку — она вернулась.

Бейби слезла с кровати и бросилась к ней через комнату. Анника захлопнула дверь, преграждая доступ холоду, поставила саквояж на пол и нахмурилась.

— Тебе нельзя идти, Бейби. Ты должна ждать Бака.

— Нет.

— Да. Он велел тебе ждать его. Он скоро вернется. Ты же не хочешь, чтобы он огорчился, увидев, что тебя нет.

— Анка идет с Баком?

— Нет. Я иду домой. А тебе надо остаться и ждать Бака. Ты сможешь это сделать? — Анника увидела, как расширились глаза малышки, когда она оглядела пустую комнату. — С тобой ведь ничего не случится, правда?

Бейби надула губы.

— Я тоже пойду.

— Нет. Ты должна остаться здесь.

— Я пойду с Баком.

Анника скрестила руки на груди и принялась притоптывать ногой по замерзшему полу. Треснуло полено в камине, посыпались искры. Анника посмотрела на обгоревший подол своей юбки, затем снова на Бейби.

А что, если ребенок подойдет слишком близко к огню? Что, если она, подражая Баку, вздумает подложить в камин еще одно полено? Что, если упадет головой в камин? Анника огляделась. Хижина, родной дом девочки, была, если вдуматься, не менее опасным местом, чем змеиное гнездо.

На кухонной полке лежали ножи, до которых Бейби легко могла дотянуться, встав на стул.

Тяжелая печка-голландка могла упасть на пол.

Девочка могла влезть на стул и свалиться с него или, что еще хуже, взять одну из многочисленных банок, съесть какую-нибудь гадость и отравиться насмерть.

Анника закрыла глаза и сосчитала до десяти.

Должен же быть способ выбраться отсюда, не подвергая опасности ребенка. Она ненавидела Бака, но не желала зла его племяннице. Неожиданно она вспомнила, что Старый Тед привязывал девочку к стулу. Анника быстро пересекла комнату и стала рыться в комоде, стоявшем в ногах кровати. Найдя поношенную нижнюю юбку из муслина, такую тонкую, что она казалась почти прозрачной, она принялась отрывать от нее длинные широкие полосы, а Бейби стояла рядом и смотрела, засунув палец в рот.

Покончив с этим, она схватила Бейби за руку и потащила к стулу. Посадив девочку на стул, она быстро, прежде чем та начала сопротивляться, привязала ее муслиновой полоской к спинке.

— Ну вот, — Анника встала и, уперев руки в бока, проинспектировала свою работу, — сиди смирно, пока не вернется Бак. Он сказал, что ушел ненадолго. — Мысленно она помолилась, чтобы это действительно было так.

По щекам девочки потекли слезы.

— Мне надо идти, — продолжала Анника. — Неужели ты не понимаешь?

«Может, твой дядя говорит неправду, может, я смогу выбраться отсюда пешком. Кто знает, может, дойдя до вершины первого хребта, я обнаружу, что мы рядом с городом». Она присела перед девочкой и вытерла ей слезы.

— С тобой все будет в порядке. Ты уже большая девочка.

Выпрямившись, Анника подошла к кровати и нашла среди одеял деревянную куклу. Она отнесла ее Бейби и посадила ей на руки.

— Вот. Присмотри за своей дочкой и не плачь.

С этими словами она направилась к двери, не оглядываясь больше на грустную маленькую девочку. Выйдя наружу, она зажмурилась от яркого солнечного света. Закрывая за собой дверь, она пожалела, что не может с такой же легкостью вытеснить из сознания жалобный плач Бейби.

Она увидела уходившие вдаль глубокие следы, оставленные снегоступами, и решила идти в противоположном направлении. Но, сойдя с небольшого пятачка, расчищенного Баком перед дверью, она тут же оказалась по колено в снегу. Ее ботинки и чулки мгновенно промокли, так же как и все ее юбки. Аннике казалось, что она идет по густому клею. Она вспотела от усилий, хотя было холодно и с растущих вокруг деревьев на нее сыпался снег.

Вытаскивать из сугроба и переставлять ноги было невообразимо тяжело, но нести при этом саквояж оказалось практически невыполнимой задачей. Анника подумала было, не оставить ли его, но вспомнила о своих пуговицах, о расческе в серебряной оправе, щетке для волос и поняла, что должна во что бы то ни стало сохранить эти вещи. Серебряный туалетный набор был подарком Ричарда, а пуговицы... что ж, пуговицы один раз уже удалось спасти. Она сохранит их просто назло Баку.

Бейби заплакала еще громче — ее плач был отлично слышен через дверь хижины. Испытывая чувство вины, Анника оглянулась на хижину, оступилась и упала в снег. Она попыталась встать, но безуспешно. Наконец ей кое-как удалось перекатиться набок, и она поднялась на ноги, вытащила из сугроба саквояж и принялась стряхивать с себя снег. Теперь она промокла с ног до головы.

Ей вдруг стало совершенно ясно, что без снегоступов, таких как у Бака, она никуда не уйдет и что он не лгал, говоря о том, сколько нападало снега за одну ночь. Пытаться выбраться из долины было безнадежной затеей, она и со двора-то не могла уйти.

Тяжело ступая, Анника с тяжелым сердцем направилась назад к хижине и, с трудом преодолев те несколько футов, что ей удалось пройти, вышла на расчищенную дорожку и подошла к двери. Злясь на себя за свою неудачную попытку, на снег за то, что он замел дороги, на ребенка за то, что он ревел не переставая, Анника распахнула дверь и ввалилась внутрь. Захлопнув дверь со стуком, от которого Бейби даже перестала плакать, она начала снимать с себя мокрую одежду — куртку, накидку, шерстяной жакет и юбку.

Придвинув к огню стулья, она разложила на них все вещи. Оставшись в ночной сорочке и рубашке, которую дал ей Бак, Анника подошла к судорожно всхлипывающей Бейби, развязала ее и посадила себе на колени. Затем одной рукой подняла саквояж и, поставив его на стол, достала из него жестяную коробку и принялась успокаивать девочку, показывая ей свои драгоценные пуговицы.

Спустя час дверь неожиданно распахнулась и вошел Бак. Анника встретила его ледяной взгляд, упрямо вздернув подбородок. Ему не нужно было ничего говорить. Анника знала, что он сразу догадался о ее попытке сбежать по вещам, сушившимся у огня. Щеки у него покраснели от мороза, посиневшие губы были сжаты в узкую полоску, руки в перчатках крепко вцепились в веревку, перекинутую через плечо. На другом плече висело ружье, а у бедра болтался длинный грозный нож в украшенном бисером чехле.

Анника молчала, он тоже.

Долгое время он просто стоял, пристально глядя

на Аннику, а она сидела, по-прежнему держа Бейби на руках. Ребенок, не обращая внимания на взрослых, ведущих свой молчаливый поединок, играл с пуговицами — брал их в пригоршню и просеивал между пальцев, складывал кучкой и снова раскладывал по одной.

Наконец Бак сдвинулся с места. Он подошел к столу и замер. Анника с одного взгляда поняла, что он едва сдерживается.

— По-моему, я сказал вам оставаться с Бейби.

— А я сказала, что я не нянька.

Он окинул ее уничтожающим взглядом, без слов показав, что считает ее лгуньей.

— Похоже, вы неплохо справляетесь.

— Вы не можете держать меня здесь против моей воли.

— Я и не держу, но мы не можем выбраться из домика, пока не растает снег. А пока вы здесь, вам лучше делать, как я говорю.

— Или что, мистер Скотт?

— Или вы можете плохо кончить.

— Вы мне угрожаете?

Он сделал еще шаг к столу. Она увидела, как напряглись его пальцы, державшие веревку.

— Нет, я вас предупреждаю. За этой дверью, мэм, вас поджидает тысяча разных опасностей, может, миллион. Вы легко можете погибнуть. Я не хочу, чтобы меня обвиняли в вашей смерти, если с вами что-то случится из-за вашей собственной глупости.

Зная, что предпринятая ею попытка пройти через непроходимые сугробы была с ее стороны форменным безумием, Анника ничего не сказала в свое оправдание. Она поудобнее усадила Бейби, избегая встречаться с Баком взглядом.

— Но гораздо хуже, — он заговорил тише и с угрозой в голосе, — если что-нибудь случится с Бейби из-за того, что вы решите выкинуть какой-нибудь фокус. Тогда вам незачем будет беспокоиться о своей безопасности, потому что я придушу вас собственными руками. Понятно?

Анника быстро улыбнулась и перевела взгляд на пуговицы, жалея, что не может избавиться от краски смущения, залившей ее лицо.

— Вполне понятно, мистер Скотт.

— Хорошо. Тогда, раз мы решили переждать вместе непогоду, нам следует вести себя цивилизованно.

— Очень хорошо.

— Прекрасно. Почему бы вам не начать с приготовления для нас обеда?

Она улыбнулась, но улыбка не коснулась ее глаз.

— Я понятия не имею, как это делается.

Бак улыбнулся в ответ такой же холодной улыбкой.

— Полагаю, сейчас самое подходящее время научиться.— Он сдернул с плеча веревку и без предупреждения вывалил на стол двух убитых кроликов.

Бейби захлопала в ладоши. Пуговицы загремели и раскатились.

Анника немедленно побледнела и закрыла глаза.

Бак Скотт удовлетворенно улыбнулся.

# ГЛАВА 9

— Неужели вы хотите, чтобы я к ним прикоснулась?

Анника посмотрела на мертвых кроликов, не пытаясь скрыть раздражения. Она редко когда ходила с матерью и Рут в мясную лавку. Да и те разделанные кроличьи тушки, что она там видела, никак нельзя было сравнить с безжизненными жалкими тельцами, лежавшими сейчас перед ней на столе. Она попыталась прогнать возникшую перед глазами картину: белые, как снег, кролики, игривые и полные жизни, скачут по снегу в своих теплых шубках из густого меха.

Чувствуя, что не в силах больше выносить вид мертвых зверьков, она поскорее перевела взгляд на светлую кудрявую головку Бейби.

— Ну же. — Голос Бака заставил ее вздрогнуть. — Я покажу вам, как разделать их и приготовить.

У Анники свело живот. Она вспомнила, как отец однажды пошел ловить рыбу, а вернувшись, попросил мать приготовить свой улов на ужин. Аналиса тогда ответила: «Если ты почистишь рыбу, я ее приготовлю». Анника взглянула на Бака и постаралась изобразить улыбку.

— Если вы их разделаете, я попытаюсь их приготовить.

Но она имела дело не с Калебом Стормом.

— Вам все равно придется их готовить. Нужно научиться и разделывать их. — С этими словами он взял кроликов и направился к двери. — Наденьте свои шерстяные вещи и прихватите с собой Бейби. Ей не помешает немного прогуляться, а то она засиделась в хижине.

Последняя фраза разозлила Аннику. Бака волнует, что Бейби засиделась без свежего воздуха, но когда она, Анника, захотела выйти из хижины, он пришел в ярость. Но, с другой стороны, подумала она, ему ведь не надо беспокоиться, как бы Бейби не убежала.

— Я не хочу на это смотреть, — возразила она.

Бак со вздохом повернулся, положил кроликов и, обойдя стол, взял Бейби с колен Анники. Ребенок прильнул к нему, уткнувшись лицом в шею. Бак поднял капюшон ее пальто.

— Гулять? — спросила Бейби.

— Гулять, — подтвердил Бак и снова взял в руку кроликов. — Вы тоже, — бросил он через плечо.

— Я не пойду, — заспорила Анника, — я не хочу.

Он остановился у двери.

— Меня не волнует, хотите вы или нет. Ваша жизнь может зависеть от того, сумеете ли вы продержаться здесь одна. — Впервые за весь день он посмотрел на нее без гнева. Выражение его лица было открытым и предельно искренним. — Со мной может случиться все что угодно. Я могу угодить в один из своих же капканов или в чей-то еще. Могу неожиданно наткнуться на медведя или пуму, могу упасть, попасть под обвал. Вы останетесь здесь одна, и некому будет позаботиться о вас и о Бейби. — Он уставился на веревку и болтающихся на ней кроликов с таким видом, будто тщательно взвешивал свои следующие слова, решая, что ей можно сказать. — Поэтому прежде всего я и ответил на объявление Алисы Соумс. Мне-то никто не нужен, но вот Бейби... я должен знать, что о ней будет кому позаботиться если... — Он внезапно умолк, не желая показывать глубину своего беспокойства.

На один краткий миг Анника прочувствовала его тревогу, но потом она сделала то, чего делать не следовало — взглянула на болтающихся на веревке кроликов.

— Может, вы начнете мое обучение с приготовления каши?

Его уязвимость пропала так же быстро, как и появилась, и он снова стал тем Баком Скоттом, которого она узнала за последние несколько дней — жестким, упрямым, замкнутым.

Он направился к двери, бросив ей через плечо тоном приказа:

— Жду вас у сарайчика через две минуты. Не придете, я сам приду за вами, а мне очень не хочется этого делать.

Снова надев дорожный костюм и накидку, Анника вышла и стала пробираться по снегу. Довольно скоро она набрела на сарайчик. Увидев, что за это время сделал Бак, она пожалела, что не заблудилась.

Безголовые кролики были подвешены вверх ногами к стропилам, из них капала кровь и красное пятно на снегу под ними становилось все больше и больше. Анника остановилась футах в восьми от сарайчика, подавляя позыв к рвоте. Она не хотела, чтобы наблюдавший за ней мужчина увидел ее слабость. Глубоко вздохнув в попытке побороть чувство тошноты, она приблизилась по заснеженной земле к сарайчику, насколько сочла возможным. Бейби, увидев Аннику, вылезла из небольшого сугроба, в котором каталась, и заковыляла к ней. Подойдя к Аннике почти вплотную, она шлепнулась на зад.

— Как вы можете делать это перед ребенком?

Анника подняла Бейби и стала стряхивать налипший на ее пальтишко снег.

Бак наблюдал, как она прижала к себе девочку.

— Что худого в том, что ребенок рано начнет узнавать жизнь?

— Жизнь? При чем тут жизнь? Это работа мясника, это негуманно, это...

— Это всего лишь кролик. Люди убивают их, чтобы было чем питаться. Не хотите же вы сказать, что не едите мяса.

— Ем, конечно, но...

— А откуда, по-вашему, оно берется? Из мясной лавки?

Анника, конечно, не призналась, что, как она всегда предпочитала думать, именно оттуда мясо и бралось — разделанное, нарезанное, бери и готовь. Мертвого кролика она до сих пор видела только в виде тонко нарезанных зажаренных ломтиков на тарелке. В сотый раз она пожалела, что не сидит дома в Бостоне, где ей не пришлось бы думать об окровавленных кроликах и кудрявых беспризорных детях.

Бак, оказывается, еще не все сказал.

— Если бы вы столкнулись с этим в возрасте Бейби, — продолжал он, — сейчас вам бы подобные мысли и в голову не пришли.

— Это несправедливо по отношению к ребенку. У нее нет выбора.

— Насколько я вижу, она не обращает внимания.

Посмотрев на Бейби, Анника убедилась в том, что он прав. Девочка действительно не обращала никакого внимания на окровавленных кроликов, с интересом рассматривала атласных лягушек, служивших застежкой на накидке Анники.

Отвернувшись от нее, Бак срезал кроликов с веревки и понес к задней стенке сарайчика, где стояло что-то среднее между верстаком и чурбаном для рубки мяса.

Судя по количеству лежавших там же шкур и рогов, Бак был заядлым и удачливым охотником. Смахнув с чурбана снег, он сделал Аннике знак подойти. Она упрямо вздернула подбородок, однако предпочла подчиниться, а не спорить, стоя на морозе. Подойдя ближе и в ужасе глядя, как Бак начал свежевать первого кролика, Анника молилась про себя, чтобы содержимое ее желудка не изверглось наружу.

Пока ей удавалось не думать об этой покрытой мехом тушке как о пушистом крольчонке, чье семейство тоскует в какой-нибудь укромной норке, ей удавалось справляться и с тошнотой. Бейби утратила интерес к ее накидке и захотела, чтобы ее опустили на землю. Анника поставила ее на снег, а сама встала за спиной Бака, знаком предложившего ей подойти еще ближе. Она постаралась встать так, чтобы фигура Бака хотя бы частично скрывала от нее безголовые тушки на столе.

Вынув из чехла на бедре свой грозного вида нож с отделанной слоновой костью ручкой, он оглянулся, желая удостовериться, что Анника стоит достаточно близко и может все видеть и слышать.

— Кролики, пожалуй, самые важные животные в лесу.— Он быстро отсек кролику лапы и отложил их в сторону. Анника никак не откликнулась, но он все равно продолжил свои объяснения.— Может показаться, что это животное создали специально на прокорм всем другим. Почти все пушные звери питаются кроликами, не говоря уж о больших птицах.

Блеснуло лезвие ножа — Бак сделал разрез на задних лапах, а потом по центру живота. Отложив нож, он потянул шкурку к передним лапам. Анника очень удивилась, увидев, как он целиком стянул ее с тушки — так мужчина мог бы снять с себя через голову рубашку.

Бак снова взял в руки нож. Его ручка из слоновой кости была полностью скрыта в руке Бака, и видно было лишь остро отточенное лезвие. Анника не могла не восхищаться мастерством Бака, хотя ей было ненавистно то, что он делает. Его большие загорелые руки двигались с быстротой, которая дается только опытом, и с точностью, какой позавидовал бы любой хирург.

Он продолжал говорить все то время, что разделывал сначала первого, потом второго кролика, объясняя каждый свой шаг, будто и в самом деле верил, что однажды Аннике придется самостоятельно проделать всю эту мрачную процедуру. В какой-то момент Анника поймала себя на том, что с интересом прислушивается к его словам. Бак показывал ей желчный пузырь.

— Никогда не разрезайте его, — предупредил он, осторожно удаляя пузырь вместе с другими внутренностями, — мясо будет испорчено. — Он отложил печень, сердце и почки, объяснив, что все это съедобно.

Теплая еще требуха дымилась на морозном воздухе. Бак завернул разделанное мясо в кусок плотного миткаля и протянул Аннике. Однако, заметив, как посерело ее лицо, как она прижала одну руку к животу, а другую ко рту, решил, что лучше отнести мясо в дом самому.

— Возьмите Бейби, — сказал он, направляясь к хижине, зная, что у Анники нет иного выбора, кроме как последовать за ним.

Короткий период ясной погоды прошел, и небо опять заволокло тучами. Пробираясь по снегу к хижине, Бак смотрел на свои мокасины, то появлявшиеся из снега, то вновь скрывавшиеся, но не видел их.

Он думал. Он слышал, как Бейби болтает с Анникой, не получая ответа, и пытался представить, каким был мир этой женщины, которая так отреагировала на занятие, являвшееся одним из непременных условий выживания. Он вспомнил, как взволнован был он сам, когда ему впервые разрешили разделить свой охотничий трофей.

Охота на белок в пекановых лесах Кентукки была занятием, о котором мечтали большинство мальчишек. Бак стал метким стрелком. Он попадал в белок, сидевших на раскачивающихся от ветра ветках, что требовало твердой руки и зоркого глаза. Но те беззаботные дни быстро прошли, и когда многие мальчишки его возраста все еще стреляли по белкам, он уже был полноправным охотником на бизонов.

Подойдя к двери, он остановился и дождался, когда Анника, пробиравшаяся по снегу с Бейби на руках, догонит его. Он отступил в сторону, давая ей возможность войти первой.

— Проходите. — Он кивком указал на дверь. Он почти не сомневался, что она как-то отреагирует на это неожиданное проявление вежливости. По ее молчанию он понял, насколько она огорчена.

Анника вошла в хижину и посадила Бейби на первый подвернувшийся стул. Девочка немедленно слезла и попыталась снять с себя пальто, влажное от налипшего на него и быстро таявшего снега. Пока Анника снимала накидку и помогала Бейби с пальто, Бак нанизал кроликов на вертел в камине.

Он не раздевался, а смотрел на Аннику, которая уставилась в пол, забыв, что держит в руках пальто Бейби. По ее напряженному взгляду, прикованному к одной точке, по тому, как она несколько раз сглотнула, он понял, что она пытается побороть приступ тошноты.

Он быстро вымыл руки и насухо вытер их. Решив,

что лучше промолчать, чем сказать что-нибудь не то, он взял у нее пальтишко Бейби и разложил его на кровати. Затем выдвинул из-под стола стул и, нежно положив руку ей на плечо, подвел к нему и усадил.

Почувствовав на плече его руку, Анника подняла голову, и на секунду их взгляды встретились, но она сразу же отвернулась и застыла, положив на колени стиснутые руки.

Бак тоже хотел было отвернуться.

— Наверное, ваша сестра разделывала кроликов, — неожиданно проговорила Анника.

— Да. — Он не мог понять, к чему она клонит.

— Она поэтому сошла с ума?

Он не видел ее лица, но не сомневался, что она говорит серьезно. На мгновение перед глазами у него встала картина — отец, расчленяющий труп Джима.

— Нет, не поэтому.

— Странно. — Тон у нее был холодным, как воздух за стенами хижины.

Бак присел перед ней на корточки, так что она была вынуждена смотреть на него.

— Послушайте, что бы вы ни думали, я сделал это не для того, чтобы наказать или помучить вас. Я сделал это, потому что со мной на охоте может случиться все что угодно. Я бы хотел быть уверен, что вы сможете позаботиться о себе до оттепели. Весной должен прийти Тед, он сможет вывезти вас отсюда. Если ни Тед и ни кто другой не появятся, седлайте мулов и уезжайте. Поднимайтесь вверх по тропе, ведущей из долины, пройдите через перевал и двигайтесь все время навстречу восходящему солнцу. Запомните — спиной к заходящему солнцу. Тогда вы наверняка попадете в Шайенн, ну а в худшем случае выйдете к какой-нибудь деревушке или ранчо, расположенным неподалеку от Шайенна.

Впервые с момента их встречи Анника посмотрела на него не только с отвращением.

— А как же Бейби?

— Придете в Шайенн, проследите, чтобы она была устроена в каком-нибудь хорошем доме. Может, священник возьмет ее или найдет семью, которая захочет ее взять. Может, ваш брат знает кого-нибудь, кто хочет ребенка.

— И вы доверяете мне такое дело?

— А разве у меня есть выбор?

— А ее мать?

— Даже и не ищите ее. Пэтси нельзя доверить ребенка.

— Но...

Он резко прервал ее.

— Только не Пэтси. Вы понимаете?

— Ничего с вами не случится. — Но в ее голосе звучала не уверенность, а страх. Она осознала, что все, о чем говорил Бак, и в самом деле может произойти.

— Вы просто сделаете все что в ваших силах. Я понимаю, вы мне ничем не обязаны, особенно если учесть, как я с вами поступил, но вам, по-моему, нравится Бейби.

Анника молчала. Она думала о Кейсе с Розой и о детях, которых они лишились. А тут Бак Скотт хотел отдать ребенка.

Бак встал и подошел к камину. Наклонившись, он повернул вертел. Кролики уже начали подрумяниваться, и из них выделялся сок, который с шипеньем капал на поленья внизу.

— Я собираюсь выйти, — снова заговорил он. — Надо убрать все в сарае, выбросить внутренности и все те остатки, которые нам не пригодятся.

Анника повернулась к нему. Голубые глаза были полны тревоги.

— Вы снова пойдете охотиться?

— Нет. Просто убраться.

— Надолго?

— Думаете снова попробовать сбежать теперь, когда я рассказал вам куда идти? — Он покачал головой. — Я бы не советовал. Буран еще не кончился. Скоро опять пойдет снег.

Анника выпрямилась. Тревога во взгляде сменилась раздражением.

— Я не так глупа, мистер Скотт. Я спросила для того лишь, чтобы знать, в какой момент начинать волноваться, что одно из ваших страшных предсказаний сбылось.

— Я вернусь примерно через четверть часа.

— Хорошо.

Он уже взялся за ручку двери, когда она добавила:

— А как конкретно я смогу добыть дичь, которая должна будет помочь нам выжить в случае вашей безвременной кончины?

Он с полуулыбкой ответил:

— Не беспокойтесь. Как только прекратится снег, я научу вас охотиться.

Роза Сторм отодвинула тюлевую занавеску и оттаяла дырочку в замерзшем овальном стекле, вделанном в заднюю дверь. Приподнявшись на цыпочки, она вгляделась в сгущавшиеся сумерки в надежде увидеть возвращающегося мужа. Была уже вторая половина дня. Все вокруг было занесено снегом. Единственным признаком жизни в этой безлюдной белизне был свет лампы в окнах дома для работников ранчо через дорогу. Роза со вздохом опустила занавеску. Погладив живот, выпиравший из-под саржевого винного цвета платья, она прошла из кухни в гостиную. Она оставила гореть лампу в середине кухонного стола — ей не хотелось, чтобы Кейс входил в темную комнату.

Роза прошла по дому, казавшемуся без Кейса пустым и непривычно тихим, спрашивая себя, когда же он вернется из Шайенна. Она понимала, что его задержала буря, но все же надеялась, что он, несмотря на снег, сумеет как-то добраться до дома.

Она зажгла лампы в гостиной первого этажа, и золотистый свет залил дом, которым она так гордилась. Обстановку каждого уголка этого двухэтажного дома, каждую украшавшую его мелочь они любовно выбирали вместе с Кейсом. Роза ориентировалась на простоту и удобство, а не на моду, и предпочла простой дом более декоративному особняку в стиле королевы Анны, который сначала хотел построить Кейс. Ей хотелось жить в типично американском доме, не похожем на дома, которые она видела в родной Италии. Ей удалось отговорить Кейса от строительства особняка, но и их дом никак нельзя было назвать хижиной.

«Пусть мы живем не в городе», — заявил Кейс, — это не значит, что у нас не должно быть всех современных удобств». Поэтому в их доме было две лестницы, огромная буфетная, блестящие медные канделябры и даже раздвигающиеся льняные шторы помимо занавесок из бельгийского тюля. Широкая веранда шла вокруг дома, и с любого места открывался великолепный вид либо на бескрайние равнины, либо на широко раскинувшиеся предгорья, подступавшие, казалось, прямо к задней двери их дома.

Роза села на диван у камина и разгладила воротник и белые кружевные манжеты своего платья. Платье было простым, но модным, и опять же выбрать его помог ей Кейс. Ее темные волосы были закручены на макушке в простой узел. Она почувствовала, как ребенок зашевелился у нее в животе робко и нежно, словно махнул крылышками маленький эльф. Роза положила руку на живот, где росло ее дитя, словно хотела защитить его.

Закрыв глаза, она прочитала про себя молитву, прося Господа сделать так, чтобы ребенок родился благополучно, беспокоясь не столько за себя, сколько за Кейса, который, как она знала, не перенесет утраты еще одного ребенка. Какой-то врожденный инстинкт помог ей пережить предыдущие трагедии. Когда улеглось первое горе и иссякли слезы, внутренний голос сказал ей, что в этом краю ослабленный ребенок не выжил бы. Природа сама обо всем позаботилась. Дети, которые умерли, не родившись, все равно не вынесли бы суровых зим и жарких, засушливых, с сильными ветрами летних месяцев Вайоминга.

Нынешнего ребенка она уже носила дольше, чем первых двух. Правда, их третий ребенок, маленькая Катерина, успел родиться, но прожил всего несколько часов. После ее неожиданной смерти в прошлом году Кейс горевал гораздо дольше, чем сама Роза. На какое-то время он полностью ушел в себя, и Роза даже испугалась, что он не позволит ей больше забеременеть. Однако в конце концов она сумела убедить его, что ей следует сделать еще одну попытку.

Она улыбнулась, подумав о том, что Кейс всегда относился к ней, как к королеве. «Моя римская богиня», — говорил он даже сейчас, когда ее беременность была уже заметна. Он настаивал, чтобы Роза наняла кого-нибудь помочь ей с готовкой — она сама готовила еду для всех работников ранчо, — но она отказалась от посторонней помощи. Узнав, что сестра Кейса приезжает к ним в гости на довольно продолжительное время, она упросила мужа никого не нанимать, заявив, что ей поможет Анника. Она вспомнила, как заискрились весельем его глаза и он рассмеялся, покачав головой. «Милая моя Роза, Анника и плиту-то не сумеет узнать, если ты проведешь ее по кухне».

«Что ж, тем лучше, мне будет кого учить. Может, она хоть в чем-то поможет».

«Пожалуй, ей это пойдет на пользу,— улыбнулся Кейс.— Она никогда ничего не делала».

«А разве это ее вина?»

«Нет, мы сами всячески ее баловали».

— Как ты балуешь меня,— прошептала Роза в пустой комнате.

Хлопнула задняя дверь, и она встала и поспешила на кузню. Сердце ее учащенно забилось, как бывало всегда, когда Кейс возвращался домой. В этот момент все вокруг переставало для них существовать, и они видели только друг друга. Роза молча бросилась в объятия мужа. Он нежно обнял ее, и их сердца забились в унисон. Потом, слегка отстранив ее от себя, он наклонился и нежно ее поцеловал.

— Я скучал по тебе,— прошептал он.

— А я по тебе.

Он снова ее поцеловал. Это был уже более страстный поцелуй, который мог бы продолжаться очень долго, если бы Роза, вспомнив, куда ездил Кейс, первой не оторвалась от него.

— Где твоя сестра?

Она посмотрела в смуглое красивое лицо и убрала прядь волос, выбившуюся из косички, в которую он завязал их украшенной бисером тесемкой. Лицо его омрачилось.

— Сядь сначала.— Он попытался подтолкнуть ее в сторону гостиной.

Но Роза осталась стоять на месте.

— Нет, сначала скажи мне.

Вздохнув, он выдвинул из-под стола в кухне стул.

— Тогда сядь здесь.

— С ней все в порядке?

— Сядь,— настаивал он.

Роза села, зная, что он ничего не скажет, если она не послушается.

Он сел на другой стул, поближе к ней, и взял ее за руки.

— Аннику похитили с поезда.

— Ты шутишь, да?

— Хотел бы я, чтобы это была шутка.

— Но почему? Кто-то знал, что ее родители богаты? Они потребовали выкуп?

Кейс пожал плечами.

— Проводник сказал мне, что человек, похитивший Аннику, принял ее за свою невесту по переписке.

— Какую невесту?

— Невесту по переписке, — со вздохом объяснил Кейс. — Бывает, что женщина обручается с мужчиной, которого она никогда не видела. Они пишут друг другу письма и договариваются о свадьбе заочно.

— Но почему...

Он прервал ее дальнейшие расспросы.

— Я не знаю почему, Роза, но этот мужчина похитил мою сестру и уехал с ней.

— А что ее мать и Калеб? Ты телеграфировал им?

Он покачал головой.

— Нет еще. Не хочу беспокоить их понапрасну. Я предложил большое вознаграждение и расклеил повсюду объявления, пока был в Шайенне. Но через несколько дней придется им сообщить, потому что у меня взяли интервью и история наверняка получит широкую огласку. Мне бы не хотелось, чтобы они узнали обо всем из газет.

— Чем я могу помочь?

Она внимательно наблюдала за ним, молясь про себя, чтобы похищение сестры не заставило его снова нацепить полицейский значок.

— Ты можешь приготовить мне кофе. На улице так холодно, что и полярному медведю захотелось бы где-нибудь укрыться.

# ГЛАВА 10

**7** *февраля. Скалистые горы.*

*Когда я перечитываю последние записи в этом дневнике, я вижу, что до сих пор не понимала, как благосклонна была ко мне судьба. Сегодня утром я пишу это, сидя, согнувшись над старым ободранным столом, и надеюсь, что чернила не замерзнут опять.*

*Меня похитил мужчина, не похожий ни на одного из тех, кого я до сих пор знала, житель гор, но ничем не напоминающий тех романтических персонажей, которые, как пишут в дешевых журналах, сплошь и рядом встречаются на Западе.*

*Не буду пачкать страницы моего дневника, называя его имя. Достаточно сказать, что он грубый, неухоженный, неулыбчивый и некультурный тип, и это лишь некоторые из его многочисленных «достоинств». Это настоящий медведь, одетый в меха и шкуры, и живет он вместе с маленькой девочкой с ангельским личиком. Я пытаюсь не замечать ее, но у меня ничего не получается. Он похитил меня, ошибочно приняв за женщину, на которой должен был жениться, но жена нужна ему лишь как служанка и нянька. Он попытался и меня приобщить к хозяйству, но обнаружил, что я не слишком-то послушна.*

*Я чувствую себя грязной и усталой, не говоря уж о том, что мне страшно, хотя сейчас, когда я провела в его обществе четыре дня и он не причинил мне ни малейшего вреда, мои страхи несколько уменьшились. Не то чтобы он был неспособен на жестокость, но, думаю, у него есть свой свод правил, моральный кодекс, запрещающий насилие по отношению к женщине. Во всяком случае молю Бога, чтобы я оказалась права.*

*Уверена, что моя семья с ума сходит от беспокойства, не зная, где я. Мне не хочется быть причиной их страданий, и я молю Бога, чтобы Кейс поскорее разыскал меня. Я знаю лишь, что мы живем в жалкой хижине где-то в горах к северо-западу от Шайенна, штат Вайоминг.*

*Думаю, если бы мне было во что переодеться, я бы лучше приспособилась к ситуации.*

*Оглядываясь вокруг, я не могу не думать о моей матери. Я спрашиваю себя, как ей удалось выжить в те годы, когда ее домом была землянка в прериях Айовы. Пытаюсь представить, каково приходилось одинокой женщине, к тому же эмигрантке, в дикой необжитой местности. Раньше я с легкостью представляла ее жизнь как романтическое приключение. Теперь я уверена, что в действительности все было иначе.*

— И давно вы встали?

Анника подпрыгнула, поставив кляксу на последнем предложении, когда голос Бака Скотта прервал ее размышления. Перекинув на спину свою длинную косу, она гневно уставилась на Бака. Он полулежал на своей широченной кровати, подложив под спину подушки и скрестив руки на груди, обтянутой красной нижней рубашкой. Ниже талии он был закрыт одеялами.

— В отличие от вас, мистер Скотт, я не собираюсь проводить день как медведь в спячке. Я встала некоторое время назад.

— Вы начали готовить кофе?

— Нет.

— Вчера вечером я сказал, что тот, кто проснется первым, начнет готовить кофе, — напомнил он.

— Мне кажется, именно поэтому вы и проспали так долго. — Она закрыла чернильницу и за отсутствием тряпки попыталась вытереть пальцы о край стола.

— Вы пачкаете мой стол. — Он почесал в голове.

— Разве это видно? Он и так уже грязный.

Он откинул одеяло и спустил ноги с кровати. Анника отвела глаза и уставилась на лежавший перед ней дневник. Лицо ее запылало.

— Это мой единственный стол, мисс Сторм, пусть даже он не похож на те, к которым вы привыкли. Так что же насчет кофе?

Она услышала шуршание брюк, которые он поднял с пола. Он надевал их, стоя не далее чем в двух футах от нее.

— Так как же?

Не глядя в его сторону, она сказала:

— Я забыла, вы сказали кипятить воду перед тем, как класть кофе, или после?

Бак объяснил приглушенным голосом — он в этот момент стоял на коленях и шарил под кроватью в поисках мокасин:

— Я сказал наполнить кофейник водой и довести воду до кипения. Пока она будет закипать, надо помолоть зерна. Потом положить в кипящую воду кофе и немного раздавленной яичной скорлупы. Скорлупки лежат в банке рядом с кофейной мельницей.

— Сколько класть кофе?

— Ложка на чашку плюс еще одна. Я кладу девять-десять на кофейник, если хочу сделать покрепче. Когда кофе приобретет нужный вам цвет, надо по капельке влить холодную воду, чтобы осадить зерна.

— Я не запомню все это.

— Думаю, вы не хотите запомнить. Вы ведь, по-моему, сказали, что учились на учительницу?

— В момент слабости я призналась в этом, да.

— Тогда, я полагаю, вы в состоянии запомнить такую простую вещь, как приготовление кофе. Да через год-другой Бейби будет в состоянии сварить кофе.

— Неужели вы так долго будете ждать чашку кофе?

— Я и не собираюсь. Вы сварите кофе.

— Или?

— Или мы останемся без кофе.

Анника готова была согласиться, но ее остановила мысль о том, что тогда она не сможет вдохнуть аромат кофе, у нее не будет возможности подержать в руках, которые никак не удавалось согреть, горячую чашку с дымящимся напитком. Она промолчала, хотя это и означало уступку Баку, и, встав, начала наполнять кофейник водой из бочки у двери.

— Вам нужна приличная плита.

Не обратив на ее слова внимания, Бак надел свою фланелевую рубашку. Застегивая пуговицы, он думал о тишине и покое, которыми наслаждался до появления в его доме Анники Сторм. Он сожалел о том, что перепутал ее с Алисой Соумс, но в общем был рад, что все так получилось и он не женился. Он мог представить жалобы на отсутствие удобств, на изолированность его жилья, которые ему тогда пришлось бы выслушивать. Он видел это в глазах Анники каждый раз, когда она смотрела вокруг. Каждая фраза его жены начиналась бы со слов: «Ты знаешь, что тебе нужно...». И ему пришлось бы мириться с этими жалобами или без конца ездить в Шайенн и доставать то, что ей потребовалось бы.

К тому времени, когда он полностью оделся, он

окончательно убедил себя в том, что никогда не женится. Жене понадобятся вещи, которых он не мог ей дать. С другой стороны, наблюдая, как Анника Сторм наполняет кофейник водой, он не мог не отметить, что ни ночная рубашка, ни наброшенная сверху вторая, его, рубашка не скрывают женственных изгибов ее фигуры. Он не мог отрицать, что физически его тянет к ней. И, хотя он изо всех сил старался не показывать этого, он ловил себя на том, что слишком часто и слишком пристально смотрит на нее. Его завораживало в ней все — и то, как она расчесывает волосы, и как ходит по комнате. Жена могла дать ему то единственное, чего он долгое время был лишен.

Не зная, что он разглядывает ее, Анника, моловшая кофе, бросила через плечо:

— И почему вы вообще охотитесь? Я думала, что зимой в лесу не на кого охотиться.

— Ловушки. — Он подошел к полке и достал две эмалированные кружки и две ложки. — Я доволен, когда бобры, волки, кролики попадают в мои ловушки, потому что звериные шкуры особенно хороши зимой. Шкуры животных лучше всего бывают в те месяцы, в названии которых есть буква «р» — сентябрь, октябрь, ноябрь, де...

— Я знаю названия месяцев, — перебила его Анника. Она стояла, скрестив руки на груди, и ждала, когда вода закипит. — Почему вы не уедете в Шайенн? Тогда вам не надо было бы беспокоиться о Бейби или красть себе жену. Вы могли бы нанять домоправительницу.

Бак, отмерявший овсянку для утренней каши, замер. Впервые за эти дни она задала ему вопрос, который можно было считать личным. Он с любопытством посмотрел на нее — она заглядывала в кофейник, который поставила поближе к огню.

— И что бы я там делал?

Она пожала плечами.

— Что угодно.

— Занимался бы складской работой? Чистил конюшни? Работал в кузнице? — Он покачал головой. — Это не для меня. Зачем мне работать на кого-то, если я могу жить свободно и быть сам себе хозяином.

Теперь уже она внимательно изучала его, пока он наливал кипящую воду из почерневшего чайника в горшок с овсянкой.

— Почему вы считаете, что способны только на это?

Он поставил чайник, плюхнув его на плиту с неожиданной для самого себя силой, и нахмурился, но, встретив ее взгляд, увидел, что она не смеется над ним, а действительно хочет получить ответ.

— Посмотрите на меня, мисс Сторм. Я охотник. Это все, что я знаю, что умею делать. Я зарабатываю достаточно, на жизнь мне хватает. Проблема в том, что бизонов больше не осталось, но я делаю, что могу, и получаю неплохие деньги за шкуры других животных. Кроме того, у меня нет образования для какой-то другой работы и я ненавижу города.

Анника оглядела убогую комнату с жалкой обстановкой и задалась вопросом, какой же заработок представляется Баку «достаточным».

— Мой брат владеет ранчо. Он пытается разводить бизонов, и, я, уверена, ему нужны работники. Вы с вашими знаниями...

— Я знаю, как убивать их, мисс Сторм. Кроме того, неужели вы думаете, что Кейс Сторм встретит меня с распростертыми объятиями? — Он рассмеялся подобной мысли. — Да мне еще повезет, если он не всадит в меня пулю, прежде чем я успею объяснить, что вся эта история произошла по ошибке.

Покрошив яичную скорлупу, Анника смешала ее

с кофе и всыпала нужное количество в кофейник. Он прав, подумала она. Что бы она ни говорила, она не могла представить, что брат предложит Баку Скотту работу после всего того беспокойства, которое по вине этого самого Бака Скотта ему пришлось претерпеть. Она знала, что такое было не в характере Кейса, и почти как наяву услышала, как эти двое орут друг на друга. Не могла она представить и Бака Скотта, живущего в городе вроде Шайенна и соблюдающего строгие правила и законы общества. При мысли о Баке, одетом в твидовый костюм, она едва не расхохоталась. Но Анника твердо верила в то, что человек может стать тем, кем захочет, и решила придумать, чем Бак Скотт мог бы заняться в Шайенне.

Отвлекшись от своих мыслей, она обнаружила, что Бак снова пристально смотрит на нее.

— На что вы смотрите?

Он начал помешивать кашу.

— Да вот размышлял, почему вы тратите время на то, чтобы придумать, как я могу зарабатывать на жизнь, живя в городе с Бейби. По-моему, после того, как я с вами поступил, вас не должно волновать, что с нами будет.

Анника задавала себе тот же вопрос. Она попыталась, не говоря правды, найти ответ, который удовлетворил бы Бака.

— Бейби нужен приличный дом.

— А этот разве не приличный?

Голубые глаза смотрели на нее с вызовом.

— Если вы в состоянии заботиться обо всех ее нуждах, зачем было писать Алисе Соумс?

Не желая признавать, что он уже сожалеет о затее с женитьбой на Алисе Соумс или вообще на ком бы то ни было, Бак попытался перевести разговор на другое.

— Почему вы не следите за кофе?

Анника отвернулась. Бак подумал о ее словах и, как ни неприятно ему было, вынужден был признать, что во многом она права. Если он не найдет женщины, которая согласится жить с ним, то ради того, чтобы оставить у себя Бейби, ему придется перебраться поближе к городу и найти кого-нибудь, кто присматривал бы за ней. Ну а он сам? Что он сможет делать в Шайенне или любом другом месте? Он вспомнил строчку из старого стихотворения: «И швец, и жнец, и на дуде игрец». На что еще он был способен кроме охоты, свежевания и разделки туш? С четырнадцатилетнего возраста он только этим и занимался да еще смешивал различные домашние снадобья, о которых узнал от матери.

Накладывая на тарелку кашу, он подумал, что из другой женщины, более приспособленной к жизни, чем Анника, он бы сумел сделать хорошую жену. Он наблюдал, как она осторожно льет в кофейник холодную воду, чтобы осадить зерна.

Анника выпрямилась и, увидев, что он смотрит на нее, покраснела, затем отвернулась.

— Если вы отвернетесь, я оденусь.

— На вас уже две рубашки. Что там можно увидеть?

— Я не виновата, что мне не во что одеться. Если бы здесь был хотя бы один из моих больших чемоданов, я смогла бы надеть что-нибудь теплое, а так я только пытаюсь согреться. — Она уперла руки в бока, и он понял, что опять разозлил ее. — Не думаете же вы, что мне не хочется переодеться в чистое? Я представить не могу, что мне придется ходить в одном и том же, пока вы не отвезете меня назад. Одежда на мне уже грязная, я сама грязная, и...

— Знаю, знаю. Вам все здесь противно.

Она скрестила руки на груди и кивнула.

— Именно.

— Почему бы вам не помыться?

Она уставилась на него с изумлением и недоверием, не смея надеяться на подобную роскошь.

— Где?

— Прямо здесь перед огнем. Я принесу ванну после завтрака.

— А что будете делать вы, пока я буду мыться?

— Я не буду обращать на вас внимания. Что за переполох? У меня были две сестры.

— А у меня есть брат, но вы не мой брат.

— Да. Я не ваш брат.

— Итак, куда вы пойдете, когда я буду мыться?

Он хотел сказать, что никуда, но решил уступить.

— Пойду проверю ловушки. Метель прекратилась.

— Хорошо. Я закрою дверь, пока вас не будет.

— Дверь без замка. Мы рады любому, кто бы ни пришел. Здесь нечего брать, — тихо сказал он.

Анника невольно взглянула на Бейби, спавшую на огромной кровати.

Догадавшись, о чем она думает, Бак добавил:

— В глухих местах двери никогда не закрываются.

— Но не тогда, когда я моюсь, — твердо сказала Анника.


Бак поглубже надвинул капюшон куртки и замысловато выругался, не опасаясь никого оскорбить, поскольку рядом никого не было, кроме его лошади и привязанного к ней мула. Четвертое утро подряд он уходил из дома, давая Аннике возможность вымыться. Он проклинал себя за то, что с самого начала согласился выполнить ее требование. Каждое утро она напоминала ему, чтобы он не возвращался подольше, и обычно он не возражал, проверяя в это время капканы, расставленные по всей долине. Но сегодня было холодно, как в могиле эскимоса, и, кроме того, он никогда не ставил капканы столько дней подряд.

Он снял поклажу с мула и тронулся в путь, сам нагруженный, как мул, с ружьем, висящим на плече, и вьючной сумой на спине, на случай если придется переносить что-нибудь тяжелое.

Через другое плечо он перекинул цепь от капкана. У него чертовски замерзло лицо, и он пожалел, что стал бриться каждое утро. Почему его вообще волновало, что думает о нем Анника Сторм? Она и слова не сказала о его бритье, и он не понимал, почему продолжает бриться каждое утро. Но он это делал.

Пробираясь по снегу и высматривая бобровые следы, он мысленно обозревал сделанные им запасы провизии. Вчера он показал их Аннике — бочка с яблоками, уложенными в сухой песок, корзинка с яйцами, пересыпанными солью, банки консервированных фруктов и овощей, стоявшие на полках над верстаком. После того случая с разделкой кролика она перестала есть мясо, но он все равно сводил ее в маленькую коптильню за хижиной. Сегодня он надеялся поймать какую-нибудь дичь и добавить ее к запасам.

Несмотря на то, что из-за холода он чувствовал себя весьма неуютно, Бак не мог не улыбнуться, вспомнив их с Анникой перебранку, повод к которой дала бочка с яблоками. Показав ей яблоки, он добавил:

— А я-то надеялся, что вы вызоветесь испечь яблочный пирог.

— А я-то надеялась, что к этому времени уже буду у брата.

Не удержавшись, он поддел ее.

— Впрочем, судя по тому, как вы делаете кофе, мне следовало догадаться, что о пироге не может быть и речи.

— Вам бы следовало знать, что, даже если бы я умела печь яблочный пирог, я не стала бы печь его для вас.

Поднырнув под низко растущую ветку, он улыбнулся и покачал головой. Нельзя было отрицать, что она крепкий орешек. Он едва не расхохотался во время их перепалки, но удержался, не желая, чтобы она поняла, что ему приятно ее общество. Она бы наверняка этим воспользовалась, чтобы заставить его делать то, что он не хотел. Черт, он и так уже бродил каждое утро по окрестностям и брился, хотя с хорошей густой бородой лицу было бы теплее.

С первой оттепелью она уедет, так что не имело смысла позволять себе получать удовольствие от ее общества — ее живого ума, ее красоты.

Какое-то движение в густом осиннике за ручьем привлекло его внимание. Он медленно, тихо положил ловушку на землю и снял с плеча ружье, заметив лося, который застыл, навострив уши и поводя носом, футах в пятидесяти от него. Если ему удастся подстрелить это большое животное, мяса хватит на несколько недель.

Подняв ружье, он тщательно прицелился, зная, что из-за скученно растущих деревьев и кустарника ему не удастся сделать больше одного выстрела. Убить лося с первого выстрела можно, только попав ему в позвоночник в месте соединения шеи с плечом или же в изгиб за плечом.

Бак спустил курок, и в воздухе прогремел выстрел. Животное упало на землю.

Он снова перекинул ружье через плечо и зашагал через ручей к мертвому лосю. Это было одно из самых крупных животных, которые ему доводилось видеть. Он прикинул, что для разделки потребуется несколько часов и получится более четырехсот фунтов мяса.

Он поставил на землю вьючную суму, довольный,

что прихватил ее — она понадобится, чтобы донести мясо до мула, которого он оставил сзади. Затем отвязал висевший на поясе топор, положил его на землю рядом с лосем и достал нож.

Взглянув на небо, он с радостью отметил, что солнце ярко сияет над горными пиками, окаймлявшими долину с востока. Небо было чистым и голубым, как — с раздражением заметил он — глаза Анники. Он приступил к разделке туши, надеясь, что Аннике удастся справиться с Бейби. Правда, удовольствия ей это не доставит. Она ворчала всякий раз, когда ей приходилось оставаться с ребенком, но он не мог не заметить, что обращалась она с девочкой всегда нежно.

Работая со всей возможной скоростью, Бак разрезал живот и начал отделять рубец и другие внутренности от спинного хребта. Бросив дымящиеся потроха на снег, он вынул сердце, которое всего минуту назад было живым и билось, и замер, подумав о том, как хрупка жизнь и как легко отнять ее у живого существа. Словно подстегнутый этой мыслью, он начал работать быстрее, не желая, чтобы Анника и Бейби оставались одни дольше, чем необходимо.


— А затем Тонви, считавший, что орлы должны быть свободными, как люди, накрасил им кончики крыльев ярко-красной краской и отнес их на вершину горы. Там он попрощался с ними, и они расправили крылья и улетели. Вот почему у некоторых орлов кончики крыльев до сих пор красные.

Анника откинула со лба Бейби прядь кудрявых волос и накрыла ее одеялом из волчьей шкуры. Девочка уснула задолго до того, как Анника закончила свое повествование. Эта легенда индейцев сиу напомнила Аннике отца и дом, и, скучая по ним, она досказала ее до конца самой себе.

Она встала с удобной кровати и, пройдя через комнату, взяла свою накидку. Набросив ее на плечи, она вышла за дверь и спрятала руки в складках роскошного атласа. Пересекла двор, ступая по снегу, который, благодаря тому что в последние несколько дней по нему постоянно ходили, был хорошо утрамбован.

Пройдя несколько ярдов до того места, где начинался подъем, она остановилась и стала всматриваться в долину. Она видела серебристо-голубую ленту неглубокого потока, извивавшегося как змея. Осины с облетевшей листвой стояли как скелеты по низу горного склона, выше толпились темные сосны с пышными кронами. Вокруг царила тишина, какой никогда не бывает в городе. Анника прислушалась. Ветер шептал что-то в верхушках деревьев, то тут то там снег падал с перегруженных веток в сугробы внизу. Анника шагнула вперед и услышала скрип снега под ногами. Она не видела никаких признаков лесной жизни, не видела и ничего, что отдаленно напоминало бы фигуру Бака Скотта.

Он ушел утром, а сейчас солнце вот-вот должно было скрыться за горами на западе, и Анника начала опасаться, что случилось самое худшее.

— Черт его побери, — вслух проговорила она, вспомнив множество опасностей, которые, по утверждению Бака, поджидали его в горах. Однако тут же раскаялась и принялась молиться, чтобы ничего не случилось.

Утром все шло как обычно, но сейчас Анника попыталась вспомнить, не говорил ли ей Бак, что будет отсутствовать весь день. У них сложился определенный распорядок дня, и оба старались не мешать друг другу, насколько позволяла тесная комната. Каждое утро он уходил, давая ей возможность вымыться, а потом в знак благодарности Анника купала Бейби. Утренний ритуал был настоящей благодатью; хотя она и ходила в одной и той же одежде все эти дни, по крайней мере тело было чистым.

Бак обычно проявлял благородство и отсутствовал час-другой, а потом они проводили день, соблюдая условия установившегося между ними перемирия. Бак взял на себя обязанность учить ее всему тому, что помогло бы ей в случае необходимости продержаться одной до весны, а она взяла в привычку вести себя так, будто ей это все было совсем ни к чему.

До сегодняшнего дня она всерьез не верила, что что-то может случиться с таким здоровым, упрямым и полным жизни мужчиной, как Бак Скотт. Но сейчас, глядя в долину и пытаясь обнаружить хоть какие-то признаки присутствия Бака, она почувствовала, что ее бросило в дрожь, и причиной тому было беспокойство, а не сухой ледяной ветер, раздувавший полы ее накидки.

Она напряженно вслушивалась, надеясь услышать какой-нибудь звук, который подсказал бы ей, в какой стороне находится Бак, но слышала только шепот ветра да журчание ручья, весело бегущего по своему каменистому руслу. Скоро совсем стемнеет, а она будет одна с ребенком. Она не предвидела такого оборота, а теперь было уже слишком поздно самой отправляться на поиски Бака. Там, где она стояла, на снегу еще ясно виднелись следы его лошади, но она могла лишь догадываться, вели ли они в долину или сворачивали в горы. И конечно же она не могла отправиться в это опасное и, скорее всего, безнадежное путешествие, таща за собой по холоду Бейби.

Глубоко вдохнув чистый горный воздух, Анника повернулась спиной к долине. В хижине воздух был теплым, даже душным, ей не очень хотелось туда возвращаться, но она уже начала замерзать. Осторожно пробираясь через скользкий двор, Анника говорила себе, что ведет себя глупо, что опыт Бака, его инстинкт выживания не подведут и он вернется домой целым и невредимым.

Неделю назад она бы назвала сумасшедшим того, кто сказал бы, что она будет молиться о том, чтобы снова увидеть Бака Скотта. Однако сейчас ее единственным желанием было увидеть, как Бак едет по склону, сидя прямо в седле, ведя в поводу своего вьючного мула.

А когда он вернется, она без обиняков скажет ему все, что она о нем думает.

До хижины Бак добрался спустя примерно час после захода солнца. Он не гнал лошадь, позволив ей самой выбирать дорогу. Сквозь ставни, закрывавшие окна хижины, просачивался свет и точками плясал на снегу. С приближением Бака к дому точки превращались в светлые ленты.

Бак думал, бодрствует ли еще Анника или заснула, не погасив лампы. Он надеялся, что она уже легла. Он старался делать вид, что ее присутствие ему безразлично, но это становилось все труднее. Ночь привносила в обстановку определенную интимность: готовясь ко сну, Анника расплетала свою длинную косу и расчесывала золотистые волосы, пока они не начинали блестеть как льющийся струей мед. Ночью она становилась более уязвимой, вздрагивала каждый раз, когда раздавался вой волков или койотов, и бросала взгляды на дверь. И внимательно наблюдала за ним.

Последние несколько дней, когда она начинала стелить свои одеяла, у него появлялось искушение предложить ей поменяться местами так, чтобы ей было удобнее. Все равно он с трудом засыпал, когда она была так близко, особенно когда она сидела у огня, склонившись над книгой или делая записи в своем дневнике, и ее тень падала на стену. Когда же она засыпала, ее легкое дыхание словно усиливалось в тишине дома и он считал каждый вздох, представляя, что бы он чувствовал, если бы это дыхание щекотало ему ухо. Именно в эти часы он лежал, пытаясь побороть быстро нараставшую эрекцию и выбросить из головы непозволительные мысли.

Ночь была безлунной, но он ехал не останавливаясь, зная, что лошадь сама найдет дорогу домой даже в темноте. И лошадь, и мул были нагружены мясом лося, а к мулу поверх остальной поклажи он даже привязал рога. Впереди его еще ждали дела — предстояло перенести мясо в коптильню и развесить его там. А затем разгрузить все остальные вещи и покормить усталых животных. На это уйдет по меньшей мере полчаса.

Убитый лось обеспечил его сегодня, после того как он закончил разделку огромной туши, ужином: до смерти устав от рубки, упаковки и погрузки мяса, он позволил себе полакомиться свежей печенью, нанизав ее на прутик и поджарив над костром. Он чувствовал себя усталым, но сытым, и знал, что сегодня ночью даже присутствие Анники Сторм не помешает ему уснуть.

А в хижине Анника сидела за столом, опершись подбородком на ладони, и смотрела на дверь. Ее беспокойство сменилось гневом, который вскоре опять перешел в беспокойство. Что, если Бака Скотта накрыло лавиной или на него напал дикий зверь? Что, если он свалился с обрыва? Что, если он никогда не вернется и ей придется заботиться о Бейби, пока не растает снег или к ним случайно не завернет какой-нибудь охотник? И как она узнает, кому можно доверять?

Она закрыла лицо руками и попыталась вспомнить все, чему в последние дни учил ее Бак. Желудок сжал нервный спазм. Он должен вернуться. С ним все должно быть в порядке.

Он должен.

В течение всего дня она пыталась доказать самой себе, что не скучает по Баку. Но вместо того, чтобы наслаждаться одиночеством, она думала о том, как в хижине без него неуютно и тихо. Чувство одиночества усиливалось с каждым часом. Каждый раз, выходя во двор и вглядываясь в сгущавшиеся сумерки в надежде увидеть Бака, Анника все больше проникалась сознанием того, как ей без него одиноко.

Бейби была плохим утешением. Девочка довольно спокойно вела себя все утро, перебирая пуговицы и играя со своими самодельными игрушками, но ближе к вечеру начала капризничать и хныкать, говоря, что хочет увидеть Бака. Попытки Анники успокоить ее ни к чему не привели. Бесконечное хныканье лишь усиливало тревогу самой Анники. В конце концов она поклялась, что, как только Бак Скотт переступит через порог, она убьет его собственными руками. Она пожарила яичницу, и ей удалось кое-как покормить Бейби. Потом она уложила ее в постель, и ребенок заснул, устав плакать.

Анника отвела с лица выбившуюся из прически прядь волос и подумала, что нет смысла сидеть, уставившись на дверь. Она решила готовиться ко сну, как обычно, и надеяться, что Бак вернется утром. Сняв шерстяной костюм, она аккуратно сложила его и повесила на спинку стула. Затем умылась холодной водой над тазиком, стоявшим на скамейке. В это время Бак обычно укладывал Бейби. Сидя на краешке кровати, он рассказывал ей какую-нибудь историю, пока малышка не засыпала.

Анника вспомнила, как в один из вечеров она

спросила Бака, почему у Бейби нет собственной кровати.

— Я как-то попытался поставить ей кровать, но она не захотела в ней спать, а из-за тесноты я кровать убрал. А в чем дело?

— Не знаю, — Анника пожала плечами. — Просто кое-кто... ну кое-кто посчитал бы, что неприлично взрослому мужчине спать с маленькой девочкой.

Едва эти слова сорвались у нее с языка, она уже пожалела о них. Бак покраснел, потом его смущение переросло в еле сдерживаемую ярость. Он не разговаривал с Анникой до следующего дня.

Прислушиваясь к доносившимся снаружи звукам, Анника расстелила свои постельные принадлежности и, забравшись под толстые одеяла, принялась расчесывать волосы. Огонь еле теплился, но в хижине было не холодно. Температура воздуха повысилась, что было на руку Баку, если он решил заночевать вне дома. Не в первый раз ей пришло в голову, что Бак солгал ей, что они вовсе не отрезаны от остального мира и Бак может уезжать из долины, когда захочет.

Возможно, подумала Анника, яростно проводя расческой по волосам, он сейчас находится в теплом салуне какого-нибудь небольшого городка. Возможно — она бросила расческу назад в саквояж и захлопнула его — он в гостях у кого-нибудь из своих друзей и сейчас потешается над ней. Она представила его, словно увидела воочию: непокорная грива волос, в которых отражался свет лампы, полные губы раздвинуты в редкой улыбке, голубые глаза искрятся смехом.

А может, он сейчас с женщиной.

Анника отбросила шкуры и встала. Схватив кусок дерева, она подбросила его в огонь и тут же пожалела об этом необдуманном поступке — искры посыпались опасно близко от ее постели. Она взяла стоявшую в углу метлу и тщательно замела перед камином, проверив, не осталось ли на полу пепла или угольков.

Она не собиралась терпеть, что из нее делают дуру — и кто? Бак Скотт! — и была полна решимости сказать ему об этом, как только он войдет в дверь.

Если он войдет в дверь.

# ГЛАВА 11

Уставший до изнеможения Бак провел мула мимо хижины и спешился у коптильни. Кусок за куском он разгрузил мясо и подвесил его к низким потолочным балкам в маленьком деревянном строении. При таком холоде мясо не испортится за ночь, а утром он начнет обработку, после которой его можно будет хранить несколько месяцев.

Он надеялся, что Анника уже спит, и собирался нагреть воды, вымыться и залезть в постель. Если же она не спит, придется подождать и посмотреть, в каком она настроении.

Ему было холодно даже в перчатках, пальцы онемели, потому что почти весь день он работал без перчаток. У него ушло больше, чем обычно, времени на то, чтобы расседлать лошадь, отвязать мула и насыпать зерна в кормушку. Из трубы поднимался дым, и ей сопутствовал запах горящего дерева. Ему стало теплее при одной мысли о том, что в хижине горит огонь. До появления в его жизни Анники он с Бейби частенько приезжал домой к потухшему очагу. До появления Анники он не мог позволить себе слишком долго заниматься разделкой убитого животного, поскольку рядом крутилась Бейби. Большая часть добычи доставалась волкам.

До появления Анники...

Как бы он ни старался, он не мог отрицать, что

предвкушает встречу с ней. Он думал о ней весь этот долгий утомительный день. К своему удивлению, он обнаружил, что ему не хватает даже их словесных поединков, и, по мере того как тянулся день, он все яснее понимал, насколько ее присутствие скрасило одиночество, бывшее его постоянным спутником.

К тому времени, когда Бак, похлопав лошадь по крупу, направился к хижине, он даже стал подумывать, не найти ли ему еще одну невесту по переписке. Его, конечно, очень удручила потеря денег, посланных на проезд Алисе Соумс, но, возможно, ради того, чтобы обзавестись подругой, стоило предпринять еще одну попытку.

Услышав, что кто-то двигается позади хижины, Анника попыталась сдвинуть стол и забаррикадировать дверь, но тяжелый деревянный стол с толстенными ножками не желал сдвигаться с места. Сердце ее бешено колотилось, хотя приглушенный шум снаружи стал потише. Она сидела на краешке кровати, прямая как жердь, сжимая в руках разделочный нож, и ее не слишком утешало то, что Бейби спала, она удивлялась, как это стук ее сердца не разбудил девочку.

Сначала она подумала, что это может быть Бак. Но он обычно сначала входил в дом, проверял, все ли в порядке, и уж потом шел расседлывать лошадь и заниматься дичью, которую привез. Прислушиваясь к доносившимся снаружи звукам, пытаясь различить среди них звуки шагов, Анника спрашивала себя, кто или что двигается вокруг дома. Наверное это медведь, подумала она, никак не меньше, судя по тяжелому топоту, который она слышала. Потом все звуки прекратились, и она вздохнула с облегчением, но буквально в следующее мгновение услышала, как кто-то или что-то дергает дверную ручку. Не раздумывая она вскочила с кровати, словно выпущенное из пушки ядро. Она сжимала в руках нож, преисполненная решимости — хотя и не знала, как это делается, — пустить его в ход для защиты себя и Бейби. Не в силах более томиться ожиданием, она потянулась к дверной ручке, собираясь распахнуть дверь и захватить незваного гостя врасплох.

Дверная ручка неожиданно вырвалась из рук Бака Скотта, дверь распахнулась, и он оказался лицом к лицу с Анникой Сторм, направившей на него нож. Ее распущенные волосы были расчесаны до блеска. В широко раскрытых глазах застыл страх. Он стоял так близко от нее, что видел ее влажные губы и густые ресницы. Щеки ее пылали. Фланелевая рубашка была накинута поверх некогда белой сорочки, из-под подола виднелись ноги в чулках.

Она уставилась на него, лишившись от неожиданности дара речи. Нож все еще был угрожающе поднят.

— Ну, — медленно проговорил он, не зная толком, как воспринимать ситуацию, — убейте меня, если хотите, или позвольте мне войти.

Анника испытала огромное облегчение. Она опустила руку, сжимавшую нож, и попыталась сморгнуть навернувшиеся на глаза слезы. Бак Скотт, заполнивший собой дверной проем, показался ей самым прекрасным мужчиной в мире. Его глаза, окруженные тенями, настороженно смотрели на нее. Она осмотрела его с головы до ног, но, судя по всему, на нем не было ни царапины. Он был одет в знакомую ей куртку из оленьей кожи. Капюшон куртки был поднят, и лицо обрамлял волчий мех. За день кожа на солнце приобрела бронзовый оттенок, и от этого стали заметнее морщинки вокруг глаз. При каждом вздохе изо рта у него вырывались маленькие облачка пара. Он выглядел усталым, замерзшим и удивленным ее странной встречей.

Но по крайней мере он вернулся.

— Где вы были? — закричала она.

— А почему вы кричите? — Оттолкнув ее, он переступил через порог, думая о том, как бы скорее согреться. Подойдя в первую очередь к кровати, он постоял немного, глядя на спящую Бейби, потом повернулся и стал обозревать комнату. В камине ярко горел огонь, на скамейке стояла стопка чистых тарелок. Он с облегчением отметил, что все выглядит прекрасно.

Все, кроме Анники. Она все еще яростно смотрела на него.

— Закройте дверь, — тихо проговорил он, стараясь не разбудить Бейби.

Анника со стуком захлопнула дверь. Бейби зашевелилась и перевернулась на живот.

— Вы собираетесь сообщить мне, где вы были?

— Собирался, пока вы на меня не набросились. Чем вы так расстроены?

— Расстроена? Расстроена? Я вовсе не расстроена. Как вы осмелились оставить меня здесь на весь день одну с ребенком, а сами пропадали Бог знает где. Я больше этого не потерплю, вы слышите?

Бак со вздохом снял куртку. Анника сделала шаг вперед, положила нож на стол, потом схватила куртку и повесила ее на крюк около двери. Его удивила эта маленькая услуга.

— Я полагаю, вы голодны? — выпалила она.

Он знал, что, когда она упирала руки в бока, это было признаком открытого неповиновения.

— Не слишком, но я бы не отказался от чашки кофе. — Он уловил запах кофе.

— Вам повезло, я держу его теплым. — Она промаршировала к скамейке, взяла с нее его чашку с отбитыми краями, потом подошла к плите и, схватив полотенце с ватной прокладкой, служившее им ухваткой, налила ему полную чашку крепчайшего кофе.

Бак в изумлении выдвинул стул и сел, а Анника продолжала хлопотать — поставила перед ним тарелку, сняла полотенце, накрывавшее миску с галетами, которые он испек накануне.

— Галеты и кофе, больше вы ничего так поздно не получите.

Неужели, вернись он часом раньше, альтернативой был бы горячий ужин, подумал про себя Бак.

— Знай я, что вы будете так любезны, я бы намного раньше провел весь день вне дома, — проговорил он с набитым ртом.

Анника судорожно вздохнула, потом повернулась к нему.

— Вы возмутительный тупица, Бак Скотт.

— Неужели никто не учил вас хорошим манерам, мисс Сторм?

— И что это должно означать?

— Я имею в виду настоящие манеры, ну, например, не кричать в доме, не приставать к человеку с бесконечными требованиями, давать иногда окружающим возможность почувствовать вашу доброту.

Подняв руки и глядя в потолок, Анника проговорила, вроде бы ни к кому не обращаясь:

— И это я слышу от человека, который притащил меня сюда против моей воли.

— Ошибка, которую, как я вижу, вы мне не скоро позволите забыть.

— Не позволю, пока живу и дышу.

Бак откинул назад голову и расхохотался. Это было не короткое хмыканье и не быстрая усмешка. Это был громкий, продолжительный, идущий от души смех.

От изумления Анника лишилась дара речи. Впервые она видела, чтобы Бак по-настоящему смеялся, но она даже отдаленно не представляла, почему он смеется.

— Почему вы смеетесь?

Бак замолчал и вытер выступившие на глазах слезы.

— Хотите услышать очень смешную вещь?

— Какую? — Она с подозрением посмотрела на него.

— Мне не хватало всего этого сегодня.

— Не хватало чего?

— Этого... — он помахал рукой взад-вперед, — этих пикировок, этих споров, — опустив голову, он отхлебнул кофе. — За стенами хижины гораздо спокойнее, но я с удивлением вынужден признать, что мне даже вас не хватало, мисс Сторм.

Анника тяжело опустилась на стул напротив Бака и посмотрела на него как на сумасшедшего.

Затем по лицу ее стала расползаться улыбка, сначала неуверенная, но, по мере того как до нее доходил смысл его слов, улыбка становилась шире. Она покачала головой, удивляясь собственной реакции.

— Здесь сегодня было так тихо, — призналась она, не в силах сказать, что ей тоже его не хватало, по крайней мере сказать ему в глаза. — Только вот Бейби после обеда начала плакать да так и проплакала до вечера, пока я не уложила ее в постель, велев оставаться там.

— Я никогда не оставлял ее так надолго за исключением того раза, когда ездил за Алисой в Шайенн.

— Не представляю, как ваш друг Тед выдержал с ней два дня. Она устроила настоящий бедлам.

Бак оглянулся через плечо на спящего ребенка, потом снова посмотрел на Аннику.

— Наверное, она единственный человек, кто меня любит.

Анника уставилась на свои руки, потом снова подняла глаза на Бака.

— Так где же вы были?

— Убил лося и решил взять все мясо. Думаю, мяса наберется фунтов на четыреста пятьдесят. Хватит на всю зиму. Не нужно будет беспокоиться, что вы останетесь без мяса. После случая с кроликами я понял, что вы не сможете самостоятельно разделать никакую дичь.

— Подобные разговоры и довели меня до такого состояния. Я думать ни о чем не могла, мне все представлялось, что вы лежите где-нибудь мертвый или раненый и замерзаете в снегу.

— А вам разве не все равно, мисс Сторм?

Она хотела отвернуться, но выражение, с каким он смотрел на нее, словно приковывало ее взгляд к его лицу.

— Я беспокоилась. — Она откашлялась.

Бак съел еще одну галету, запив ее кофе. Он молчал, наслаждаясь теплом и присутствием Анники. Когда он уже завершал свою трапезу, ему в голову пришла мысль проверить, насколько сильно она волновалась.

— Не будете ли вы так добры, не поставите ли чайник на огонь?

Он еще не договорил, а Анника уже встала. Бак улыбнулся про себя. Она действительно волновалась. Он дал себе клятву, что никогда больше не заставит ее переживать нечто подобное.

— Вы собираетесь умываться?

— Я собираюсь вымыться.

— Здесь?

— А где бы вы предложили это сделать?

Она переплела пальцы.

— Но на улице темно.

— Да.

— И холодно.

— Знаю.

— Я не могу выйти и ждать, пока вы вымоетесь.

Он встал и достал корыто, стоявшее в углу.

— Я вас и не прошу.

— Но...

Он снова улыбнулся.

— Думаю, вам можно доверять, вы не станете подсматривать.

Бак выпил еще одну чашку кофе и наполовину наполнил корыто холодной водой из бочки, дожидаясь, пока закипит чайник. Анника достала свой дневник, сказав, что сядет на кровать лицом к стене, и попросив дать ей знать, когда он снова будет полностью одет.

Он смотрел, как она, усевшись к нему спиной, раскрыла на коленях дневник. Судя по тому, как она перелистывала страницы, исписанные ее аккуратным округлым почерком, она, видимо, собиралась почитать его, ничего не записывая. Наверняка она видела голых мужчин. Или нет? Пэтси и Сисси, будучи гораздо моложе Анники, знали не по наслышке, что мужчина прячет под брюками. Но Бак был незнаком с городской жизнью, обычаями городского общества. Он вдруг осознал, что Анника вполне могла и не видеть голого мужчины.

Чем дольше он плескался, обливался, намыливался, тем больше он надеялся, что она не видела.

Анника переменила позу, чувствуя, что спина у нее затекла. Нелепо было сидеть на кровати без опоры, глядя в стену. Она вытянула ноги, стараясь не смотреть в сторону большого корыта у камина. Дневник она уже весь прочитала и закрыла его. Ей надоело смотреть в стену, и она спрашивала себя, когда же Бак закончит свое мытье.

Вначале он довольно громко плескался, и у Анники даже возникло желание повернуться и посмотреть, что за беспорядок он там учиняет. Но потом он затих, и ей сначала пришло в голову, что он наблюдает за ней, дожидаясь, когда она обернется. Но за последние дни она научилась каким-то чутьем распознавать, когда он смотрел на нее. Сейчас у нее не было чувства, что он наблюдает за ней, однако он по-прежнему не издавал ни звука, и она даже слышала его ровное дыхание.

Прошло еще несколько минут. Медленно повернув голову, Анника сквозь полуопущенные ресницы попыталась рассмотреть, что же он делает.

Насколько она могла видеть, он сидел в корыте, откинув голову на высокий край. Руки расслабленно свисали по сторонам. И, хотя огонь в камине, перед которым стояло корыто, уже начал догорать, Анника все же разглядела, что глаза у Бака закрыты.

Анника, охваченная возмущением, встала. Пока она изо всех сил старалась вести себя так, как того требуют воспитание и хорошие манеры, он бездумно заснул, заставив ее ждать.

Она прошла через комнату и, подойдя к корыту, уставилась на Бака, уперев руки в бока. Из-за капелек влаги на ресницах он почему-то казался беззащитным, и она не стала сразу будить его, осознав, как он, должно быть, устал, раз заснул, сидя в корыте с остывающей мыльной водой. Волосы у него были еще влажными, но уже начали подсыхать и кудрявиться. Волосы на груди тоже завивались в кольца и узкой полоской шли к животу, скрытому под водой. Колени торчали из воды как два острова в темном море.

Анника протянула руку, намереваясь похлопать его по плечу, но тут же ее отдернула, не зная почему. Она понимала лишь, что боится прикоснуться к его плоти, и не потому, что не знает, как он среагирует, а из-за собственных ощущений. Ее рука покрылась мурашками еще до того, как она к нему прикоснулась. Какое же ощущение вызовет у нее прикосновение к его коже, к его мышцам? Что она почувствует, если он обнимет ее, но не так, как в тот раз, когда уносил с поезда, а с любовью? Будет ли его поцелуй таким же, как поцелуй Ричарда?

Ее напугало, что ее мысли приняли вдруг такое направление. Она обвела взглядом комнату. На глаза ей попалась бочка с водой у двери. Она сняла с края бочки черпак с длинной ручкой, зачерпнула воды, на цыпочках вернулась к корыту и вылила всю воду Баку Скоту на голову.

Бак оказался не из тех, кто радуется неожиданному пробуждению, и реагировал он иначе, нежели простое встряхивание головой. Когда холодная вода коснулась его, он, зарычав, вскочил на ноги. Вода из корыта хлынула через край. Анника была буквально парализовала его видом. Она открыла в изумлении рот, но, не издав ни звука, закрыла его и молча продолжала смотреть на Бака глазами, ставшими большими как блюдца. Если у нее и были какие вопросы касательно мужской анатомии, сейчас она получила на них ответы.

— Зачем, черт возьми, вы это сделали?

Она быстро заморгала, словно желала оградить себя от представшей ее глазам картины. Бак в этот момент был похож на мускулистого Посейдона, восставшего из моря. Вода стекала с волос на плечи и грудь, сбегала ручейками по мускулистым бедрам. Его возбужденное состояние не могло вызывать сомнений, да Бак и не пытался скрыть его, а продолжал стоять, уперев руки в бока в ожидании ответа.

Анника закрыла глаза, но не сдалась.

— Я хотела лечь спать, но я не могу этого сделать, пока корыто стоит на том месте, где я сплю. — Она

открыла глаза и уставилась на грязный мокрый
пол. — А теперь из-за вашей вспышки мне вообще
придется спать в грязи.

— Из-за моей вспышки? — Он потянулся за полотенцем на стуле.

Анника бросила на него взгляд сквозь ресницы. Он
растирал полотенцем спину и бедра. Она отвернулась
и прошла к кровати, заметив, что Бейби сбросила
одеяла. Анника укрыла ее. Она слышала, как Бак
вылез из корыта, подошел к комоду в изножье кровати и что-то достал оттуда, но не стала оборачиваться.

Наконец он проговорил:

— Я в порядке.

— Ха!

— Ну, во всяком случае я одет.

Анника обернулась и обнаружила, что Бак натянул длинные мешковатые кальсоны, почти такие же,
как и те, что лежали в куче одежды на полу. Мокасины довершали его наряд. Она едва не рассмеялась, но,
подумав, сдержала свое веселье. Бак потряс головой
как собака, а затем вылил воду из корыта в ведро
и понес ведро на улицу. Опорожнив корыто, он поставил его назад в угол.

— Хотите лечь на кровати? — проворчал он.

— Что? — Анника в изумлении воззрилась на
него.

— Хотите спать с Бейби? А я сегодня лягу на полу.

Ломая голову над тем, что послужило причиной
этого неожиданного проявления доброты, Анника бросила взгляд на огромную и такую манящую кровать,
но все же отрицательно покачала головой.

— Нет, меня устраивает спать на полу.

— У стола сухое место.

Она перенесла на другое место свои спальные принадлежности, а Бак, как обычно, загасил огонь и задул лампы.

Анника устало забралась под толстые волчьи шкуры и натянула их до подбородка. Закрыв глаза, потерлась щекой о густой мех.

Бак улыбнулся в темноте. Он бы отдал все накопленные деньги, которые держал под столом в пустой консервной банке, за фотографию Анники, запечатленной в тот момент, когда он встал из воды прямо перед ней. Что ж, это послужит ей уроком, подумал он, подавляя смешок. Холодная вода оказала на него шоковое воздействие, но все же не ослабила эрекцию, возникшую у него во время сна. Он перевернулся на бок и подложил под голову руку. Сейчас ее спальное место находилось даже ближе к нему, чем раньше, и он хорошо видел, как она располагалась под мехами. Глаза у нее были закрыты, а пальцы поглаживали серый волчий мех. Он снова спросил себя, видела ли она раньше обнаженного мужчину. Даже если и видела, он надеялся, что все равно теперь ей будет над чем подумать.

Ранним утром трое обитателей хижины шли вдоль берега ручья по усыпанному сосновыми иголками снегу. Небо с утра было ясным и безоблачным, и Бак настоял, чтобы Анника и Бейби оделись и пошли с ним на прогулку, объяснив, что иначе они совсем засидятся.

Они шли вдоль быстро текущего потока, и Анника время от времени останавливалась, желая насладиться пейзажем, в котором все свидетельствовало о спокойной, но внушающей благоговение мощи природы. Темные, казавшиеся почти черными сосны покрывали склоны гор чуть пониже голубовато-серых каменистых пиков, возвышавшихся над долиной. Блу-Крик, впадавший в небольшое озеро, расположенное чуть дальше в долине, не замерз. Он бежал по дну долины, перепрыгивая через камни и стремясь вырваться из своих песчаных берегов. Местами он закручивался в глубокие водовороты, потом устремлялся дальше.

На снегу образовалась твердая корка, кое-где проглядывали кустики полыни, но их было слишком мало, и они не могли внушить Аннике надежду на то, что в скором времени им удастся перебраться через занесенный снегом перевал. Они шли цепочкой: впереди Бак с тяжелым капканом для бобров и заплечной сумкой, в которой он на манер индейцев носил Бейби, когда она уставала. Пока девочка захотела идти сама, и Бак разрешил ей, поскольку сегодня он никуда не спешил. Малышка ковыляла между ним и Анникой, которая поддерживала ее, когда та оступалась.

Анника решила не думать во время своей первой вылазки за стены хижины об обстоятельствах, приведших ее в это место, а наслаждаться красотой окружающей местности. Она посмотрела на Бейби, удостоверилась, что та передвигается без посторонней помощи, и остановилась, глядя на ручей. Она уловила какое-то движение между деревьями и, приглядевшись, различила силуэт прекрасного оленя, застывшего среди сосен, росших на другом берегу. Испугавшись, что Бак подстрелит красивое животное, она не стала никому ничего говорить и молча наблюдала, как олень обгладывает кору с деревьев.

Посмотрев вперед, она увидела, что Бак тоже наблюдает за оленем, и затаила дыхание. Ей была невыносима мысль о том, что вот сейчас он выстрелит и нарушит покой и безмятежность неописуемого прекрасного утра. К тому же она знала, что, убив оленя, он не успокоится до тех пор, пока не преподаст ей урок по разделыванию туши.

Анника быстро сняла перчатки и, сунув пальцы в рот, пронзительно свистнула, как учил ее Кейс в детстве.

Олень тут же убежал. Бак остановился и, скрестив руки на груди, покачал головой.

— Я не хотела, чтобы вы убили его, — объявила Анника.

— Я и не собирался.

— Откуда мне было знать?

— Вы могли бы спросить.

Они стояли, уставясь друг на друга, пока к Баку не подошла Бейби и не обхватила его со смехом за колени. Бак поднял ее, но она начала лягаться, требуя, чтобы ее снова опустили на землю.

— Я иду, — кричала она.

— Да ради Бога, — проговорил он, отворачиваясь от них обеих.

Они шли еще какое-то время, потом Бак опустился на колени и принялся тянуть цепь, привязанную к капкану, скрытому в ручье. Анника с беспокойством смотрела, как он тянет и тянет, и наконец показался сам капкан. Она уже представила мертвое животное, зажатое между железными челюстями капкана, и с облегчением вздохнула, увидев, что капкан пуст.

— На этом участке уже вряд ли кого поймаешь, — бросил Бак через плечо, осторожно открывая капкан и заново взводя пружину. Он привязал ремень к одному из звеньев цепи, а к ремню палку, объяснив: — Если я опущу капкан в воду с этим приспособлением, то потом сумею найти его, даже если бобер утащит его вниз по течению.

Анника тут же представила беспомощного бобра, который пытается освободиться из капкана, таща его за собой.

— Сколько времени они могут находиться под водой?

— Около десяти минут. У них очень большие легкие. Я заметил здесь следы бобров и подумал, что следует поставить капкан, но на удачу не слишком-то надеялся: бобры практически ушли отсюда.

— Анка? — На минуту Аннику отвлекла Бейби. Она ухватила ее за подол, потянула и тут же сама упала в снег. Анника поставила ее на ноги, отряхнула снег с пальтишка, потом снова стала наблюдать за Баком.

— И дело стоит того? — Она смотрела, как он ступил в ледяную воду и осторожно опустил на дно капкан. Пропитанные медвежьим жиром мокасины были непромокаемы, защищая его ноги и икры.

— Мех бобра — один из самых лучших. Он водонепроницаем благодаря естественной жировой смазке, и его можно выделать так, что он станет мягким, как фетр. Я могу получить за бобровую шкурку больше, чем за любую другую, но, как я уже сказал, бобры здесь почти перевелись.

Он вышел из воды, и они прошли вперед еще несколько футов. Внезапно Бак остановился и молча указал на что-то слева от тропы.

Маленькая полевая мышь застыла, глядя на них. Анника не могла не рассмеяться при виде смелого зверька, который вскоре побежал прочь. Продолжая улыбаться, она встретилась глазами с Баком. Ее удивило, что такой здоровый мужчина остановился, чтобы обратить ее внимание на маленькую мышку, но, если вдуматься, в последние дни ее удивляло в нем абсолютно все. Он казался диким и жестким человеком, однако с любовью и нежностью относился к ребенку, оказавшемуся на его попечении.

Увидев его впервые, Анника нашла его устрашающим — этакий человек-медведь, одетый в костюм, сделанный из материала, предоставленного ему его природным окружением. Но по прошествии некоторого времени она все чаще стала приходить к выводу, что он почти неправдоподобно красив с этими его ясными голубыми глазами и буйной гривой светлых волос. А когда он улыбался, он вообще казался ей прекрасным.

Он первым отвел взгляд и, расправив плечи, зашагал дальше, постепенно набирая скорость, будто хотел увеличить расстояние между ними.

Анника попыталась вновь отыскать глазами мышь, но зверек уже исчез. Она посмотрела на горные вершины и вновь поразилась их великолепию. Скалистые горы были не похожи ни на что виденное ею ранее, и она подумала, что ее описание в дневнике совсем не передает их красоты.

Услышав тихий всплеск, отличавшийся от журчания ручья, Анника повернулась посмотреть, что могло его вызвать. Она ожидала увидеть бобра, угодившего в капкан, но вместо этого увидела маленькую фигурку, уносимую потоком. Она была настолько ошеломлена, что даже не вскрикнула, но почти в ту же секунду инстинктивно бросилась в воду за ребенком. Глубина ручья в этом месте была фута на три больше, чем там, где Бак ставил капкан. От холода у Анники мгновенно перехватило дыхание. Она попыталась встать, но сильное течение быстро тащило ее за собой. Она увидела впереди пальтишко Бейби и изо всех сил замолотила по воде руками, проклиная тяжелую одежду, мешавшую ей продвигаться еще быстрее.

Девочка, упав в воду, не успела издать ни звука, и теперь Бак, находившийся слишком далеко и не слышавший их бултыханья в воде, шел вперед, не подозревая о трагедии, разыгравшейся в нескольких футах за его спиной. Чувствуя, что ее тело быстро немеет от ледяной воды, Анника запаниковала. Что, если она не успеет схватить Бейби вовремя? Она с усилием продвигалась вслед за девочкой и наконец смогла встать на ноги и тогда снова пошла вперед, подгоняемая течением.

Как только она встала на ноги, она тут же позвала Бака. От страха голос у нее охрип, но она даже не обернулась посмотреть, услышал ли ее Бак, опасаясь потерять из вида ребенка. Она крикнула еще раз и устремилась вперед.

Пальтишко Бейби пропало из вида как раз тогда, когда Анника почти поравнялась с девочкой. Они попали в глубокий водоворот, и Бейби затащило под воду. Не думая об опасности, Анника нырнула с открытыми глазами, нащупывая вытянутыми перед собой руками Бейби.

Вода завихрилась вокруг Анники, перед глазами замелькали пузырьки воздуха, камышинки, покрытые мхом камни. Она оставалась под водой до тех пор, пока ей не стало казаться, что легкие у нее вот-вот разорвутся. Как раз в тот момент, когда она собралась вынырнуть и глотнуть воздуха, что-то задело ее по голове. Инстинктивно она ухватилась за что-то мягкое и податливое и, с усилием сомкнув покрепче онемевшие пыльцы, всплыла на поверхность, прижимая к себе свою находку.

Бак с криком устремился к ним — он уже успел пройти мимо, проглядев их в воде. Анника встала на ноги и побрела к песчаному берегу. Бак соскользнул в воду, и она, упав на колени, подала ему Бейби.

Схватив безжизненное тело ребенка, он выбрался на берег. Анника прижала кулак к трясущимся губам. Ей было невыносимо видеть маленькое тельце, лежавшее как куль на руках у Бака, зловеще неподвижные маленькие ножки в драгоценных кожаных ботинках, которые Бейби упрямо надела на прогулку.

Каким-то чудом Аннике удалось встать и выбраться на берег. Она слышала, как Бак умоляет девочку проснуться, очнуться, дышать. Задыхаясь и хватая ртом воздух, Анника поднялась выше и упала рядом с Баком.

— Она дышит? — с трудом выговорила она.

# ГЛАВА 12

— Черт! Она не дышит.

У Анники все внутри перевернулось, когда она увидела, как дрожат руки у этого большого мужчины, державшего безжизненного ребенка. Обычно румяное личико Бейби побледнело так, что казалось пепельным. Губы посинели. Бак сильно встряхнул девочку, словно надеясь таким образом вернуть ее к жизни. Голова Бейби свесилась набок и изо рта хлынула вода.

— Дайте ее мне. — Анника протянула руки, движимая желанием тоже хоть чем-то помочь.

Бак, стоявший на коленях в снегу, оттолкнул ее и продолжал держать Бейби, покачивая ее взад-вперед.

— Вы должны сделать так, чтобы она начала дышать. Попытайтесь, Бак.

— Она мертва.

Анника ударила его кулачком по плечу, потом схватила за капюшон куртки и заставила посмотреть на себя. С отчаянием в голосе она умоляюще проговорила:

— Пожалуйста, ну пожалуйста, попытайтесь. Вдохните в нее жизнь. Дышите за нее.

Ее слова дошли наконец до сознания Бака. Он положил Бейби на снег и склонился над ней. Откинув голову девочки назад, он глубоко вздохнул, прижался онемевшими губами к ее лицу, закрыв ей нос и рот, и медленно выдохнул. Затем поднял голову, делая новый вдох.

Он не отрывал глаз от ребенка, но взгляд его был пустым и каким-то неживым. Анника наблюдала, судорожно вцепившись в полу его куртки.

— Бесполезно, — прошептал Бак, переводя дыхание.

— Еще! Не останавливайтесь, — закричала она.

Он опустил голову и сделал еще одну попытку, затем откинулся назад с лицом, белым как снег.

Бейби закашлялась и стала ловить ртом воздух. Бак на мгновение замер, потом снова поднял девочку на руки и стал качать ее, повторяя:

— Вот так, маленькая. Давай, моя сладкая. Давай.

Взгляд его, выражавший невероятное облегчение, смешанное с надеждой, переворачивал душу. Бейби судорожно глотала воздух, потом тихонько заплакала. Наконец глаза ее открылись, взгляд сфокусировался на Баке, она потянулась, пытаясь обнять его за шею.

Бак посадил ребенка на плечо и крепко прижал к себе, спрятав лицо в меховой опушке ее мокрого пальто. Анника смотрела на него, стоявшего на коленях в снегу с ребенком на руках, и по лицу у нее безудержно текли слезы. По тому, как задрожали у Бака плечи, она поняла, что он тоже плачет.

Прошло несколько секунд. Бак поднял голову. Держа одной рукой Бейби, другой он схватил руку Анники и крепко сжал ее. Анника, дрожа от холода, облегчения, пережитого ужаса, вырвала у него руку и, обняв их обоих, зарыдала.

Немного успокоившись, она опустила руки, смущенная собственной несдержанностью, но уверенная, что Бак простит ей этот порыв, вполне в данных

обстоятельствах оправданный. Как и Бейби, ее била
дрожь, с которой она не могла справиться. К счастью,
Бак уже снова был в состоянии мыслить здраво, и он
тут же перешел к решительным действиям.

— Мы должны раздеть ее. — Поставив девочку на
снег, он обратился к Аннике, прося помочь ему.

Вдвоем они сняли с девочки всю мокрую одежду,
и Анника, сложив ее, сунула себе под накидку, а драгоценные ботинки рассовала по карманам, чтобы не
дай Бог не потерять их.

Бак снял со спины сумку и открыл ее. Потом
Анника подержала сумку, а он усадил туда Бейби.
Собственно говоря, это была даже не сумка, а мешок
из оленьей кожи с двумя дырками для ног.

— Держите ее, — Бак протянул Аннике мешок
с ребенком, сам снял куртку, затем повесил мешок на
грудь, снова надел куртку и плотно запахнул ее,
закрыв полами ребенка. Ему пришлось придерживать
полы обеими руками, чтобы они не расходились.

Бросив быстрый взгляд на Аннику, он сказал:

— Вам придется идти в мокрой одежде, но мы
будем двигаться как можно быстрее. Если я обгоню
вас, идите вдоль потока к хижине. Я уложу Бейби
и сразу же вернусь за вами.

У Анники так стучали зубы, что она даже не
смогла ответить и лишь кивнула.

Бак положил руку ей на плечо, и в глазах у него
снова блеснули слезы.

— Не знаю, как благодарить вас.

Анника вздрогнула, прижав к себе мокрые вещи
Бейби.

— Д... д... давайте двигаться.

Она попыталась не отставать от него, но ноги у нее
дрожали, и скоро он намного обогнал ее. Мысль о том,
что он может не вернуться за ней, не приходила
Аннике в голову. Она размышляла над тем, много ли

потребуется времени, чтобы человек замерз до смерти.
Судя по тому, как она себя чувствовала, она пришла
к выводу, что не так уж и много. Мокрые волосы
прилипли к голове и шее. Одежда была мокрой насквозь. Анника с трудом пробиралась по снегу, стараясь ступать по их прежним следам, но ноги в мокрых
кожаных ботинках так замерзли, что она постоянно
скользила и оступалась.

Двигаться быстрее она была не в силах. Она сделала попытку ускорить шаг, но очень скоро запыхалась,
задохнулась и стала хватать ртом разреженный горный воздух. Легкие у нее болели, мышцы были на-
пряжены, как натянутая тетива лука. Все тело била
крупная дрожь, и она едва могла держаться на ногах.

Бака на тропе не было видно. Анника старалась не
думать о холоде, старалась не обращать внимания на
то, что ее одежда постепенно затвердевает. Ее перчатки из мягкой кожи уже задубели так, что она с трудом
могла согнуть пальцы. Она заставляла себя думать
о Баке, о том, как он разотрет Бейби руки и ноги,
уложит ее в постель и укутает толстыми шкурами.

Анника остановилась, чтобы прикрыть глаза от
слепящего блеска снега, отражающего яркие солнеч-
ные лучи. Закрыв глаза, она подставила лицо солнцу.
Оно светило так ярко, что слепило даже сквозь закры-
тые веки. Перед глазами у Анники мелькали красные
и золотые точки, вспыхивая белым. Но это огненное
сияние не могло согреть ее.

Со стороны хижины раздался пронзительный
свист. Анника открыла глаза. Бак уже шел за ней.

Она с трудом сделала еще несколько шагов, остановилась, поискала его глазами и снова попыталась
идти. Сильный звон в ушах испугал ее, и она снова
остановилась и закрыла глаза. Голова у нее закружи-
лась, и, пытаясь сохранить равновесие, она сделала
шаг вперед. Нога наткнулась на камень, скрытый под

снегом. Анника оступилась и, увлекаемая собственным весом, упала лицом вперед. Перед тем как удариться о землю, она успела увидеть большой камень, выступающий из снега. Анника сама услышала звук удара, когда стукнулась головой об этот камень. Перед глазами мелькнула яркая вспышка, потом все погрузилось в черноту.

Бак переступил порог хижины и ногой закрыл за собой дверь. За ним тянулся кровавый след. Анника лежала у него на руках. Она была без сознания, волосы местами стали красными от крови. На первый взгляд рана была неопасной, но ее нужно было зашить. Бак положил Аннику на кровать рядом с Бейби, которая, наплакавшись, уснула. Он пощупал ребенку лоб — лоб был теплым и сухим — и переключил внимание на Аннику. Ее рана все еще кровоточила. Бак на минуточку отошел от нее, нашел чистое кухонное полотенце и, оторвав от него кусок, перевязал рану.

Потом принялся снимать с нее мокрую одежду. Сначала снял накидку и принялся расстегивать шерстяной жакет. Провозившись какое-то время с маленькими круглыми пуговицами, он выругался и, взявшись за края жакета, рванул ткань, так что пуговицы отлетели. Будет ей потом чем заняться, промелькнула у него мысль.

Приподняв Аннику за плечи, он стянул с нее жакет и бросил его на пол поверх накидки. Юбку оказалось снять легче. Кучка одежды на полу росла. Наконец было снято и нижнее белье, и Бак быстро набросил на Аннику одеяла и меха.

Облегающие перчатки никак не снимались. Бак вытащил свой нож, осторожно просунул его под перчатки, разрезал их и только тогда стащил с пальцев, как кожуру с плода.

Взяв ее руки в свои, он стал согревать их. Пальцы на руках и на ногах не были обморожены, что само по себе было чудом. Но Бака это не удивило: похоже, сегодняшний день был днем чудес.

Тело Анники все еще сотрясала дрожь. Бак заварил чай из целебных трав. Пока чай настаивался, он подошел к комоду в ногах кровати и нашел в нем коробку из-под сигар, в которой хранились его швейные принадлежности. Сверху лежал моток черных шелковых ниток. Бак вынул его и отложил в сторону. Потом достал кусочек ткани, в который были завернуты иголки, и выбрал самую тонкую.

Он надеялся, что Анника не придет в себя, пока он будет зашивать рану, но на всякий случай налил стакан виски и поставил рядом с кроватью. Потом вымыл руки и принес тазик с мыльной водой, чтобы смыть с волос кровь.

Спустя некоторое время все было готово. Отрезав нитку нужной длины, он намочил ее в виски в надежде, что огненная жидкость не только продезинфицирует ее, но и сделает кожу нечувствительной, когда он будет зашивать рану. Иголку он тоже продезинфицировал в виски.

Твердой рукой он вдел нитку в малюсенькое ушко иголки. Глубоко вздохнув, повернул голову Анники и принялся осторожно зашивать глубокий порез, тянущийся к углу глаза.


Столовая была главной комнатой в доме Розы Сторм. Бывшая владелица ресторанчика даже одну чашку чая и одно печенье подавала, сервировав стол по всем правилам. Овальный стол в центре комнаты всегда был накрыт белой накрахмаленной скатертью с изящной белой вышивкой. Ваза с фруктами или сухими цветами оживляла убранство стола красками природной палитры. В стеклянном держателе с гравировкой стояли запасные серебряные ложки, хотя Роза всегда тщательно следила за тем, чтобы перед любым пришедшим к чаю или ленчу гостем лежал полный комплект приборов.

Роза была такой гостеприимной хозяйкой, что Зак Эллиот, сидя за ее столом, чувствовал себя так же свободно, как если бы он ел банку консервированной фасоли за своим письменным столом в тюрьме в Бастид-Хиле. Он не стеснялся попросить себе добавки, и не один раз, а два, три, а то и четыре, говоря в оправдание, что, возможно, ему долго не придется наслаждаться домашней готовкой.

Сидевший в конце стола Кейс с гордостью посмотрел на жену, которая внесла и поставила на стол тарелку с печеньем и разными итальянскими деликатесами. Она предложила угощение Заку, который, казалось, уже готов был пустить над ним слюну, потом обошла стол и остановилась рядом с мужем.

— Налить тебе кофе?

Он оглянулся на нее через плечо.

— Да, пожалуйста. — Он прекрасно знал, что, хочет он кофе или нет, не имеет особого значения — Роза все равно намерена обновить кофейный сервиз из тончайшего фарфора, расписанный розовыми и красными розочками. Чайный и кофейный сервизы неделю назад прислала из Бостона ей в подарок Аналиса.

Роза налила мужу кофе, замерла на минуту, любуясь кофейником и качая головой от восхищения, потом подошла к Заку и повторила всю процедуру.

Налив и себе чашку и взяв с блюда, которое держал Зак, не желавший выпускать его из рук, песочное печенье, она села за стол и взглянула на мужа.

— Расскажи Заку о письме от отца.

Зак умудрился засунуть в рот пышное печенье целиком, потом повернулся к Кейсу.

— Калеб написал, что они с матерью едва ли могут что-то сделать до тех пор, пока мы не найдем Аннику, но ее бывший жених Ричард Текстон хочет приехать и присоединиться к поискам.

— Я говорил тебе, что, если ты отправишь им телеграмму, сюда — ты и глазом не успеешь моргнуть — понаедет куча родственников. — На лице Зака была написана безнадежность.

— Я должен был сообщить им, — объяснил Кейс. — После того, как шайеннский «Лидер», взяв у меня интервью, опубликовал большой материал, посвященный Аннике и ее похищению, я испугался, что они его прочитают. — Он взглянул на Розу. — Жаль, что я не смог рассказать им обо всем лично. Уверен, мать с ума сходит от беспокойства.

Роза попыталась представить свою утонченную, царственно элегантную свекровь сходящей с ума от беспокойства.

— Не думаю, что она впала в истерику. Скорее наоборот, она ведет себя выдержаннее всех. Она из тех женщин, которые сначала всегда думают, что можно сделать в создавшейся ситуации.

— Может быть, — Кейс покачал головой. — Но она наверняка вспоминает то, что приключилось когда-то с ней самой.

Зак сделал большой глоток кофе и попытался поставить изящную и чересчур хрупкую для мужских рук чашечку на блюдце, не уронив ее.

— То, что твою мать изнасиловали когда-то, не означает, что то же самое должно произойти и с твоей сестрой.

При этих словах лицо Кейса на мгновение болезненно сморщилось.

— Если он это сделает, я убью его.

— Никогда не говори так за этим столом, — упрек-

нула его Роза.— И в этом доме тоже. Ты хочешь,
чтобы ребенок услышал тебя?

Зак повернулся и посмотрел на ее живот.

— Черт побери, Роза. Он же еще не родился.

Роза взглянула через стоявшее в центре стола
украшение на Кейса.

— Но у него уже есть уши.

— А Анника знает о том, что когда-то случилось
с ее матерью?

Кейс покачал головой.

— Насколько мне известно, нет. Когда я выяснил
правду о своем зачатии, Калеб с Аналисой сказали,
что предоставляют мне самому решать, говорить об
этом Аннике или нет. Я так же, как и они, посчитал,
что будет лучше, если она ничего не узнает.— Он
поспешил сменить тему.— Тетя Рут, как пишет Калеб, целыми днями раскладывает свои звездные таблицы и уверяет их всех, что для Анники все склады-
вается благополучно.— Он взял ложку, повертел ее
в руках и снова положил.— Знаешь, иной раз я забы-
ваю, как стара Рут. Возможно, она впадает в старчес-
кий маразм.

Зак сгорбился на стуле.

— Она уже была такая, когда ты еще пешком под
стол ходил.

— Пешком под стол? — Роза нахмурилась.

— Потом объясню.— Кейс улыбнулся. Наблюдая
за женой, которая смеялась над чем-то вместе с Заком,
он вспомнил, как волновался, не слишком ли огорчит
Розу известие о похищении Анники. Но она восприня-
ла новость гораздо спокойнее, чем он сам, и даже
настойчиво уверяла его, что с Анникой ничего не
случится. «Кто сделает ей что плохое? Твоя сестра
очень красива, и она леди. Уверена, что мужчина,
похитивший ее, уже сожалеет о своей ошибке»,—
твердила она.

— Как стадо? — Зак сменил тему разговора.

— Потерял несколько голов во второй буран, но бизоны все целы. Они в загоне недалеко от дома, так что работники могут подбрасывать им сена, когда ложится слишком глубокий снег.

Кейс надеялся, что не потеряет за зиму ни одного бизона. Имея всего двадцать две головы, он не мог позволить себе лишиться ни одного животного. Маленькое стадо отощавших бизонов, собранное им за два года, постепенно начинало увеличиваться.

На вопрос, зачем он держит больших лохматых животных, Кейс обычно отвечал, что хочет показать их своим детям. На самом же деле, наблюдая за пасущимися бизонами, он испытывал ощущение огромного покоя. Они были зримым напоминанием о не столь далеком прошлом, когда его предки бродили по великим равнинам и эти гигантские животные составляли основу их жизни, обеспечивая всем необходимым.

— Думаю, ты услышишь об Аннике в ближайшие дни, — предсказал Зак.

Кейс с сомнением посмотрел на него.

— Только если прекратятся снежные бури. Я слышал, что во время последнего снегопада поезд был вынужден остановиться на линии. — Он перевел взгляд на Розу. — Кстати, не забыть бы написать Ричарду Текстону. Нет смысла ему ехать в такую даль, раз сейчас он все равно ничего не сможет сделать.

Зак нахмурился.

— Нам сейчас только и не хватало этакого вот салаги, не знающего, из какого конца ружья стрелять.

— Салаки? — удивилась Роза.

— Потом объясню, — вздохнул Кейс.

Зак встал из-за стола и кивнул Розе.

— Ну, Рози, буду я собираться назад в город, пока не слишком похолодало. Спасибо за угощение.

Роза с Кейсом тоже встали, чтобы проводить Зака до двери.

— Приходите еще, синьор Зак.

Зак похлопал по карману рубашки, в который насовал печенья.

— Приду, не сомневайся.

— Бак?

Голос у Анники был хриплый, едва громче шепота, но крупный мужчина, сидевший у стола, положив голову на руки, услышал и немедленно подошел к кровати. Встав на колени, он взял ее за руку.

— Как вы?

Голова у нее раскалывалась от боли, горло тоже болело так, что она с трудом могла глотать.

— Не очень хорошо.— Она вспомнила все, что произошло, и в глазах появился страх.— Как Бейби?

— У нее жар, но она жива. Перед тем как заснуть, она просила пуговицы.

Анника осознала, что лежит на кровати Бака, и, повернув голову, увидела девочку, спавшую рядом. Она протянула руку и пощупала ей лоб. Лоб был горячим и сухим. Она хотела было сесть, но обнаружила, что лежит под тяжелыми шкурами и одеялами совершенно голая.

— Где моя одежда?

Бак, покраснев, отвернулся.

— Вы промокли насквозь. Она сушится у огня.

Немного приподнявшись, Анника увидела свои вещи, развешанные перед очагом на спинках стульев и на бочках-стульях. Она попыталась перебороть смущение и держаться уверенно, как поступила бы в такой деликатной ситуации ее мать. Не обращая внимания на мужчину, стоявшего на коленях рядом с кроватью и державшего ее за руку, она спросила:

— Вы не дадите мне мою ночную рубашку, если она высохла?

Ей показалось, что на губах у него мелькнула улыбка.

— Конечно.— Он выпустил ее руку и достал рубашку.— Помощь не нужна?

Искоса посмотрев в его сторону, она покачала головой и тут же об этом пожалела, потому что боль возобновилась с новой силой. Бак протянул ей рубашку и, отвернувшись, стал что-то переставлять на кухонной полке. По скрипу веревок и шуршанию одеял он понял, что она одевается. Он замер, уставясь на чашку, которую крепко сжимал в руках.

Сегодня утром он чуть не потерял их обеих. Мрачные мысли одолевали его все то время, что он ухаживал за Бейби и ждал, когда проснется Анника. Что, если бы Анника не успела спасти Бейби? Что, если бы они обе утонули? Как все могло случиться так быстро, когда он был меньше чем в шести футах от них? Чувство вины охватило его и легло на душу таким тяжелым грузом, что ему казалось, он не выдержит.

Слезы застилали ему глаза всякий раз, когда он смотрел на Бейби. Даже сейчас он не был до конца уверен, что не потерял ее. У Бейби была высокая температура, которая, если ее не сбить, может высосать из девочки жизнь. Он вспомнил свою младшую сестру Сисси, умершую от высокой температуры. В легких девочки могла остаться вода, и, хотя Бак не был новичком в вопросах лечения, он не знал, как оттянуть из легких воду.

Услышав, как закашлялась Анника, он тут же подошел к очагу, налил чашку чая и понес его к кровати.

— Спасибо.— Она села, прислонившись к стене, взяла чашку, застенчиво улыбнувшись Баку, поднесла ее к губам, сделала глоток и сморщилась от боли.

— Трудно глотать?

Она кивнула.

— И голова у меня болит.

— Вы помните что-нибудь из того, что случилось?

— Я помню, что Бейби упала в ручей, я прыгнула за ней. Помню, как пыталась дойти до хижины, потом услышала ваш свист. А после этого... — Она покачала головой.

— Вы поскользнулись и ударились головой о камень. Мне пришлось наложить вам швы.

Она подняла руку к голове.

— Наложить швы?

— Я все сделал очень аккуратно. Думаю, шрама не будет видно. — Он снова отошел от нее и принес круглое треснувшее зеркало.

Анника внимательно осмотрела его «рукоделие». От виска и почти до самого угла глаза шел ряд ровных тонких стежков.

— Это вы сделали?

Он не понял, что она имеет в виду.

— Извините, мне пришлось.

— Похоже на работу профессионала. Если бы вы не сказали мне, что это вы, я бы подумала, что где-то здесь прячется врач.

Он помимо воли почувствовал гордость. Слишком редко его хвалили, да и то всегда с оговорками.

— Допивайте чай, — поторопил он. — Я сделаю вам припарку для горла.

Анника допила чай и протянула ему чашку, потом откинулась назад и закрыла глаза. Хорошо, что Ричард Текстон не видит ее сейчас. Для него подобная ситуация была бы невыносимой. Ричард жил, придерживаясь строгого морального кодекса, и редко когда его нарушал. Длительное ухаживание диктовалось правилами поведения в обществе, и он терпеливо ухаживал за ней. Они редко оставались наедине, да и тогда он не пытался воспользоваться случаем и ограничивался самое большое невинным поцелуем. В результате Анника была ужасно шокирована тем, что Бак Скотт не колеблясь раздел ее донага. Ее смущение лишь усиливалось, оттого что он не хотел встречаться с ней взглядом и сам казался смущенным.

Она вдруг предельно ясно осознала, что никому не сможет рассказать в подробностях о своей жизни с Баком Скоттом здесь, в горной хижине. Ей придется, когда она попадет домой, запрятать в самый дальний уголок сознания воспоминания о том, что здесь происходило. Она была уверена, что мать, всегда поступавшая так, как надо, как правильно, не поймет ее. Отец тоже не поймет. Кейс единственный мог бы понять, если, конечно, его взрывной темперамент не лишит его способности рассуждать здраво. Анника сомневалась, можно ли быть откровенной с женой Кейса, которую не слишком хорошо знала.

Бак перебирал банки, пытаясь что-то найти. Наконец он подошел к ней с небольшой плошкой и кусочком фланели в руках. Сунув ей в рот какое-то драже, он обмакнул тряпочку в плошку.

— От этого вы в скором времени почувствуете себя лучше.

Анника сморщила нос, узнав резкий запах — так пахло вещество в кувшине, который она открыла, когда искала чай.

— Что это?

— Медвежье сало и скипидар. Я натру вам этим горло и обмотаю фланелью.

— Боже, пахнет ужасно.

— Зато, если вовремя им натереться, все быстро проходит.

— Вы уверены?

Он кивнул.

— По-моему, горло у меня не так уж и болит. —

Изобразив улыбку, она глотнула. — Видите? — Но по его решительному виду поняла, что отвертеться от лечения ей не удастся.

— Откиньте голову.

Она послушно откинула голову, и глазам Бака предстала длинная белая беззащитная шея. Окунув пальцы в смесь, он принялся втирать снадобье ей в горло.

Анника закрыла глаза, позволив его пальцам творить чудо, и попыталась расслабиться, сбросить напряжение, вызванное его близостью. Она чувствовала движение его пальцев, которое спустя некоторое время прекратилось, но пальцы по-прежнему прикасались к ее шее. Открыв глаза, она обнаружила, что Бак склонился над ней — его лицо находилось всего в нескольких дюймах от ее лица. В его небесно-голубых глазах было какое-то новое, не виденное ею ранее выражение, словно он молча умолял понять его и довериться ему.

Вняв этой молчаливой мольбе, она не отдернула голову, а продолжала покорно лежать под его сильными теплыми пальцами. Втянутая его взглядом в безмолвный диалог и словно загипнотизированная, она ждала. Ей казалось, что она на пороге какого-то великого открытия.

Бак склонился еще ниже.

Анника опустила ресницы, отгораживаясь от напряжения, сквозившего в его взгляде. Его теплое дыхание коснулось ее лица.

Бак чувствовал под пальцами биение ее пульса.

И в этот момент заплакала Бейби.

## ГЛАВА 13

Плач девочки оказал на Аннику с Баком такое же воздействие, какое оказало бы ведро выплеснутой на них холодной воды. Оба обернулись и обнаружили, что Бейби запуталась в одеялах, которыми была накрыта. Она пыталась освободиться и громко ревела.

Инстинктивно Бак потянулся к ней, но руки у него были в медвежьем сале, и он ничем не мог ей помочь. Анника дотянулась до малышки и расправила одеяла, накрыв ее так, чтобы ей было удобно, но та все равно пыталась их сбросить.

— Тебе нельзя лежать раздетой, Бейби. — Хриплый и потому словно принадлежащий кому-то другому голос Анники напугал Бейби. Она поползла по кровати к Баку, снова пытаясь сбросить с себя все одеяла. Анника взяла ее на руки.

— Сейчас я завяжу вам горло, потом вымою руки и возьму ее у вас, — поспешил сказать Бак.

Анника встретилась с ним взглядом.

— Она мне не мешает.

Бак, покраснев второй раз за этот день, осторожно обернул горло Анники куском фланели и отошел от них.

— Она такая горячая, Бак.

— Знаю, — откликнулся он через плечо, пытаясь скрыть владевшее им беспокойство.

Анника пригладила волосы Бейби и хотела ук-

рыть ее, но ребенок упорно отказывался лежать под
одеялами. Девочка начала хныкать, хотя только что
казалось, что ей очень нравится лежать на руках
у Анники, прижавшись головой к ее груди. Анника
гладила горячий лобик и баюкала ее.

— Пуговицы, — всхлипнула Бейби. — Пуговицы
Анки.

— Ты будешь играть с пуговицами, когда поправишься, хорошо?

— Пуговицы.

Бак вернулся к кровати, неся еще одну чашку
с дымящейся жидкостью.

— Травяной чай, — объяснил он Аннике. — Надо
заставить ее выпить, чтобы снять жар.

— Сначала надо его немного охладить.

— Я и сам знаю, — огрызнулся Бак, затем поставил чашку на стоявшую у кровати коробку и взял
у Анники Бейби. Ребенок немедленно затих. Бак погладил девочку по спине, и лицо его посерьезнело.
И все время он продолжал не отрываясь смотреть
на Аннику.

— Когда очистится перевал... — начал он.

Она ждала, пока он собирался с мыслями.

— Когда очистится перевал и я повезу вас вниз
в город, я хочу, чтобы вы взяли девочку с собой.

— Взять с собой? Что вы имеете в виду?

Анника видела, как напряглись все мышцы на
лице Бака, как задергался в нервном тике угол рта,
а в глазах мелькнула боль. Он с усилием произнес:

— Оставить ее у себя. Вырастить ее. Она вас
любит.

— Оставить у себя? — еле слышным шепотом откликнулась Анника.

Он молча кивнул.

— О Бак, я не могу этого сделать.

— Вы не хотите?

— Я не могу забрать ее у вас. Она ваша кровная родня. Я знаю, как вы ее любите.

Он покачал головой, опровергая ее слова.

— От нее одно беспокойство. Ей будет лучше, если она уедет отсюда. Теперь мне это ясно.

Потрясенная, Анника пыталась понять, что кроется за этими словами, которым не соответствовало горестное выражение лица Бака, его понуро опущенные плечи. На словах он отрицал любовь к ребенку, а его сильные натруженные руки нежно теребили подол ее платья.

— Вы боитесь, — сказала Анника.

Он быстро взглянул на нее, словно хотел возразить.

— Я чуть было не потерял ее сегодня. Я лучше откажусь от нее, чем допущу, чтобы с ней что-нибудь случилось.

— Бак...

— Здесь не место для ее воспитания. Ну что у нее здесь за жизнь? Здесь у нее никогда не будет друзей, она не будет никого знать, кроме охотников вроде Старого Теда, а охотники неподходящая компания для ребенка. Нужно дать ей шанс.

— А что насчет ее матери? Может, если бы она увидела Бейби, поближе познакомилась с ней, это благотворно повлияло бы на нее и она выздоровела бы. Когда она видела ее в последний раз?

Анника не понимала, как, взглянув на ангельское личико Бейби, можно от нее отказаться.

Бак покачал головой.

— Бейби было два месяца. Пэтси была беременна, когда погиб ее любимый мужчина. Она сошла с ума и так и не пришла в себя. Я думал, когда родится ребенок, Пэтси станет лучше, но ее состояние наоборот ухудшилось. Поэтому я и должен был увезти ее. Старый Тед нашел пожилую женщину, которая со-

гласилась присматривать за ней, и с тех пор я ее
не видел.

— Но, может, сейчас ей стало лучше? Может, ее
рассудок пришел в норму? Ведь ее состояние можно
объяснить шоком.

— Не думаю,— ответил Бак, покачав головой.—
В любом случае я не могу рисковать и подвергать
Бейби опасности.

Боль в висках усилилась, и Анника закрыла глаза,
а когда открыла их, Бак уже снова положил спящего
ребенка под одеяло.

— А как же ее чай? Он, похоже, уже остыл.

Он отошел от кровати.

— Сон полезнее. Мы можем попробовать напоить
ее чаем позднее. Так как насчет моего вопроса?

— Вы ведь на самом деле не хотите, чтобы
я соглашалась. Что бы вы ни говорили, я знаю,
вы любите девочку, Бак Скотт. Вы же собирались
жениться на женщине, которую совсем не знали,
только для того, чтобы кто-то мог заботиться
о Бейби.

— Теперь я понимаю, что был не прав,— признал
он.— Сегодня утром я едва не потерял вас обеих. Ни
одна нормальная женщина не заслуживает того, чтобы жить в такой глуши. И Бейби тоже.— Бак сунул
руки в карманы и подошел к камину. Остановившись
там, он положил сжатые в кулаки руки на каминную
полку и стал вглядываться в огонь.— Подумайте над
этим. Я не давлю на вас. Но, если вы откажетесь, мне
придется искать кого-то другого.

По прошествии двух дней Анника наотрез отказалась оставаться в постели. Бак денно и нощно лечил
ее горло и простуду Бейби, забывая о собственных
удобствах и здоровье. Наконец, когда он, судя по его

виду, уже едва не падал с ног от усталости, Анника решительно заявила:

— Вы хотите тоже заболеть или все-таки будете вести себя разумно и позволите мне встать и ухаживать за ней, чтобы вы смогли отдохнуть? Дайте, пожалуйста, мою одежду.

На лице Бака отразилась нерешительность, но, подумав немного, он подал Аннике ее дорожный костюм шоколадного цвета и, даже не извинившись, высыпал в руки пригоршню круглых блестящих пуговиц. Анника скептически посмотрела на него, стараясь не думать о том, как он срывал с нее жакет.

Не говоря ни слова, он принес ей коробку со швейными принадлежностями, и она принялась пришивать пуговицы. Шитье не было ее сильной стороной, но она полагала, что сумеет справиться с таким несложным делом. Однако вскоре нитка сама по себе завязалась в узелок, и Анника в отчаянии застонала.

— Я согласен закончить это вместо вас, если после этого вы встанете, а я смогу ненадолго прилечь. — Бак стоял над ней, готовый помочь.

— Буду вам весьма признательна.

— Неужели ваша мать не научила вас шить?

— Она пыталась. Но она, до того как выйти замуж за моего отца, была профессиональной портнихой. А я была слишком медлительной, и ее учеба всегда кончалась тем, что она все доделывала за меня.

Он сел на краешек кровати, положив жакет на колени. Подняв иголку к свету, он послюнявил нитку, просунул ее в игольное ушко и медленно и аккуратно начал пришивать оставшиеся пуговицы. Не поднимая головы, он спросил:

— Сторм ведь не родной ваш брат?

Анника, не понимая, почему это его интересует, все же ответила:

— Он мой сводный брат по матери.

— Но он полукровка.

Наступило зловещее молчание. Бак поднял голову от работы.

— Тогда и я тоже, — спокойно проговорила Анника.

— Я этому не верю, вы выглядите совсем иначе.

— Я на четверть сиу. Моя мать голландка, а отец наполовину сиу.

Бак помолчал, словно обдумывая ее слова.

Анника объяснила более подробно:

— Отец Кейса был настоящим индейцем сиу. Он умер до рождения Кейса.

Это были факты в том виде, в каком она их знала. Ее мать никогда не рассказывала ей об отце Кейса, сказала лишь, что ей тяжело вспоминать о нем и о том, как она жила до встречи с Калебом. Кейс, если и знал больше о своем происхождении, тоже ей ничего не рассказывал. Анника часто задавалась вопросом, почему пять лет назад Кейс внезапно уехал из дома и о чем они с Калебом ожесточенно спорили накануне его отъезда. И Калеб, и Аналиса сказали ей, что Кейс, если захочет, сам ей обо всем расскажет, и она уважала их решение.

— Значит, вы и Сторм росли вместе?

— Да, и что до меня, то я считаю его братом. Мы очень близки.

— Только он живет в окрестностях Шайенна, а вы в Бостоне.

— У него есть право жить своей жизнью.

Помолчав, Бак заметил:

— Как бы я хотел, чтобы вас не было в поезде в тот день.

Анника ответила не сразу.

— Если вы беспокоитесь из-за Кейса, не стоит. Как только мы попадем на его ранчо, я все ему объясню.

Он поднял глаза, услышав это «мы».

— Правда объясню, обещаю.

— Мне очень жаль, что все так получилось, Анника, вы мне верите?

У Анники потеплело на сердце, когда она услышала, что он назвал ее по имени.

— Да.— Она посмотрела на свои руки, потом снова подняла глаза.— Если уж мы начали извиняться, думаю, мне тоже надо извиниться за то, что я так безобразно вела себя все это время.

Он отложил ее жакет и пожал плечами. Углы рта тронула улыбка.

— Полагаю, вы вели себя так же, как повела бы себя на вашем месте любая богобоязненная женщина, если бы ее похитил такой ненормальный дикарь.

— Не клевещите на себя, Бак.

— Но это же правда.

— Похоже, вы никак не можете отказаться от этой мысли. Почему?

Он развел руками.

— Я уже говорил вам, что я из себя представляю. Охота, капканы, разделка убитых животных — все это часть меня и я часть всего этого. Кем еще я могу быть?

Наклонившись к нему, она тихо проговорила:

— Кем вы сами захотите.

Он скомкал в руках ее жакет. Взгляд ее светился искренностью, и он почти поверил ей.

Внезапно Анника притянула его к себе и легко поцеловала в губы. Она сама не меньше Бака удивилась тому, что сделала, и чуть было не закрыла лицо руками, но пересилила себя и встретила его озадаченный взгляд, гордо вздернув подбородок.

— Не думайте ничего такого, Бак Скотт. Это благодарность за ваше извинение и ничего больше.

— Может, мне следует извиняться гораздо чаще.— Он слегка улыбнулся.

Она покачала головой.

— Не думаю.

Бак протянул ей жакет и встал. Прошло много времени, прежде чем они заговорили снова.

К вечеру Бейби стало хуже. Жар, не спадавший в течение двух дней, усилился настолько, что у девочки начались конвульсии. Бак, не теряя времени, вынес ее на улицу и опустил в снег, надеясь сбить температуру. Когда он принес Бейби назад, губы у нее были совершенно синими, а зубы выбивали дробь. Девочка была в полубессознательном состоянии и слабым голосом звала Бака, Анку, просила показать ей драгоценные пуговицы. Потом, измученная двухдневной борьбой с болезнью, затихла.

Наступил вечер, но Бак отказывался прилечь даже на минуту. Анника, как могла, приготовила тушеную лосятину. Бак, наблюдавший за Бейби, давал ей указания. К тому времени, когда она покончила со стряпней, ей и самой захотелось съесть тарелочку — ее отвращение к мясу прошло.

— Вы должны поесть,— сказала она, стоя за спиной Бака, готовая сменить его и обтирать Бейби теплой водой.

Он продолжал сидеть на бочке, которую пододвинул к кровати, склонившись над Бейби.

— Я не могу.

— Вы очень плохо выглядите.

Это замечание заставило Бака взглянуть на нее. Она кивнула.

— Да-да, чертовски плохо.

— Начали ругаться, мисс Сторм?

— Зовите меня Анникой, хорошо? А теперь идите к столу и поешьте.

— Я и в самом деле не голоден. По крайней мере сейчас.

Она опустилась на колени рядом с ним.

— Бак, вы сделали все, что могли. Вы поили ее чаем, приготовили шандровый сироп, ставили ей горчичники. Врач не смог бы сделать больше. Теперь остается лишь положиться на волю Божью.

— Раньше это никогда не срабатывало.

— Попытайтесь. И позвольте мне помочь.

Бак сдался. Передав Аннике мокрую тряпицу, которой он обтирал Бейби, он подошел к столу поесть тушеного мяса и галет, которые Анника ему положила.

Глаза Бейби были закрыты, кожа на веках была такой тонкой, что просвечивали тоненькие кровеносные сосуды. Она была чудесной малышкой, непохожей на всех, кого он знал в жизни. Невинная, очаровательная, общительная. Он и представить не мог, что с ним станет, если он потеряет ее по собственной вине.

Бак оттолкнул тарелку, положил руки на стол и, опустив на них голову, сделал то, чего не делал много лет — он стал молиться.


Холодный рассвет проник в комнату сквозь щели в ставнях, закрывавших окна. Воздух в хижине был спертым и душным, пропитанным запахом болезни. На столе у локтя Бака стояла тарелка с недоеденным мясом, подернувшимся пленкой жира. Анника, сидевшая на бочке у кровати, дремала, положив на кровать голову и плечи. Огонь в камине погас за ночь, и в комнате быстро становилось холодно.

Один из мулов, которому надоело искать траву под снегом, закричал, требуя свою порцию овса. Его крик разбудил Аннику. Она моргнула, прогоняя сон, откинула упавшие на лицо волосы, быстро повернулась посмотреть на Бейби и протянула к ней руку. Ребенок лежал так тихо и неподвижно, что она испугалась: вдруг вместо некогда теплой здоровой кожи она ощутит под пальцами холод смерти. *«Пожалуйста, Господи, пусть этого не случится,* — взмолилась она, — *пусть ребенок останется жить».* Кожа Бейби была прохладной, но далеко не холодной. Лобик был потным, золотистые кудряшки тоже повлажнели от пота. Где-то в течение ночи жар пошел на убыль. Анника встала и потянулась, разминая онемевшую спину. Ей не терпелось поскорее сообщить радостную новость Баку.

Она потерла руки, накинула поверх ночной рубашки накидку. Мул все еще истошно кричал, но даже этот крик не разбудил Бака. Анника стояла за ним, испытывая искушение протянуть руку и отвести со лба спутанные кудри, так же как она отвела кудряшки Бейби. Он заснул, не успев доесть мясо, сломленный усталостью, которой сопротивлялся так долго. Анника подумала, не выйти ли ей и не накормить ли самой назойливое животное, но сообразила, что Бака необходимо разбудить. Он испытает огромное облегчение, узнав, что кризис миновал.

Она протянула руку, собираясь похлопать его по плечу, и вспомнила тот вечер, когда так и не решилась этого сделать, — он тогда заснул в ванне. Сидя согнувшись над столом и погрузившись в сон, он все равно выглядел сильным. Она осторожно положила руку ему на плечо. Он не пошевелился.

Она легонько потрясла его, чувствуя ладонью тепло его кожи даже сквозь грубую ткань рубашки.

Он резко сел и, встряхнувшись со сна, как гризли, схватил ее за руку.

— Бейби?

Анника улыбнулась.

— С ней все будет в порядке. Жар спал.

Не в состоянии поверить в чудо, не увидев его собственными глазами, Бак рванулся к кровати и пощупал лоб девочки. Он испытал невыразимое облегчение и понял, что должен немедленно выйти из комнаты, если не хочет выставить себя дураком в глазах Анники. Отвернувшись от нее, он подошел к двери и снял с крючка свою куртку. Ему удалось выдавить прерывающимся голосом:

— Я скоро вернусь. Должен накормить проклятого мула.

Анника смотрела, как он выходит с мокрыми от слез глазами.

Верджил Клемменс смотрел на объявление о награде, которое держал в руке, в уверенности, что наконец-то ему повезло. Грязными пальцами он теребил края объявления, словно, ощупывая бумагу, лишний раз убеждался в том, что объявление существует на самом деле. Где-то на улице послышался стук копыт, который постепенно приближался к ветхому деревянному домишке. Верджил аккуратно сложил объявление и спрятал его под куртку. Лишний драматический эффект не помешает.

На крыльце зазвучали шаги. Раздался стук в дверь, после чего она распахнулась и в комнату вошел Клифтон Вайли, за которым по пятам следовал Дентон Мэттьюз. Эти двое представляли собой престранную пару. Клифф был высоким и тощим, как жердь, а Дентон низеньким и толстым, как бочонок. Они уже несколько лет были неразлучны. По крайней мере так они заявили, когда Верджил встретил их месяц назад. Верджил знал, что после десятилетней отсидки он своим видом не мог радовать глаз, но все же считал, что даже несмотря на ставшую совершенно седой бороду и всего шесть оставшихся зубов, он выглядит приличнее, чем Клифф с Дентоном.

— Вижу, ты опять отсиживаешь задницу, Вердж, пока мы изыскиваем способ заработать немного деньжат. — Клифф, изогнувшись худым телом, уселся на стул напротив Верджила. Стулья да еще кривобокий стол, стоявший в центре, составляли всю обстановку этой комнаты в заброшенном доме на окраине Шайенна. Дентон фыркнул, что было его обычной реакцией, о чем бы ни заходил разговор. Он был кривоног и передвигался, как человек, долгое время ездивший на верблюдах по пустыне. Обойдя двух своих приятелей, он прошествовал на кухню, находившуюся в задней части дома.

— Пока вы двое трясли задами в надежде раздобыть десяток-другой центов, я обдумывал способ, как сделать настоящие деньги, — заявил Вердж.

Клифф наклонил стул, так что спинка его уперлась в стену, а две передние ножки поднялись над полом. Сняв шляпу с обтрепанными краями, он швырнул ее на стол. От внутренней ленты на лбу осталась красная полоса.

— И что же это за грандиозный план?

Прежде чем Вердж ответил, из кухни появился Дентон с пригоршней крекеров. Подтянув штаны, он опустил свою тушу на единственный оставшийся незанятым стул и, насколько позволял его объемистый живот, склонился над столом.

— У тебя есть план, Вердж?

— Да, план у меня есть.

Выдержав длительную паузу, чтобы возбудить их любопытство, Вердж расстегнул свою хлопчатобумажную куртку и сунул внутрь руку. Вытащил объявление, демонстративно развернул его, затем ровно разложил на столе.

Клифф опустил стул, грохнув ножками об пол.

Дентон попытался перегнуться через стол и прочитать объявление, но это ему не удалось. Он встал и подвинул стул поближе к Верджу.

— Ни один из нас не сидел в тюрьме, — напомнил Верджу Клифф, бросив предостерегающий взгляд на Дентона. — Любой план ты должен согласовать с нами обоими.

Вердж, который положил руки на объявление, так что другим были видны лишь обрывки слов, печально покачал головой.

— Вот в этом-то и беда с вами, сосунками. Боитесь собственной тени. Какие же вы грабители. Вечно трусите, беретесь только за самые простые дела, оттого и зарабатываете столько, что едва хватает, чтобы не умереть с голоду. Я говорю, что вам нужен план, хороший план, а уж потом по этому плану можно будет действовать. Вот почему я провожу столько времени, обдумывая такой план.

Набив рот крекерами, Дентон пробормотал:

— У тебя в тюрьме было много времени. Мог сидеть и выдумывать планы. Я и Клифф не можем себе этого позволить.

— Черт возьми, Дентон, я просто считаю, что у мужчины должно хватать духа на большее, чем ограбление бакалейщика и получение грошовой выручки.

Дентон положил оставшиеся крекеры на стол и потянулся за револьвером.

— Ну же, Дентон, не позволяй ему себя заводить, — предупредил Клифф, внимательно глядя на Верджа.

Дентон расслабился.

Вердж поднял объявление так, чтобы двое других могли его прочитать, а он указывал слова, словно учитель, объясняющий что-то двум своим тупоголовым ученикам.

— В этом объявлении говорится...

— Я умею читать,— проворчал Дентон.

— А я нет. Пусть прочтет.— Клифф, прищурившись, вглядывался в объявление.

Вердж начал снова.

— В объявлении говорится...

— Ты это уже сказал,— перебил его Дентон.

— Да перестаньте же вы.— Клифф заерзал на стуле.

Вердж откашлялся.

— В объявлении говорится: награда в десять тысяч долларов будет выплачена тому, кто вернет Аннику М. Сторм, похищенную 3 февраля неподалеку от Шайенна с идущего на запад поезда компании «Юнион Пасифик». Полагают, что ее похитил траппер по имени Бак Скотт, проживающий, по последним сведениям, где-то в горах Ларами. Дальше говорится, как она выглядит,— он указал на ту часть объявления, где давалось описание Анники, и закончил: — Обращаться в шайеннскую полицию, к Заку Эллиоту, начальнику полицейского участка в Бастид-Хиле, или к Кейсу Сторму, владельцу ранчо «Буффало-Маунтин».

Клифф, не питавший уважения ни к одной женщине на свете, заявил:

— Десять тысяч чертовски большая сумма за одну женщину.

— Десять тысяч чертовски большая сумма, точка,— поправил его Вердж,— но я планирую, как утроить эту сумму.

Дентон смахнул с губ крошки. Они упали ему на грудь и скатились на живот. Его маленькие поросячьи глазки светились подозрительностью.

— И как же?

Вердж улыбнулся всезнающей улыбкой и помолчал пару минут.

— Мы найдем девушку, дадим нужным людям знать, что она у нас, и потребуем, чтобы награду повысили до десяти тысяч долларов на каждого.

— А если они откажутся? — спросил Клифф, поглаживая волосы. Волосы у него были разделены пробором посередине и намазаны каким-то маслом. У него была привычка, задумавшись, приглаживать свои сальные волосы, отчего его голова приобретала какой-то заостренный кверху вид.

— Они не откажутся.

Дентон запыхтел, как голубь, обхаживающий голубку.

— Клифф хочет знать, что будет, если они откажутся, и ему нужно ответить.

Вердж покачал головой — эти двое вызывали у него отвращение.

— Я сказал, они заплатят. Если они готовы заплатить десять тысяч, достанут и больше. Мы просто не отдадим им девушку, пока нам не заплатят.

— А как мы найдем ее?

— Это самая трудная часть плана, и вот что я придумал. — Вердж наклонился ближе к двум другим и понизил голос, хотя вокруг не было ни души. Из-за холодной погоды все уже в течение недели сидели по домам, и шанс, что кто-то пройдет мимо заброшенного дома и обнаружит в нем людей, был практически равен нулю. Но Вердж все равно говорил еле слышным шепотом. — Я подобрал это объявление в салуне, но я не просто взял его и унес; я покрутился вокруг, послушал, что люди говорят обо всем этом. Так вот, этот Скотт живет, как говорят, в долине под названием Блу-Крик. В нее можно попасть через перевал, который в это время года занесен снегом.

— Так как же мы в нее попадем? — Дентон посмотрел в сторону кухни.

— В этом-то и прелесть всего плана. Сейчас мы

через него не пройдем, но мы не будем сидеть сиднем в городе, дожидаясь весны, как все остальные. Когда придет весна, на этом перевале начнется настоящее столпотворение. — Он улыбнулся, готовясь изложить свой план. — Нет, мы пойдем туда сейчас и разобьем там лагерь. Затем, как только снег растает настолько, что мы сможем пройти, мы преодолеем перевал и захватим девушку. Спрячем и дадим знать ее родным, что она у нас и что мы требуем по десять тысяч на каждого.

Вердж с торжественным видом вручил объявление Клиффу.

— Ну и как вам мой план?

— Ты хочешь, чтобы мы пошли в горы, разбили лагерь в снегу и ждали оттепели? — Дентон переводил взгляд с одного мужчины на другого. Выражение беспокойства на его лице стало более заметным, когда он понял, что Клифф всерьез обдумывает план.

— Что значит померзнуть немного в сравнении с теми деньгами, которые мы потом получим? А если бы ты был старателем? Ты бы с удовольствием расположился в снегу, лишь бы застолбить участок.

— Поэтому-то я и не стал старателем, — проворчал Дентон.

Клифф потер подбородок и уставился на слова, которых не мог прочитать.

— Что ты думаешь, Дентон?

— Думаю, вся эта затея смердит.

— А что думаешь ты, Клифф? — обратился к Клиффу Вердж.

— Не слишком-то большие неудобства нам придется претерпеть за такую кучу денег.

По лицу Верджа расползлась улыбка.

— Значит, ты согласен?

— Ну же, Дентон, стоит попытаться, — обратился Клифф к товарищу.

Дентон покачал головой.

— Мне это не нравится.

— Так ты за, — не отставал Вердж, — или я пойду один?

Дентон посмотрел на Клиффа и кивнул. Тот повернулся к Верджу.

— Мы идем.

## ГЛАВА 14

**Б**ейби поправлялась медленно, и так же медленно тянулось время для взрослых обитателей хижины в долине Блу-Крик. Бак подержал замерзшие руки над небольшим костром, который он развел прямо перед сарайчиком, и снова склонился над тем, что он мастерил из хорошо выделанной оленьей шкуры и пушистого волчьего меха — лучшего из заготовленных им мехов.

По мере того как его племянница набиралась сил, он все больше времени проводил вне дома, заставляя себя отвыкать от Бейби. Он умышленно утомлял себя — охотился весь день, потом обрабатывал свою добычу при слабом свете лампы в сарайчике — и действительно уставал настолько, что мгновенно засыпал, а не лежал, размышляя о Бейби, о том, как она едва не утонула, или об Аннике Сторм.

Он надеялся, что, если будет оставлять Аннику одну с Бейби, та привыкнет к малышке настолько, что возьмет ее с собой и оставит у себя или, по крайней мере, найдет для нее хороший дом. Но он уходил от них и по причинам, не связанным с Бейби. После того, как кризис в болезни Бейби миновал, у него появилось больше времени и он смог как следует подумать о том случае, когда он едва не поцеловал Аннику, и о том, когда она поцеловала его. Бак пришел к выводу, что пробежавшая между ними искра объясняется радостью, переполнявшей их обоих после спасения Бейби.

Аккуратно пришивая мех к изнанке шкуры, Бак поклялся себе, что никогда больше не повторит попытки поцеловать Аннику Сторм. В следующий раз он просто не сумеет остановиться.

Поэтому почти все время он старательно делал вид, что не замечает ее. Но он был не в состоянии перестать думать о ней.

Долгими часами, расставляя капканы вдоль ручья, он размышлял, зачем ей понадобилось поцеловать такого, как он. Единственное объяснение, пришедшее ему в голову, сводилось к тому, что она сделала это из любопытства. Он решил, что, возможно, раньше она никогда не целовалась и теперь просто захотела попробовать. Но чем больше он думал о губах, созревших для поцелуев, о синих глазах, казавшихся особенно удивительными на фоне ее кожи цвета меда, о вьющихся волосах, которые невозможно было ухватить одной рукой, настолько они были густыми, тем больше приходил к выводу, что кто-то наверняка хотя бы раз да целовал ее.

Если нет — значит, в Бостоне не было нормальных мужчин.

Итак, насколько Бак мог судить, Анникой Сторм двигало только любопытство. И еще об одном он не мог забыть: она уедет, как только очистится перевал — она предельно ясно дала понять, что в этом вопросе ее мнение нисколько не изменилось.

Каждый вечер, работая у маленького костра в сарайчике, он убеждал себя, что, какова бы ни была причина более доброжелательного отношения к нему Анники, полюбить его она все равно не сможет. Не такая изысканная, хорошо воспитанная леди, как Анника Сторм.

Но что-то было у нее на уме, и он многое отдал бы

за то, чтобы узнать, что именно. Последние два дня
она заметно нервничала, слонялась по хижине, соби-
рала и разбирала свой саквояж и вздрагивала каждый
раз, когда он входил в комнату.

Она вела себя как женщина, у которой была какая-
то тайна. И в течение двух последних дней он ломал
себе голову, пытаясь разгадать, в чем же тут дело.

Он поднял вещь, над которой работал на протяжении двух недель, и увидел, что работа закончена.
Аккуратно сложив, он завернул ее в чистую джуто-
вую мешковину и спрятал под шкурами. Затем он
постоял немного, глядя на звезды, мигающие на эбено-
во-черном небе, и произнес про себя молитву, благодаря Господа, позволившего Бейби выжить. Покончив
со своим шитьем, он надел перчатки и решил посмотреть на мулов — вдруг они ушли слишком далеко от
дома и бродят сейчас там, где могут стать добычей
голодного волка или койота. Живот его протестующе
заурчал, но Бак подумал, что у него есть немного
времени перед тем, как возвращаться в хижину и готовить ужин.

Все было готово.

Анника в последний раз оглядела хижину и улыбнулась, гордясь собой и результатами своих трудов.
Она вымела пол, сложила игрушки Бейби в деревянную коробку, задвинула под стол стулья и бочки. На
столе стояли три прибора, свежеприготовленная ту-
шеная оленина булькала в котелке над огнем. Она
помешала мясо и закрыла его крышкой. На скамейке
остывала сковорода с галетами. Выглядели они так
же, как и те, что обычно с такой легкостью готовил
Бак. Анника подавила искушение попробовать одну,
чтобы удостовериться.

Она планировала этот ужин-сюрприз три дня

и сейчас, когда все было готово, едва могла дождаться прихода Бака.

Оставалось сделать последнее.

Она повернулась к девочке, сидевшей в середине кровати в окружении бумажных кукол. Анника нарисовала фигуры мужчины, женщины и ребенка на последних чистых страницах своего дневника и вырезала их. Из каталога «Сирз» вырезала одежду. Бейби была еще слишком мала и не могла обращаться с бумажными куклами аккуратно, так чтобы они не порвались через несколько часов, но, заняв ее даже ненадолго, Анника смогла выкроить время, необходимое для приготовления ужина.

Открыв саквояж, она достала оттуда платье, над шитьем которого усердно трудилась три дня. Черный атлас не очень-то годился для детского платья, но кроме пострадавшей от воды накидки у Анники ничего не было. Широкой по моде накидки вполне хватило, чтобы выкроить детское платье. Анника встряхнула маленькое платьице, недовольная результатами своих усилий. Подол был кривой, рукава неровные, воротника не было вообще, но ничего лучшего она в данных условиях сделать не могла. Выкройку она сделала по одному из старых платьев Бейби, припомнив, как это часто делала у нее на глазах ее мать. Она была рада, что Аналиса никогда не увидит ее творение, поскольку сшитое Анникой платье никак не соответствовало высоким требованиям Аналисы.

Но все же это было новое платье, украшенное к тому же драгоценными пуговицами. Пуговицы, самые разные по форме и цвету, были нашиты в ряд по середине переда от горловины до подола. Манжеты длинных рукавов тоже были украшены пуговицами. Анника решила сказать Баку, чтобы он берег платье после того, как Бейби из него вырастет — ведь, если ему удастся найти коллекционера пуговиц, он выручит за них неплохие деньги.

— Иди сюда, Бейби, — позвала она и улыбнулась, когда та слезла с кровати и быстро побежала через комнату. Анника не сказала Бейби, что платье для нее, потому что малышка наверняка проговорилась бы Баку, но сейчас пришло время одеть и причесать девочку.

Сняв через голову старое платье Бейби, Анника снова обеспокоилась при виде того, каким худым стало некогда пухлое тельце девочки. И Анника, и Бак сначала уговаривали Бейби есть побольше, пытались даже кормить насильно, но потом Бак решил, что она быстро наберет вес сама, когда окончательно поправится.

Пока все подтверждало правоту Бака — Бейби ела с таким аппетитом, словно боялась, что никогда больше не наестся вдоволь.

Каждый раз, глядя на девочку, Анника думала, какой тоненькой ниточкой связана душа человека с телом, и радовалась, что ребенок остался жив. Никогда больше не будет она воспринимать свою или чью-то еще жизнь как нечто само собой разумеющееся. Бейби была для нее живым доказательством того, что чудеса иногда случаются и что жизнь — это действительно бесценный дар, который надо беречь.

— Давай наденем это платье, — проговорила она, набрасывая черный атлас Бейби на голову, — а потом найдем и твои ботинки. Хочешь? Ты так давно их не надевала.

Бейби, привыкшая проводить долгие часы вдвоем с Анникой, немедленно согласилась. Сначала Аннику обеспокоило внезапное невнимание Бака к ребенку, но очень скоро она поняла, в чем тут дело. В тот день, когда она сама полностью выздоровела, ей стало ясно, что Бак умышленно отдаляется от ребенка. И до тех пор, пока три дня назад ей в голову не пришла идея сегодняшнего ужина-сюрприза, Анника не знала, как подступиться к нему.

До сегодняшнего дня у нее даже не было возможности поговорить с ним. Он вставал на рассвете, готовил завтрак и уходил до пробуждения Анники. После ее болезни он позволил ей спать на кровати с Бейби, а сам спал на полу. Домой он не возвращался до ночи. Анника считала, что недостатком сна объясняется его усталый вид и темные круги под глазами, но не знала, как заговорить о том, чтобы поменяться спальными местами.

Голос Бейби вывел ее из раздумий.

— Пуговицы мне на платье?

— Да, дорогая, — улыбнулась Анника, поворачивая ее в разные стороны. Платье смотрелось на Бейби гораздо лучше, чем само по себе. — Эти пуговицы для тебя. Тебе нравится платье?

Бейби кивнула, не в силах отвести глаз от нового платья. Она водила руками по гладкому атласу, прикасалась то к одной пуговице, то к другой.

— Мое?

— Твое. — Сердце у Анники преисполнилось гордости при виде Бейби в элегантном наряде. Бак Скотт не сможет больше не обращать внимания на ребенка и подавлять свои чувства.

— Ну вот, — она подхватила Бейби на руки и посадила на стул у огня, — теперь я причешу тебя и завяжу волосы вот этой английской лентой. Дядя Бак подумает, что ты самая красивая маленькая девочка на свете.

— Мои красивые волосы, — согласилась Бейби.

— Да, у тебя очень красивые волосы. — Анника быстро расчесала их, стараясь не дергать слишком сильно, и завязала на макушке большой атласный бант. Черный атлас прекрасно смотрелся на фоне золотистых кудрей.

Дав Бейби несколько бумажных фигурок, которыми та могла играть на столе, Анника вымыла лицо и руки и причесалась сама. Она оставила волосы распущенными, так что они ниспадали на спину, и только завязала их таким же, как у Бейби, куском атласа. Она жалела, что ради такого случая не может надеть что-нибудь новое или, по крайней мере, чистое. Она старательно выстирала свою блузку и высушила ее у огня, пока Бака не было дома, но сделать что-либо с шерстяным костюмом было невозможно. Посмотревшись в треснувшее зеркало на стене, она решила, что выглядит все же немного более респектабельно.

Размышляя, что подумает Бак, она почувствовала, как вспыхнуло ее лицо, и отвернулась от своего отражения в зеркале. В последние дни она неоднократно молча благодарила его за то, что он держится подальше от нее. Находясь рядом с ним, она не могла не вспоминать, как поцеловала его, и не думать о том, как ей тогда хотелось, чтобы он обнял ее и поцеловал в ответ.

Ее реакция на Бака удивляла ее, как, должно быть, и самого Бака, но теперь, когда она призналась в ней самой себе, она хотела понять все до конца, убедиться, не вспыхнула ли между ними та чудесная искра, которая отсутствовала в ее отношениях с Ричардом Текстоном. Покачав головой, она склонилась над гуляшом, рассеянно помешивая его. Она бы ни за что не подумала, что ее может привлечь мужчина, подобный Баку Скотту. Но это лишь доказывало, что никогда не следует судить по внешнему виду.

Бак был неотесанным, грубым, жестким, если его рассердить, он принадлежал к миру, о существовании которого она и не подозревала до тех пор, пока сама не оказалась в нем, но в то же время, как она стала постепенно понимать, он мог быть ответственным, заботливым, чувствительным и, несмотря на грубую одежду, несомненно красивым. Она не могла сказать, когда именно она перестала испытывать ненависть к этому дикому месту, но полагала, что это произошло одновременно с тем, как Бак Скотт стал ей небезразличен.

Перемена происходила медленно, шаг за шагом. Она подумала обо всех тех маленьких знаках внимания, которые он оказывал ей с того дня, как стащил ее с поезда, — как он отдал ей свои перчатки во время их путешествия, как доверил ее заботам Бейби, как учил ее всему тому, что, по его мнению, ей необходимо было знать, чтобы выжить, если с ним случится какое-нибудь несчастье. Когда она заболела, он ухаживал за ней с величайшей заботой. Хотя она попрежнему очень мало знала о его прошлом, она подозревала, что ей он рассказал о себе больше, чем кому бы то ни было за всю свою жизнь.

Анника глубоко вздохнула и попыталась подавить растущее возбуждение. Баку было решать, что произойдет сегодня между ними. Она подготовила сцену и теперь будет наблюдать, как будут развиваться события.


Бак открыл дверь и застыл на пороге.

— Входи поскорее, а то напустишь холоду, — весело крикнула Анника от камина, у которого она что-то делала.

Знакомый ароматный запах тушеного мяса наполнял комнату. У Бака немедленно потекли слюнки. Избегая смотреть на Аннику, он закрыл дверь, но и одного быстрого взгляда было достаточно, чтобы заметить, что она по-новому причесала волосы и завязала их кокетливым черным бантом.

Он заставил себя сохранять спокойствие, когда она направилась к нему, сияя улыбкой.

— Давай я возьму твое пальто.

Бак сам не знал, как это получилось, но, сняв свое тяжелое пальто, он протянул его Аннике.

Привстав на цыпочки, она повесила пальто на крючок у двери. Ее шерстяной жакет шоколадного цвета был распахнут, открывая белоснежную облегающую блузку. Бак не мог не заметить, как натянулась свежевыстиранная ткань на полной груди.

Осознав, что руки у него дрожат, он сунул их в карманы.

— Как вкусно пахнет, — еле выговорил он.

Она повернулась к нему и улыбнулась той же сияющей улыбкой.

— Спасибо. — Глаза ее таинственно блестели.

Раздумывая, что бы все это могло значить, Бак заставил себя отвести от нее взгляд и осмотрел комнату. Стол был уже накрыт на троих, и на одном конце Бейби играла с какими-то кусочками бумаги. Он уставился на блестящее черное платье, которое было на ней надето.

— Нравится?

Бак заметно вздрогнул, когда Анника заговорила. Она все еще стояла рядом с ним. Он обошел вокруг стола и подошел к Бейби.

— Где ты его достала? — Протянув руку, он потрогал шелковистый материал огрубевшими пальцами.

Анника прямо-таки раздулась от гордости.

— Я его сшила.

Зная, насколько плохо она управляется с иглой, он про себя высоко оценил ее старания.

— Встань, покажи дяде Баку свое новое платье, — обратилась Анника к Бейби.

Ребенок протянул к Аннике руки, она взяла девочку и поставила на пол. Бейби повертелась в одну сторону, в другую, затем подбежала к Баку и, обняв за колени, прижалась лицом к его ногам. Он нагнулся, поднял Бейби и прижал к себе, любуясь атласным платьем. Потрогав ряд пуговиц, взглянул на Аннику.

— Это твои, — сказал он неизвестно зачем вместо того, чтобы прямо спросить, для чего она их пришила.

Небесно-голубые глаза затуманились.

— Бейби они тоже нравятся. Я подумала, что нужно подарить ей несколько. Если ты сохранишь их, то сможешь использовать как приданое, когда она вырастет.

На мгновение Бака пронзила острая боль — он знал, что не увидит, как будет подрастать Бейби. Он снова опустил девочку на пол.

Анника отошла к очагу. Прошло какое-то время, прежде чем она сказала:

— Я приготовила тушеное мясо и галеты. И, ты не поверишь, даже попыталась испечь яблоки. Конечно, это не пирог, но... — Она пожала плечами.

Он смотрел, как она суетится у плиты, помешивая, нюхая, пробуя.

— Зачем? — вырвалось у него помимо воли.

— Зачем что? — Она снова повернулась к нему лицом. Щеки у нее покраснели, но он не мог с уверенностью сказать, что было тому причиной: то ли она смутилась, то ли ей просто стало жарко.

— Зачем ты это делаешь?

Она уперла руки в бока и нахмурилась.

— А что, я не могу помочь, если мне хочется?

Он указал на Бейби.

— Но платье, ужин... Почему вдруг?

Анника отошла от очага и подошла к Баку. Он почувствовал себя неуютно и сделал шаг назад. Голос у нее был тихим и теплым как растопленное масло. От него у Бака по позвоночнику пошли мурашки.

— Мне хотелось что-то для тебя сделать. Ты столько работал последнее время, и, потом, я подумала, что надо отпраздновать выздоровление Бейби. Я решила сделать тебе сюрприз — сшить ей платье и приготовить этот скромный праздничный ужин.

Он знал, что хмурится, но не мог совладать с собой. Она стояла так близко, от нее пахло такой чистотой и женственностью и она выглядела такой довольной, что он с трудом удерживался от того, чтобы не потянуться к ней. Потом он услышал ее шепот:

— Пожалуйста, не порть праздник.

Подавив свои темные инстинкты, Бак попытался улыбнуться.

— Подожди одну минутку, я умоюсь.

— Давай, я пока буду накладывать еду.

Бак подошел к умывальнику, благодаря судьбу за эту передышку. Наливая воду из кувшина в эмалированную миску, он пытался привести в порядок свои смятенные мысли. Он не мог повернуться и уйти, как делал это на протяжении последних двух недель, ведь Анника ждала, что он оценит ее усилия и порадуется вместе с ними. Закрыв глаза, он плескал воду на лицо и шею, призывая всю свою силу воли, чтобы продержаться ближайшие несколько часов.

Анника убрала тарелки со стола и сложила их на скамейке. Бак сидел за чашкой кофе, а довольная Бейби восседала у него на коленях и показывала ему бумажных кукол и многочисленные туалеты, которыми их щедро снабдил «Сирэ энд Робак». Анника заметила, что в первые минуты Бак испытывал неловкость и смущение, но, поскольку она не стала заострять на этом внимание, а Бейби в своей обычной очаровательной манере вертелась и трясла кудряшками, красуясь в новом платье, он скоро отвлекся от своих мыслей и стал веселиться вместе с ними.

Он даже похвалил ее готовку. Тушеное мясо, кото-

рое она постепенно научилась готовить, следуя его
указаниям, получилось восхитительным. Галеты же,
хотя ей и казалось, что она делает все так же, как Бак,
вышли жесткими как подошвы. А десерт — Анника
налила в тазик горячей воды и по одной опустила
в него тарелки — что ж, печеные яблоки пропеклись
только наполовину, но были съедобны.

Не желая, чтобы атмосфера вновь стала такой же,
какой была до того, как они сели за стол, Анника не
стала мыть тарелки, а, вытерев руки посудным полотенцем, подсела к Баку и Бейби.

— Ну, а теперь у нас будет праздник.

Он скептически посмотрел на нее, приподняв одну
золотистую бровь.

— Праздник?

Она кивнула.

— Дома, когда мы давали обед, все после обеда
собирались в гостиной, пели песни, рассказывали разные истории и лакомились воздушной кукурузой.

Подобное, идиллическое в описании Анники, вре-
мяпрепровождение было похоже на сценку из книжки
сказок. Наблюдая за золотоволосой девушкой, сидевшей напротив него и говорившей о доме с блеском
в глазах, Бак все больше преисполнялся решимости
сделать все от него зависящее, чтобы Бейби получила
шанс жить такой же жизнью.

— О чем ты думаешь? — Анника посмотрела на
него.

— Я не знаю никаких историй.

— Ах, бедняжка.

Он не мог не улыбнуться.

— Бедняжка? Сильно сказано, мисс Сторм.

— Но должен же ты знать парочку каких-нибудь
историй. Неужели твоя мать никогда не рассказывала
тебе сказок?

— Не помню. Она была повитухой и часто уезжала из дома, чтобы оказать помощь тем, кто нуждался в ее услугах. А когда бывала дома, ей нужно было заботиться о нас троих да и об отце впридачу. У нее не было времени рассказывать истории.

Не зная, как реагировать на такое заявление, Анника сменила тему.

— Тогда давайте споем.

— Я не знаю ни одной песни.

— Неправда.

— А если и неправда?

— Неужели ты не умеешь веселиться?

— Для чего?

В отчаянии она положила руки на стол и наклонилась к нему.

— Жизнь — это не одна лишь тоска и скука.

— По моему опыту этого не скажешь.

Анника вздохнула, но попыталась сохранить хорошее настроение. Бак вдруг встал и, посадив Бейби на стул, пошел прочь от стола. Не уйдет же он сегодня так же, как уходил каждый вечер на протяжении последних двух недель! Анника поверить не могла, что он может быть таким бесчувственным.

— Ты уходишь? — В голосе ее слышалось разочарование.

Он покачал головой.

— Нет, просто поищу одну вещь.

Он встал на кирпичи перед очагом и начал переставлять стоявшие на полке банки и коробки. Наконец достал одну из заднего ряда, потряс ее, потом открыл и заглянул внутрь. Подойдя к Аннике, он протянул ей жестянку. Она тоже заглянула внутрь и заулыбалась.

— Воздушная кукуруза!

— Ее немного, но жучки не успели до нее добраться, так что мы можем ее съесть.

— Ох, Бак, какое чудесное дополнение к вечеру.

Она прижала жестянку с кукурузой к груди так, будто он преподнес ей что-то очень ценное.

Баку пришло в голову, что жизнь в четырех стенах вдали от людей подействовала на рассудок Анники. Иначе как объяснить, что такое скромное подношение сделало ее такой счастливой.

Анника поспешила налить на сковороду масло и бросила туда кукурузу, радуясь, что Бак оттаял. Минуту назад она совсем было решила, что он уйдет, но сейчас он держал Бейби на коленях и рассказывал ей истории о бумажных куклах, лежавших перед ними на столе, которые сам придумал.

Подняв глаза, он улыбнулся ей над головой Бейби, и сердце у нее запело от радости.

Это было начало.

— Мы с Бейби разговаривали недавно, — начала Анника, внимательно глядя на Бака, — и я думаю, что наш сегодняшний праздник — прекрасный случай для того, чтобы выбрать ей настоящее имя. — Она пыталась сдержать свой энтузиазм, который прямо-таки выплескивали из нее, пока она объясняла, о чем думала в эти последние дни. — Она как будто начинает жить заново после выздоровления, и это подходящий случай выбрать для нее новое имя. А ты как думаешь?

Бак предложил ей последнюю оставшуюся в тарелке кукурузу, но она отказалась. Он положил кукурузу в рот и принялся шумно жевать, обдумывая в то же время ее последние слова.

— Имя, да?

— Настоящее имя. Я говорила ей, какие бывают имена, и мы даже дали имена ее куклам, так что она, думаю, понимает, о чем я говорю.

— И она сама будет выбирать?

Анника кивнула. Бейби сидела у нее на коленях, прижавшись к ее руке. К губам у нее прилипли остатки кукурузы.

— Что ты думаешь, Бейби? Помнишь, как мы давали имена твоим куклам и говорили о том, что и для тебя надо выбрать какое-нибудь новое имя?

Бак скрестил руки на груди и откинулся на стуле, вытянув вперед длинные ноги.

— И о каких же именах вы говорили?

— Об именах для девочек, разумеется. Мэри, Сьюзи, Кэтрин, Оливия, Элизабет, Кэролайн, разных именах. А у тебя есть предложения?

Он пристально посмотрел на Бейби, потом встретился глазами с Анникой.

— Полагаю, ей понадобится настоящее имя.

Неожиданно Анника пожалела о своей затее. То она пыталась заставить Бака признать тот факт, что он любит свою племянницу, нуждается в ней, что было бы немыслимо отказаться от нее, а теперь вдруг ее слова прозвучали так, будто девочка начинала совершенно новую жизнь, в которой Баку не было места, жизнь, столь отличную от прежней, что для нее, Бейби, понадобится новое имя.

— Может, это не слишком удачная идея,— сказала Анника, жалея, что вообще открыла рот.

— Нет, я думаю, что ей и в самом деле нужно настоящее имя. Приличное имя.

Анника вздохнула. По отрешенному виду Бака она поняла, что все пошло не так, как она планировала. Но отступать было поздно.

— Какое имя ты хочешь, Бейби? Как нам теперь называть тебя?

Малышка доверчиво посмотрела на Аннику, улыбнулась через стол Баку.

— Помнишь имена, о которых мы говорили? Ты

сказала, что тебе нравятся Кэролайн и Сьюсан. Хочешь, мы будем называть тебя одним из них?

Бейби энергично затрясла головой.

— Баттонз [1], — заявила она.

Анника покачала головой.

— Мы не будем сейчас играть с пуговицами. Тебе скоро спать.

— Баттонз, — повторила Бейби.

Анника посмотрела на Бака.

— Подумав получше, я прихожу к выводу, что это и в самом деле была не слишком хорошая идея. Наверное, она слишком мала, чтобы выбрать себе имя.

— Баттонз, — настаивала Бейби.

— Я запутала ее, — признала Анника.

— Баттонз. — Бейби повысила голос, потому что на нее не обращали внимания.

— Мне кажется, она выбрала, — проговорил Бак с улыбкой.

— Что? — на лице Анники отразилось сомнение.

Бейби потянула ее за рукав, желая привлечь к себе внимание.

— Баттонз. Теперь меня называть Баттонз.

Анника застонала.

— Баттонз нельзя. Это не имя.

— Теперь меня называть Баттонз.

— Ты сказала, что она может выбрать себе имя, — напомнил Аннике Бак.

— Я не рассчитывала на Баттонз. Суть была в том, чтобы дать ей настоящее имя. Кто когда-нибудь слышал, чтобы человека звали Баттонз?

— Кто слышал имя Анника? — возразил Бак.

— Теперь меня... — снова затянула Бейби.

— Я знаю, знаю, — простонала Анника. — Может, твой дядя уложит тебя и мы поговорим об этом завтра?

[1] Пуговицы (англ.).

— Бак уложит Баттонз. — Девочка протянула ручки к Баку.

Он обошел вокруг стола и взял ребенка из рук Анники, стараясь скрыть улыбку.

Анника не могла не заметить этого доказательства того, что настроение у Бака улучшилось.

— Может, это не такое плохое имя, — раздумчиво проговорила она.

— Оно не похоже на другие.

— Так же как и Анника.

— Спокойной ночи, Анка, — сказала Бейби.

Анника наблюдала, как Бак стащил с девочки атласное платье, надел взамен его старенькое и потом укутал ее одеялами.

— Спокойной ночи, Баттонз. — С этими словами она принялась мыть посуду.

Бейби-Баттонз заснула, едва ее голова коснулась подушки. Анника, спиной чувствуя, что Бак беспокойно ходит по комнате, торопилась разделаться с посудой, чтобы помешать ему, если он по своему обыкновению вздумает уйти. Она быстро перемыла тарелки и, не слишком тщательно их вытерев, чуть ли не побросала на полку. Услышав, что он направился к двери, она обернулась и выпалила:

— Выпьешь еще кофе?

Он взглянул на нее, потом, покачав головой, отвернулся.

— Нет, спасибо.

Бак протянул руку к куртке, полный решимости уйти из дома и не видеть, как она стоит там, обхватив себя за талию, и глаза ее просят ответить на вопросы, на которые он предпочел бы не отвечать.

— Пожалуйста, не уходи сегодня.

Просьба была высказана почти шепотом. Он хотел бы выполнить ее, но ему было необходимо выйти на свежий ночной воздух, почувствовать на лице вольный ветер долины, посмотреть на звезды. Ему необходимо было побыть одному, вытравить из души желание. Анника Сторм заставляла его думать о том, о чем он не имел права думать, желать того, о чем ему не полагалось даже мечтать.

Бак повернулся к ней, собрав все свое мужество.

— Я думаю, ты знаешь, почему я не могу остаться.

Она глубоко вздохнула. Наконец-то вышло наружу то, что довлело над ними, как какая-то мрачная тайна. Пришло время действовать.

— Мы должны поговорить, Бак. Ты не можешь все время убегать из дома и прятаться от правды.

Он провел растопыренными пальцами по волосам и, отойдя от двери, подошел к огню, долго смотрел на пламя, наконец заговорил:

— Вот, значит, что я по-твоему делаю.

— Да. Ты остаешься вне дома и днем, и ночью, чтобы не быть рядом с Бейби. Ты пытаешься отвыкнуть от этого ребенка, но меня ты не одурачишь.

Анника прошла по комнате и остановилась не более чем в футе от него. Она вынуждала его смотреть ей в глаза, а не на пламя. Он был высоким, выше всех ее знакомых мужчин, но и она была не маленькой и могла встретить его взгляд почти глаза в глаза.

— Ты любишь Бейби, Бак, любишь, как если бы она была твоей родной дочерью. И, если ты намерен расстаться с ней, не ищи моей помощи. Я не возьму ее от тебя, как бы я к ней ни привязалась.

— Если ты к ней привязалась, ты заберешь ее с собой. Ты сделаешь все, что в твоих силах, чтобы у нее был хороший дом, такой дом, где она будет расти в безопасности и получит все, чего я не могу ей дать.

— Ты слишком любишь ее, чтобы отпустить.— Анника внимательно смотрела на него, хотя ей казалось, что горящий взгляд голубых глаз может буквально испепелить ее. — Думаю, она единственная, кого ты любил в жизни.

Она подошла слишком близко к правде. Бак слушал ее и не отрывал глаз от ее губ. Потом перевел взгляд на ее волосы, отметив про себя, что одна прядь выбилась из-под атласной ленты и упала ей на лицо. Ему до боли хотелось дотронуться до нее. Было бы так просто протянуть руку и провести пальцами по мягкой щеке. Так просто.

Но это будет его падением. И ее тоже.

*Я думаю, она единственная, кого ты любил в жизни.*

Слова эхом отдавались у него в ушах.

— Возможно ты очень удивишься... — прошептал он, думая вслух.

*Так удиви меня*, захотелось крикнуть Аннике, когда она услышала этот шепот, но она промолчала. Она напряглась, не сомневаясь, что сейчас он заключит ее в объятия. Она не знала, как поступит, если это случится, знала лишь, что ей хочется это выяснить. Отблески пламени играли на стенах хижины, масляная лампа заливала комнату мягким золотистым светом. Это был волшебный миг, и Анника была уверена, что никогда не забудет его, что бы ни случилось с ней в последующие недели или в ее жизни вообще.

Бак сделал шаг вперед, остановился, будто споря с самим собой, затем повернулся, схватил свою куртку и исчез за дверью.

Анника почувствовала, что ноги отказываются ее держать. Надежда покинула ее, уступив место разочарованию. Ее план вызвать его на разговор провалился. Он остался тверд в своем решении отказаться от Бейби. Более того, он ушел, не признавшись в чувствах, которые питал к ней самой.

Но она безошибочно поняла, что выражало его лицо до того, как он вылетел из хижины. Он хотел поцеловать ее так же сильно, как она ждала этого. Вооруженная этим знанием Анника не сомневалась, что в конце концов он не устоит.

Ну, а если устоит, придется ей взять дело в свои руки. Как иначе сможет она узнать, будет ли она чувствовать то же самое, целуясь с Баком, что чувствовала при поцелуях Ричарда Текстона. Может, она на всех мужчин реагирует одинаково. Может, что-то с ней не так.

Она знала, что должна это выяснить.

## ГЛАВА 15

Вечер, похоже, был безвозвратно испорчен, и Анника решила надеть ночную рубашку и разложить постель, на которой не спала вот уже несколько дней. Пора было возвращаться к нормальной жизни или к той, которая по крайней мере могла считаться нормальной при сложившихся обстоятельствах. Бак давно уже выглядел совершенно измученным, и ночь в собственной постели ему совсем бы не помешала.

Когда шкуры, служившие ей постелью, были разостланы, Анника села на них, поджав под себя ноги, и, достав из сумочки щетку, расчесала волосы до блеска. После чего начала заплетать их в одну длинную толстую косу. Она не думала, что Бак возвратится прежде, чем она погасит лампы и залезет под одеяло. Каким-то образом он всегда знал, когда может войти в дом.

На этот раз, однако, она не кончила еще заплетать косу, когда дверь вдруг отворилась и на пороге возник Бак. Анника вскинула голову и посмотрела на него с нескрываемым удивлением. В руках он держал что-то тщательно завернутое в мешковину.

— Ты так замерз, что не смог работать? — спросила она, порадовавшись про себя тому, что ночи в горах были холодными.

Прежде чем ответить, Бак откашлялся.

— Я закончил.

— Да?

Он подошел к краю постели и уронил сверток ей в подол. Сверток был объемистым и довольно тяжелым.

— Что это?

— Разверни.

Анника нахмурилась, представив пушистых зверьков или их шкурки, которые, возможно, лежали сейчас у нее на коленях, скрытые мешковиной.

— Оно мертвое?

Губы Бака слегка — совсем слегка — изогнулись, но все же это была улыбка.

— Мертвее не бывает.

Она скорчила гримасу.

— Это подарок.

Не желая показаться невежливой, Анника встала и отнесла сверток на стол. Бак, так и не сняв куртки, последовал за ней.

— Что там?

Бак в ответ лишь пожал плечами, подумав, как это по-женски задавать вопросы, вместо того чтобы узнать самой. Он работал долго и упорно над своим подарком, и сейчас ему не терпелось услышать, что она скажет, когда его увидит.

— Послушай, — не выдержал он наконец, — это всего лишь подарок. Мое «спасибо» тебе за все, что ты сделала для Бейби-Баттонз.

Пытаясь унять дрожь в руках, Анника с силой сжала и разжала пальцы. Затем протянула руку к свертку и дернула за край мешковины. Внутри лежала мягкая, тщательно выделанная оленья кожа. Она была цвета слоновой кости — почти белая — и аккуратно сложена. Развернув ее, Анника увидела перед собой длинное пальто, отделанное прекрасным серебристым мехом, богаче которого ей еще не доводилось встречать.

Взяв пальто за плечики, она приложила его к себе. Оно почти достигало ей щиколоток. Продолжая держать пальто в руках, она повернулась лицом к молча стоявшему рядом Баку.

— Бак! Это самое прекрасное пальто, какое у меня когда-либо было!

Он протянул руку и погладил пальцем рукав, зная, что не осмелится дотронуться до пальто, когда оно будет на ней.

— Я так не думаю, но во всяком случае тебе будет в нем тепло.

— Я хочу его примерить. — Она протянула ему пальто, явно ожидая, что он, как истинный джентльмен, подержит его для нее, пока она будет просовывать руки в рукава.

Бак на мгновение растерялся. Никогда еще ему не приходилось выступать в подобной роли. Задача, однако, оказалась не лишенной приятности, и он пожалел, что все так быстро кончилось.

Продолжая стоять спиной к нему, Анника расправила полы пальто и просунула одну за другой резные пуговицы в тщательно обработанные петли.

— Чудесные пуговицы. Где ты их взял?

Пуговицы были большими и круглыми, и каждая выглядела уникальной.

— Вырезал из рогов.

Анника провела рукой вдоль швов, затем вновь потрогала пуговицы. У него, похоже, ушло немало часов на это пальто.

Бак смотрел сверху вниз на склоненную голову девушки, восхищаясь ее золотыми, как мед, волосами, в которых в свете лампы проблескивала медь. Ее длинная коса была пышнее всех шкурок, какие ему доводилось когда-либо выделывать, и, даже не прикасаясь к ней, он знал, что она проскользнет меж его пальцев, как шелковый солнечный луч.

Внезапно, прежде чем он сообразил, что она собирается сделать, Анника рывком повернулась и, обняв его обеими руками за шею, чмокнула в щеку.

— Огромное спасибо, Бак! Никто еще не дарил мне такого замечательного подарка.

Он подумал о ее испорченной шляпке, золотой шляпной булавке, коробочке с бесценными пуговицами, шелковой накидке и некогда щегольском шерстяном костюме. Все это составляло лишь малую толику ее громадного состояния, и однако она нашла в своей душе слова горячей благодарности за ничем не примечательное, самое обыкновенное пальто из оленьей кожи.

Бак попытался оторвать ее руки, продолжавшие все так же крепко обнимать его за шею.

Анника даже не шелохнулась.

— Я хочу поблагодарить тебя как следует, — услышал он ее шепот.

Даже в слабых отблесках пламени в камине Анника увидела появившееся на лице Бака выражение смущения и почувствовала, что он колеблется.

Медленно она приподнялась на цыпочки и прильнула к нему всем телом. Он склонился над ней.

Губы их соприкоснулись, и Анника закрыла глаза. Но глаза Бака остались открытыми. Он боялся, что, если закроет их, она тут же исчезнет. Его губы были теплыми и мягкими. Ее — жаждущими и податливыми.

Из груди его вырвался стон, и он с такой силой стиснул ее в объятиях, что она едва не задохнулась. Не в силах долее бороться с собой, он поцеловал ее в губы. В ответ она еще крепче обняла его за шею. Медленно он начал водить языком по ее губам, пока они не раскрылись и она не коснулась его языка своим.

Сладостное, пьянящее чувство, охватившее в ту же секунду все ее существо, пробудило в ней столь могунее, всепоглощающее желание, что ей показалось, она сейчас вспыхнет как пламя в его объятиях. Никогда в жизни ей еще не доводилось испытывать того, что она ощущала сейчас, целуя Бака Скотта. Она не могла себе даже представить, что в жизни бывает нечто подобное. Может, это и есть страсть? Как у ее матери с отцом? Не такая ли точно искра пробежала некогда и между ними и зажгла любовь, которая почти осязаемой нитью соединяет их вот уже более двадцати лет? В то же мгновение как Бак поцеловал ее, Анника поняла, что расторжение помолвки с Ричардом было самым мудрым поступком, какой она когда-либо совершала в своей жизни.

Она застонала и, вцепившись в его длинные буйные кудри, попыталась проникнуть языком глубже ему в рот.

Не прерывая поцелуя, Бак поднял руки к ее волосам. Нащупав концы шелковой ленты, он развязал бант и отбросил ленту в сторону. После чего, подержав мгновение тяжелую косу в ладонях, погрузил пальцы в золотистые волосы и начал водить ими вверх и вниз, пока коса не расплелась и волосы не рассыпались у Анники по плечам, накрыв их наподобие золотого плаща.

Оставив в покое кудри Бака, Анника, горя нетерпением дотронуться до него, убрать между ними все преграды, раздвинула края его расстегнутой куртки и ухватилась обеими руками за рубашку там, где та была заправлена в брюки. Вытащив ее из брюк, она поспешно сунула под нее руки, но тут же натолкнулась на еще одно препятствие в виде теплого мужского белья и застыла, расстроенная, стиснув в ладони трикотажную ткань.

Не отрывая от ее губ своих, Бак отпустил волосы Анники и попытался снять с нее пальто. Когда до нее дошло, что он пытается сделать, она на мгновение

высвободилась из его объятий и сбросила пальто на
пол.

Бак снял с себя куртку и легонько подтолкнул
Аннику назад к столу. И в этот момент потухла
стоявшая на каминной полке масляная лампа.

Анника расстегнула пуговицы на его брюках.

Он поднял кверху ее клетчатую ночную рубашку
и батистовую сорочку, которая была под ней. Когда
его пальцы коснулись ее обнаженных бедер, на лбу
у него выступил пот.

Расстегнув ему брюки, она занялась пуговицами
на его кальсонах, и спустя несколько мгновений в руке у нее оказался его пульсирующий член. Когда
она, повинуясь инстинкту, стиснула член в ладони,
по телу Бака прошла дрожь и он прижался лбом
к ее лбу.

— Я хочу тебя, Бак, — прошептала она. — Я хочу
узнать, что такое любовь.

Ее слова донеслись до него словно откуда-то издали, и он тряхнул головой, надеясь таким образом
избавиться от наваждения. Несомненно, все это ему
только почудилось, что было неудивительно, поскольку страсть к ней, не находя выхода, сжигала его,
лишала сил и разума.

Не могла она такого сказать. Не могла.

Это была Анника Сторм, женщина, которую он
похитил и которая еще совсем недавно жгуче его
ненавидела.

И она покинет его, как только очистится путь
через перевал.

Ее пальцы продолжали ласкать его член. Понимала ли она, что делает с ним? Догадывалась ли
хотя бы об этом?

Порадовавшись про себя тому, что сон у Бейби
был неизменно крепким, он отбросил ногой в сторону
мешавший ему стул и, обхватив Аннику за ягодицы,

посадил на стол. И прижался членом к раю меж ее бедер.

Ощущение было столь сильным, что он едва не потерял голову. Но тут в его затуманенном мозгу вспыхнула вдруг одна мысль, и он, наклонившись, прошептал у самых губ Анники:

— Ничего не выйдет.

— Тогда давай ляжем.

— Я имею в виду нас, то, что у нас с тобой. Из этого ничего не выйдет.

Она закрыла ему рот поцелуем и привлекла к себе. Его теперь уже полностью вставший член коснулся внутренней поверхности ее бедра. Забыв о всяком смущении и осторожности, она откинулась назад и легла на стол.

В следующее мгновение она открыла глаза и посмотрела на него. Лицо Бака было как открытая книга, и она видела, что нерешительность борется в нем с желанием, не менее сильным, чем ее собственное. Анника знала, что умрет от унижения, если он отвернется от нее сейчас, когда она столь откровенно ему себя предложила.

Она протянула к нему руки, стремясь заключить его в объятия.

Он дотронулся до края ее ночной рубашки.

Анника затаила дыхание.

Стиснув ткань в руке, Бак начал медленно поднимать рубашку и сорочку под ней. Постепенно взору его открывались все новые участки золотистой как мед кожи, на которой играли отблески пламени. Сняв с Анники рубашку и сорочку, он бросил их на пол. Потом, все еще стоя меж ее бедер, наклонился и поцеловал впадинку у нее в низу живота. Прижавшись лицом к нежной коже Анники, он начал покусывать и целовать ее, пока она не стала извиваться под ним, шепча его имя.

Внезапно она почувствовала на своей коже его горячий язык, и все ее тело словно воспламенилось. Медленно, сладострастно язык Бака продвигался кверху. Сжав в ладонях ее набухшие груди, он принялся гладить большими пальцами соски, пока они не стали напоминать раскрывшиеся бутоны, жаждущие прикосновения его губ.

Анника стиснула его плечи, впившись ногтями в кожу, и прильнула к нему в попытке совладать со своими словно сорвавшимися с цепи чувствами. Если Бак и почувствовал боль от ее впившихся ему в тело ногтей, то ничем этого не показал. Медленно он склонился над ней и лизнул сначала один пульсирующий сосок, затем другой. После чего забрал один сосок в рот и, нежно потянув его зубами, начал сосать, пока из груди его не вырвался мучительный стон.

Обхватив его бедра ногами, она стала извиваться.

Бак понял, что больше ждать не может.

Он положил ей ладони на бедра, поднял ее и, нащупав вход в жаркие глубины, начал медленно, неуклонно входить в нее.

Почувствовав его внутри себя, Анника едва не задохнулась от изумления — настолько непривычным было ощущение чьего-то присутствия там, где еще никто не бывал. Ей вдруг стало ясно, что отныне она принадлежит не только себе самой, но и ему тоже. Благодаря слиянию их тел они стали теперь одним существом, и она всегда будет думать о них, как о связанных навечно одной нитью, что бы ни случилось с ними в будущем.

Он погружался в нее постепенно, неспешно, давая ей время раскрыться и принять его в себя. Дыхание вырывалось сейчас со свистом у него из груди, и каждый вздох совпадал с ее вздохом, как совпадал стук их колотящихся в бешеном ритме сердец.

Достигнув препятствия, свидетельствующего о ее

невинности, он остановился. Она приподняла бедра, побуждая его продолжать, и с ее губ сорвался тихий возглас:

— Пожалуйста, Бак, не останавливайся. Пожалуйста, дай мне больше.

Боясь, что ее слова лишат его остатков самообладания и он окончательно потеряет голову, Бак закрыл ей рот поцелуем и попытался унять бешено колотящееся сердце.

Медленно он начал выходить из нее, чтобы затем войти вновь, тем самым облегчив себе задачу, но Анника, не поняв его намерения, тихо застонала и еще крепче прижала его к себе.

Он вскрикнул — низкий протяжный стон вырвался, казалось, из самых недр его существа — и погрузился в нее. Она едва не задохнулась от внезапно пронзившей ее острой боли, но не издала ни звука. Уткнувшись лицом ему в шею, она коснулась губами его кожи, на которой выступили капельки пота, и начала двигаться вместе с ним.

Край стола врезался ей в спину, но она этого не замечала, испытывая с каждым мгновением все большее наслаждение, к которому примешивалась легкая боль от потери ею девственности.

Стол ритмично качался, и внезапно стоявшая на краю чашка со звоном упала на пол. Движения Бака участились. Член его вскоре погрузился в нее полностью, и, обхватив Бака ногами, Анника яростно задвигала бедрами. Окружающий мир уже давно перестал для нее существовать, и она думала сейчас лишь о том, чтобы Бак не прекращал движения, возносящего ее к вершинам блаженства. Охваченная безумной страстью, она изо всех сил прижималась к нему, беспрестанно выкрикивая его имя.

Он вновь вошел в нее, и из груди его вырвался хриплый стон. Она почувствовала, как в нее жаркой струей извергается его семя, и в то же мгновение страсть ее достигла апогея. Ее бросило в жар, затем в холод, и ей показалось, что она рассыпается на тысячи сверкающих кусочков.

Когда дыхание у них обоих немного успокоилось, Бак, все еще не выходя из нее, слегка приподнялся на локтях и, прижавшись лбом к ее лбу, нежно, почти что благоговейно поцеловал ее.

Погрузив пальцы в его густые кудри, на которых играли отблески пламени, она провела по ним рукой. Ей хотелось, чтобы это никогда не кончалось и они так и лежали бы молча в объятиях друг друга, связанные воедино волшебным образом, как только могут быть связаны мужчина и женщина.

Она еще не встречала никого, кто бы так нуждался в любви, как Бак Скотт. Ей с трудом верилось, что кто-либо в мире может жить без любви. Сама она никогда не испытывала в ней недостатка. Ее любили родители, Кейс, Рут и Ричард. Подобно принцессе, не замечающей окружающего ее с детства богатства, она воспринимала любовь близких как нечто данное, словно та принадлежала ей по праву рождения. Она лежала неподвижно под Баком, наслаждаясь этим мгновением покоя, дававшим ей возможность собраться с мыслями, поскольку не могла не задаваться вопросом, каким будет его отношение к ней теперь, когда они оба позволили наконец своей столь долго сдерживаемой страсти вырваться наружу.

Ей не пришлось гадать долго.

Медленно он вышел из нее и встал, после чего помог подняться ей. Все еще находясь под впечатлением того, что произошло между ними, Анника положила голову ему на плечо и обняла за талию. И почувствовала на голове его руку, медленно, нежно гладящую ее по волосам.

Баку не хотелось выпускать ее из объятий. Он

боялся, что это будет означать начало конца. Когда наступит утро, она, вне всякого сомнения, пожалеет о своем порыве и возненавидит его, почувствовав отвращение к тому, что совершила. Но эта минута еще не наступила, и, держа ее в объятиях, он старался не думать о мире, существующем за дверью хижины, не думать о ее брате, который теперь уж несомненно его убьет.

Проснувшись, Анника почувствовала на своей груди тяжелую мускулистую руку Бака. Он лежал лицом вниз между ней и Баттонз и спал как убитый. Слегка приподняв голову и убедившись, что Баттонз тоже крепко спит, она с облегчением вздохнула. Затем осторожно приподняла руку Бака и выскользнула из постели, решив сварить кофе.

По всему полу была разбросана их с Баком одежда, и она принялась подбирать ее, встряхивая и аккуратно складывая каждую вещь. Вскоре она наткнулась на свое новое пальто и, накинув его поверх ночной рубашки, потерлась щекой о пушистый мех изнанки. Натянув носки и обувшись, она решила, пока Бак спит, сбегать в уборную. Перед тем, как выйти, она развела огонь и, наполнив чайник водой, подвесила его кипятиться.

Боясь, как бы дверь не скрипнула и не разбудила спящих, она лишь слегка приоткрыла ее и быстро выскользнула на улицу в холодный рассвет. При каждом выдохе изо рта у нее вырывалось облачко пара, но Анника не замечала холода, мысленно переживая вновь события прошлой ночи. Шагая по скрипящему у нее под ногами утрамбованному снегу, она опять и опять спрашивала себя, что ей сказать Баку, когда он проснется. Она не могла объяснить своего поступка. Ей было совершенно непонятно, как могло что-то столь невинное, как поцелуй, привести к такому взрыву страсти.

Она прижала ладони к пылающим щекам и остановилась, устремив взгляд на долину Блу-Крик. Голова ее была полна радужных планов. Когда перевал очистится от снега, они сойдут вниз и объявят всем, что намерены пожениться. Бак найдет работу или на ранчо у Кейса, или где-нибудь в Шайенне. Ей не терпелось накупить ему и Баттонз новой одежды, одеть их по самой последней моде и отвезти в Бостон, чтобы познакомить с Калебом, Аналисой и Рут.

Неожиданно ей на ум пришла еще одна мысль. Надо не забыть спросить у Бака, когда у него день рождения, чтобы сказать тете... Хотя, разумеется, это ничего не изменит. Что бы там ни говорили звезды, она была полна решимости любить Бака Скотта всю свою оставшуюся жизнь.

Она обхватила себя за плечи и медленно повернулась кругом, не отрывая взгляда от неба. Воздух был свежим, бодрящим и насыщенным запахом сосен, и она упивалась им, дыша полной грудью. Никогда еще она не радовалась так жизни, как в эту минуту. Прошлой ночью Бак коренным образом изменил ее жизнь. Она стала женщиной, и отныне жизнь ее потечет совершенно по другому руслу.

Она возвращалась назад, когда из-за угла навстречу ей вылетел Бак. На нем не было ничего, кроме кальсон, куртки и мокасин. При виде ее он замедлил шаг, провел рукой по волосам и остановился. Он смотрел на нее так, словно не ожидал ее здесь встретить, и сейчас, когда эта встреча все же состоялась, явно не знал, что ей сказать.

— Доброе утро, — весело проговорила она. — Ты спал так крепко, что я решила тебя не будить.

Бак перевел дух и приказал себе прекратить вести себя как дурак. Проснувшись и не увидев Анники, он запаниковал, уверенный, что она сбежала. Сейчас же, когда они оказались лицом к лицу и он понял, что она довольна им, собой и миром вокруг, ему было не вполне ясно, каких слов она от него ожидает.

Он продолжал хранить молчание, оставаясь настороже. Анника подошла к нему вплотную и взяла за руки.

— Бак?

На ее лице появилось выражение беспокойства, но, хотя это его и расстроило, ему не хотелось делать первый шаг. Он стоял, глядя на нее все так же не отрываясь, и молчал.

— Бак, ты жалеешь о том, что произошло прошлой ночью?

— А что? Ты-то сама как, жалеешь об этом?

Лицо Анники мгновенно просияло.

— Наоборот.

Она стиснула ему руки.

Он опустил взгляд вниз на ее длинные изящные пальчики и нежно погладил тыльную поверхность нежной ладошки большим пальцем.

— Я этого не хотел.

— Я тоже. Но ведь это случилось. — Коснувшись пальцами его подбородка, она заставила Бака поднять голову. Их взгляды встретились. — Все было просто чудесно.

— Ты была девственницей, — проговорил он ровным голосом.

Анника нахмурилась.

— А ты думал, что это не так?

— Черт побери, я понял, что ты невинна, в первую же секунду, как увидел тебя.

— И что же из этого следует?

— А то, что теперь твой брат уж точно меня прикончит.

Анника рассмеялась и покачала головой.

— Не думаю. Мы все ему объясним, когда спустимся в долину.

Бак вырвал руки из сжимавших их пальчиков.

— Когда *мы* спустимся в долину? Что ты хочешь этим сказать?

Она пожала плечами.

— Ну, я думала, что...— На ее лице появилось смущенное выражение.

— Ты думала что?

— Я думала, что после прошлой ночи ты... естественно и я...— Явно сгорая от стыда, она отошла к нависшей над рекой небольшой скале. Бак последовал за ней.

Положив руки ей на плечи, он заставил ее повернуться к нему лицом.

— Послушай меня, Анника. То, что произошло между нами прошлой ночью, было случайностью. Я не хочу сказать, что не испытал наслаждения в твоих объятиях, но было бы лучше, если бы этого вообще никогда не случилось. Мы принадлежим с тобой к разным мирам. Я, черт побери, знаю о твоей жизни так мало, что по мне ты с таким же успехом могла быть и из Китая.

На глаза у Анники навернулись слезы.

— Но ты мне нравишься, Бак.

— Настолько, что ты готова выйти за меня замуж и прожить здесь со мной всю жизнь?

Его вопрос лишил ее на мгновение дара речи. Разумеется, она выйдет за него замуж, но прожить в этом медвежьем углу всю жизнь?..

— Я так и думал. — Резко повернувшись, он быстро зашагал в сторону уборной.

— Бак, подожди!

Анника бросилась за ним, поскользнулась, едва не упала, но шага не замедлила. Добежав до него, она схватила его за рукав и заставила остановиться. Сильно запыхавшись, она тяжело дышала, не в силах произнести ни слова.

Он заговорил прежде, чем она отдышалась.

— Послушай, я не знаю, почему ты так повела себя прошлой ночью. Может, тебе всегда хотелось узнать, что это такое, но до сих пор в твоем распоряжении были одни лишь городские мальчики, слишком благовоспитанные, чтобы отважиться на подобный риск...

— Замолчи! — крикнула она, сознавая в глубине души, что он не так уж далек от истины.

— Я знаю, ты здесь не останешься. Скорее коровы научатся летать. Так что не успеет на перевале растаять снег, как ты пулей помчишься вниз.

— Бак, послушай...

— Давай будем честными друг с другом и перестанем искать в прошедшей ночи то, чего в ней не было. Я нуждался в этом. Ты этого хотела. Мы оба на мгновение расслабились, только и всего. Не так ли?

— Ублюдок! — Она ударила его по щеке. Удар был сильным, и ее ладонь отпечаталась ярким пятном.

— Меня называли еще и не так.

Из глаз у нее брызнули слезы.

— Ты считаешь меня вертихвосткой? Думаешь, я сделала бы это с любым? — Ее всю трясло.

— Тогда почему со мной?

Ненавидя себя за то, что не может сдержать слез, она вытерла лицо рукавом.

— Что?

— Почему ты отдала свою девственность такому, как я, хотя могла иметь любого?

— Да потому что я люблю тебя! — Похоже, она была шокирована не меньше Бака невольно вырвавшимся у нее признанием и, словно оправдываясь, быстро заговорила: — Прошлой ночью, до того... до того, как все это случилось, я хотела... хотела лишь поцеловать тебя... убедиться, могу ли я вообще что-нибудь почувствовать...

— Выходит, это был эксперимент? Интересно, как целуются ковбои? Ты это хотела узнать? Чтобы было что рассказать своим приятелям из общества по возвращении домой? Да?

Господи, ну и в переплет она попала! Нужно попытаться объяснить все Баку, рассказать ему, о чем она думала, чтобы он наконец понял, почему так все получилось. И начать следует с самого начала. Нервно сплетая и расплетая пальцы, она сказала:

— Я была помолвлена до отъезда из Бостона...

Бак прервал ее на полуслове:

— Хорошенькое дело! Выходит, охотиться за мной будет не только брат, но и жених!

Анника невольно улыбнулась, представив на миг эту невероятную картину: Ричард Текстон нападает на Бака Скотта. Такое могло привидеться только в горячечном бреду.

— Я сказала, что *была* помолвлена. Я разорвала нашу помолвку, так как чувствовала, что люблю Ричарда недостаточно страстно... и сейчас мне ясно, я поступила правильно. Никогда я не испытывала к Ричарду того, что почувствовала, когда ты поцеловал меня прошлой ночью. Это было столь потрясающе, что я, полагаю, просто потеряла голову.

Бак вспомнил, как она почти что сорвала с него одежду, как лежала потом на столе, освещенная пламенем, полыхавшим в камине, и кивнул.

— Да, голову ты уж точно потеряла.

Анника мгновенно возмутилась.

— И не только я!

Возмущенный возглас Анники не пробудил в душе Бака никакой надежды. Понимая, что она все равно покинет его, что бы он сейчас ни сказал, он все же попытался еще раз объяснить ей положение вещей.

— Послушай, Анника. Я охотник и траппер. Так уж вышло, хотя я и не стремился к этому. Тогда как ты леди, богатая леди из Бостона, и тебе здесь не место. Ты здесь чужая, как я всегда буду чужим там.

— Но, Бак, ты способен добиться большего в своей жизни.

Он весь напрягся.

— А что плохого в том, чем я занимаюсь сейчас?

— Но ты можешь так много дать...

Он почесал голову.

— Что? Этот мой роскошный дворец? Ребенка, которого надо еще как-то вырастить? Возможное сумасшествие?

— Не смей так говорить! Никакой ты не сумасшедший.

— Временами я сильно в этом сомневаюсь,— пробормотал он.

— Черт бы тебя побрал, Бак!

— Ты еще многого не знаешь обо мне, Анника. Очень многого, но я не собираюсь стоять здесь в одних подштанниках, рискуя отморозить задницу, и спорить с тобой. Я иду в уборную, а потом мне хочется выпить чашку кофе.

— Но мы с тобой еще ничего не решили.

— Все и так ясно.

Он направился к покосившемуся строению за сараем.

Она последовала за ним.

Открыв дверь уборной, Бак обернулся.

— Желаешь войти, или все же дашь мне хотя бы минуту покоя?

— Черт тебя побери, Бак Скотт!

Повернувшись к ней спиной, он вошел внутрь и захлопнул дверь.

## ГЛАВА 16

Приняв решение не обращать на Бака внимания, Анника занялась обычными делами по дому. Первым делом, однако, она сделала очередную запись в своем дневнике, хотя у нее и не хватило духу описать все, что произошло между ними прошлой ночью. Бак тем временем приготовил завтрак. После того, как они все поели, она вымыла посуду и стала ждать, когда Бак отправится на охоту. Но сегодня он явно не торопился уходить. Он бродил по комнате взад и вперед, пил кофе, играл с Бейби, и все это время взгляд его неустанно следовал за Анникой.

Они не разговаривали друг с другом, ограничиваясь односложными фразами, если в том возникала необходимость.

Бейби, вновь потребовав, чтобы они назвали ее Баттонз, заявила, что хочет надеть свое новое атласное платье. Анника делала вид, что не прислушивается к их разговору.

Бак, импровизируя, назвал племянницу Бейби-Баттонз, добавив, что такая большая девочка, да еще с новым именем, заслуживает отдельной кровати, которую он тут же и примется для нее делать. Пока он сколачивал во дворе кровать. Анника приняла ванну и выкупала затем и Бейби. Они обе сидели перед камином в чистых платьях и сушили волосы, когда дверь наконец распахнулась и Бак внес в комнату новую кровать.

— Где ты хочешь, чтобы я ее поставил?

Анника подняла на него удивленно глаза, решив, что он спрашивает ее мнения, словно она была хозяйкой дома. В следующее мгновение, однако, до нее дошло, что он обращается не к ней, а к Бейби.

Вскочив на ноги, девочка подбежала к задней стене, где стоял ее ящик с игрушками, и ткнула пальцем. Бак опустил кровать на пол.

Анника не сводила с него глаз. Уж не рассчитывает ли он, мелькнуло у нее в голове, что отныне она будет спать с ним в его постели? Не поэтому ли он и сделал кровать для Бейби?

— Подумай еще раз, Бак Скотт, — высказала она вслух свои сомнения.

— Что?

Мгновенно смутившись, она опустила голову, так что ее длинные волосы свесились вниз, закрыв ей лицо, и вновь взялась за щетку.

— Ничего, я просто размышляла вслух.

— О чем?

Она продолжала расчесывать волосы, не поднимая головы, хотя и почувствовала, что он стоит прямо позади нее.

— О том, что не стану спать с тобой, хотя ты так ловко освободил место на своей постели, сколотив ребенку отдельную кровать.

— Насколько мне помнится, несколько недель назад ты сама сказала, что у Бейби должна быть собственная кровать.

— Тогда почему ты сделал ее только сейчас? — Она встала и откинула волосы с лица. Бак стоял к ней ближе, чем она предполагала.

— Почему бы и нет?

— Не строй только себе никаких планов.

— Не волнуйся. Это ты строишь у нас планы, вроде того, как я буду жить в долине, занимаясь работой, которая мне и на дух не нужна. Вероятно, ты подумала уже о том, как бы приодеть меня, не так ли?

Анника промолчала. Да и что она могла сказать? Он был прав.

— Ха! Я так и знал.

Бак налил себе еще кофе, сел за стол и вновь уставился на нее.

Анника, стараясь не обращать на него внимания, убрала щетку и принялась искать, из чего бы сделать постель для Бейби-Баттонз. Когда, наконец, постель была готова, у нее не осталось больше сил выдерживать его пристальный взгляд, следовавший, казалось, за каждым ее движением.

— Ты так и собираешься сидеть здесь и сверлить меня глазами, словно я вызываю у тебя жгучую ненависть?

— С чего ты это взяла? Я, кажется, никому не мешаю. Сижу здесь себе тихо и пью кофе. Или мои привычки тоже относятся к тому, что тебе хотелось бы во мне изменить?

Анника шагнула к столу и, выдвинув с грохотом стул, села напротив Бака.

— Прости,— сказала она, глядя ему в глаза.— Я искренне прошу у тебя прощения. Забудь все, что я говорила о твоем переселении в город, ладно?

— Означают ли твои слова, что ты хочешь остаться здесь?

На глаза у нее навернулись слезы. Почему все происходит так быстро? Ей хотелось сказать ему «да», но как сможет она жить без городского шума и суеты, без своей семьи? Как сможет выдержать жизнь в этой глухомани, полностью отрезанная от цивилизации?

— Не знаю.

Бак допил кофе и поставил чашку на стол.

— По крайней мере, ты откровенна. Я с самого начала знал, что ты уедешь отсюда, как только перевал очистится от снега.

— Но я не хочу уезжать без тебя.— Она прямо впилась в него глазами, словно вопреки всему надеялась прочесть на его лице то, что дало бы ей хоть какую-то надежду.

— А я не хочу покидать свой дом. Ну и в каком положении мы с тобой оказываемся в результате?

— Думаю, в том же, в каком находились, когда ты снял меня с поезда.

Но она понимала, что это было не так. Они не могли изменить того, что произошло между ними прошлой ночью, и ей никогда не забыть, какой восторг она испытала в его объятиях. Все это казалось таким правильным в тот момент, таким чудесным, что ей была невыносима сама мысль о том, чтобы провести без него всю свою оставшуюся жизнь.

Бак не мог оторвать глаз от ее лица, на котором ясно отражались проносящиеся у нее в голове мысли. Он понимал, что она потерпит поражение в том сражении, какое вела сейчас сама с собой. Что же до него, то он был тверд в своем решении и не изменит его, какую бы боль это ему ни причинило. В его жизни никогда больше не будет женщины, подобной Аннике Сторм — это было бы видно и слепому,— но даже ради того, чтобы остаться с ней, он не станет жить в городе, вызывая насмешки как невежественный мужлан и охотник на бизонов. Он сталкивался с этим все те годы, что отец таскал их всех за собой с места на место, и будь он проклят, если добровольно согласится на такое сейчас, когда у него был выбор.

Если Анника любит его по-настоящему, она останется с ним здесь, приняв таким, каков он есть. Место женщины было рядом с ее мужчиной. Так повелось еще с незапамятных времен. Она, черт побери, вполне может быть счастлива, живя здесь с ним и наезжая в город раз или два в год, чтобы сделать покупки, но он никогда не станет там жить.

Никогда.

Не в силах долее смотреть в небесно-голубые глаза, в которых застыло выражение уныния, Бак поднялся. Взгляд Анники последовал за ним к двери. На пороге он обернулся.

— Я с тобой полностью согласен. Ситуация не изменилась и не изменится, если только кто-нибудь из нас не передумает. Но могу сказать тебе прямо сейчас, что это буду не я.

Схватив куртку, он вышел.

Анника уронила голову на руки и разрыдалась.

— Я отморожу себе яйца, — проворчал Дентон Мэттьюз, пробираясь через сугробы к горевшему день и ночь костру, который они разложили чуть ниже того места, где начинались деревья.

— Этот способ делать деньги будет получше всех твоих дурацких авантюр вместе взятых.

Вердж Клеммене выпустил коричневую от табака, тягучую слюну туда, где на снегу уже темнело большое пятно.

— Заткнитесь вы, оба. Я скоро чокнусь, слушая вашу постоянную перебранку.

Клиффу Вайли уже до чертиков надоели эти два вечно ругающихся друг с другом придурка, как и снег, мороз и продуваемая ветром палатка, в которой они жили вот уже почти три недели.

— Сколько нам еще здесь торчать, Клифф, как ты думаешь? А? Сил моих больше нет, — заныл здоровяк Дентон. — Я уже изголодался по приличной еде.

— Надо было привязать тебя к дереву, да и оставить так на всю зиму. Тогда бы ты уж точно не изголодался, — пробормотал сквозь зубы Вердж.

— Я сказал вам, заткнитесь, — с угрозой в голосе произнес Клифф.

— Черт. — Расстроенный Дентон вытащил из кармана кусок вяленого мяса и вонзил в него зубы в явной попытке утешиться.

— Еще пара таких же теплых дней, как сегодня, — продолжал Клифф, — и мы сможем пробраться через перевал.

— Может, начнем рыть проход прямо сейчас? — предложил Вердж.

На лице Дентона появилось испуганное выражение. С набитым ртом он пробормотал что-то вроде:

— Лавина.

Клифф поднял глаза на гору.

— Снег лежит слишком плотно. Ветер припечатал его к горе, превратив в настоящий камень, так что проход мы прорыть не сможем.

— Какой сегодня день? — спросил Дентон, отрывая зубами от мяса здоровенный кусок. — Я совсем сбился со счета.

— Конец марта, — ответил Клифф.

Вердж, которому никогда не изменял оптимизм, вскочил на ноги и, вытянув вперед руку, радостно воскликнул:

— Глядите-ка. Видите вон тот выступ сбоку? Вы помните, чтобы он был там вчера? Я — нет. Бьюсь об заклад, очень скоро мы проснемся утром и, как Моисей по Красному морю, пройдем через этот перевал, отыщем девчонку и заработаем кучу денег, которых нам всем хватит до конца жизни.


— Мы устроим с тобой чудесный пикник, Баттонз, вот увидишь.

Завязав узлом кухонное полотенце, в которое она сложила еду, Анника обвела взглядом комнату, проверяя, не забыли ли они чего.

— Как ты считаешь, нам что-нибудь еще понадобится? — спросила она Бейби, не ожидая, впрочем, ответа. В последнее время она привыкла разговаривать преимущественно с Баттонз, поскольку Бак почти постоянно отсутствовал. После их разговора прошла уже неделя, и все это время он старался держаться от нее как можно дальше.

— Жаль, что я не умею делать *koekjes*, как моя мама. Это такое печенье. Ты ела когда-нибудь печенье? — Анника посмотрела вниз на Баттонз, которая стояла возле стола и внимательно ее слушала. Она была уже одета и готова тронуться в путь.

— Печенье? — повторила она, не сводя с Анники глаз.

Анника вздохнула. Она все еще пребывала в нерешительности, не зная, как поступить, и мысли ее вновь и вновь обращались к дилемме, перед которой она стояла. Ей хотелось быть с Баком, хотелось дать Бейби-Баттонз все то, что должно быть у каждого ребенка — любовь, хороший дом и другие преимущества, какие были у нее самой, когда она росла. Но она не могла остаться на всю жизнь в этом забытом Богом уголке. Как не могла и забрать с собой Баттонз. Место Бейби было рядом с Баком. Он любил девочку и был для нее единственной семьей, какую та знала. Но, глядя сейчас на Бейби, которая вдруг бросилась в дальний угол за своей жалкой деревянной куклой, она не могла не думать о том, как много сделала бы для ребенка ее собственная семья.

Анника легко могла представить, как отреагируют ее родители, если она явится в Бостон с Бейби и заявит им, что желает удочерить ребенка своего похитителя. Калеб, остающийся в любых обстоятельствах прежде всего юристом, примется задавать ей вопросы и не отстанет от нее до тех пор, пока у него не исчезнут последние сомнения в правильности ее решения, или пока он не убедит ее отказаться от этой мысли. Мама, наоборот, сначала все обдумает, посоветуется с Калебом и только потом сообщит ей свое мнение. Тетя Рут, разумеется, согласится со всем, что она скажет. Однако тут же займется изучением астрологических схем и таблиц, после чего примется советовать, как и когда ей следует приступить к осуществлению своих планов.

— Мы идем? — Бейби дернула Аннику за пальто.

— Да, сейчас. — Анника наклонилась и взяла девочку на руки. — Нельзя упускать такой чудесный день.

Подхватив узелок с едой, Анника направилась к двери. Не успела она, однако, дойти до нее, как дверь распахнулась и на пороге возник Бак. Окинув быстрым взглядом их одежду и узелок в руке у Анники, он похолодел, и у него противно засосало под ложечкой.

— Собрались куда-то?

От Анники не укрылось мелькнувшее в его глазах подозрение.

— На пикник. День сегодня такой чудесный.

— На пикник? Правда?

Анника видела, что Бак не верит ей. Неужели он и вправду полагает, что она собиралась сбежать вместе с ребенком, не сказав ему даже «до свидания», как вор?

— Хочешь пойти вместе с нами?

Он быстро проговорил, беря у нее ребенка:

— Она становится тяжелой. — Взгляд его упал на узелок в ее руке. — Ты хоть на минуту задумалась над тем, что подвергаешь себя опасности, отправляясь одна на этот свой пикник?

— День такой прекрасный... — начала было она,

но тут же умолкла, вспомнив вдруг, как Бейби едва
не утонула. — Я не собираюсь даже приближаться
к реке.

— Я думал не об этом. Неподалеку отсюда я видел
следы кошки.

Анника рассмеялась.

— Кошки?

— Пумы.

Она мгновенно посерьезнела.

— О!

— Вот именно, о!

Внезапно она сообразила, что у нее появился пред-
лог, которым можно было воспользоваться, чтобы
убедить Бака отправиться на пикник вместе с ними.

— В таком случае, как мне кажется, будет лучше,
если ты пойдешь вместе с нами. Еды я взяла с собой
более чем достаточно. По правде говоря, я задумала
эту прогулку, чтобы доесть лосятину, в надежде что
ты принесешь домой что-нибудь другое.

Он не придал значения тому, что она употребила
слово «домой». Вряд ли это было сделано ею со-
знательно.

— Что еще ты положила?

— Кукурузный хлеб.

Бак отошел в сторону, давая ей пройти, после чего
вошел в дом и крикнул через плечо:

— У меня есть вино.

— Вино? Где ты его прятал?

Сунув со смехом голову в комнату, Анника увидела, что он передвигает стоявшие в углу бочки и мешки. В следующее мгновение в руках у него появилась
высокая, янтарного цвета стеклянная бутылка с тор-
чащей из горлышка пробкой.

— Если бы я знала, что ты прячешь здесь вино, то
давно бы его выпила.

— Вот поэтому я и спрятал бутылку. Даже я слыхал, что благовоспитанные барышни в городе любят время от времени пропустить стаканчик.

Возможно, он лишь поддразнивал ее, но почему-то она сомневалась в этом.

— Я такая, какая есть, Бак, тут уж ничего не поделаешь.

— То же самое можно сказать и обо мне.

День был слишком прекрасен, чтобы опять затевать ссору, и, ничего не сказав на замечание Бака, Анника зашагала вперед. Вскоре они поднялись достаточно высоко по склону близлежащего холма, и взору их открылась раскинувшаяся внизу за хижиной долина.

Анника показала рукой на небольшую поляну между сосен, где снег уже слегка подтаял и обнажилась каменистая поверхность. Тающий снег стекал ручейками вниз, так что казалось, будто склон покрыт десятками сверкающих на солнце атласных лент. Высоко над их головами в верхушках деревьев шумел ветер. Ветер был теплым, по-настоящему весенним. Он предвещал скорее наступление хорошей погоды, но Аннике вдруг почудилось, будто она слышит в его шепоте грустные нотки прощальной песни. Она тряхнула головой, прогоняя мрачные мысли, и принялась раскладывать еду на плоском валуне, который был достаточно велик для того, чтобы сидеть на нем и одновременно использовать его в качестве стола.

Бак положил на землю ружье и поставил на полотенце в центре импровизированного стола бутылку с вином.

— Стаканы я не захватила, — сказала Анника.

— Мы можем по очереди пить из горлышка, если ты, конечно, не возражаешь.

Их взгляды встретились.

— Разумеется.

Вначале бутылки будут касаться его губы, затем
ее. При мысли об этом по спине Анники пробежал
холодок. Прошла целая неделя, сказала она себе.
Семь долгих дней. И каждую ночь у нее возникал
соблазн поддаться чувству, которое пробудил в ней
Бак Скотт. Когда огонь в камине догорал и Бейби-
Баттонз крепко засыпала в своей кроватке, Анника
готова была, отбросив всякий стыд, признаться Баку,
что он нужен ей, что она хочет, чтобы он вновь
занялся с ней любовью. Но она знала, что с наступлением
рассвета перед ними встанет все та же дилемма: должен
ли он покинуть горы или лучше ей остаться навсегда
в этом Богом забытом углу и стать женой ему и матерью
Бейби? Ответом на последнее было определенное «да»,
но, какой бы сильной ни была ее любовь к нему,
она была не готова вот так, одним махом, отказаться
от прежней жизни, избрав вместо нее прозябание в этом
безлюдном, далеком от цивилизации месте.

Растянувшись на нагретом солнцем камне, Бак
смотрел на плывущие по синему небу облака. Ему
хотелось забыть обо всем, выбросить из головы мысли, не дававшие ему последнее время покоя, и в полной мере насладиться моментом. Он был жив, над
головой у него сияло солнце и рядом сидела женщина,
которую он любил.

Он попытался взглянуть на себя с Анникой как бы
со стороны, глазами стороннего наблюдателя. Они
вдвоем расположились на большом плоском камне,
здесь же разложен их ленч и стоит бутылка вина,
кажущаяся еще более янтарной в лучах солнца. Анника сидит в одном костюме, подстелив под себя свое
новое пальто. Отвесно падающие на поляну лучи
солнца согрели воздух, и ей не холодно.

Бак бросил на нее взгляд украдкой и увидел, что
она сейчас лежит на камне на боку, спиной к нему,
и наблюдает за Бейби, собирающей камешки. Ее кос-

тюм от постоянной носки немного истрепался и был
сильно измят, а на подоле виднелись подпалины.
Насколько он мог судить, у нее изорвались даже
манжеты белой блузки, выглядывающие из-под рукавов облегающего жакета. А ее когда-то прекрасные и,
очевидно, весьма дорогие ботинки из козлиной кожи,
испытавшие на себе воздействие воды и грязи, были
безвозвратно испорчены.

Она бы, вероятно, сказала, если бы ее спросили об
этом, что вид у нее сейчас хуже некуда.

Он же, глядя на нее, подумал, что никогда еще она
не выглядела такой красивой, как в этот момент.

Машинально Анника провела пальцем по еле за-
метному шраму на виске. Бак был весьма горд своей
работой. Сняв швы, он тут же велел ей постоянно
втирать в ярко-красный рубец медвежье сало. И теперь на месте швов остались лишь крошечные от-
метинки.

Бейби побежала вокруг скалы. Анника, следя за
девочкой, повернулась, и их взгляды встретились.

Анника вновь дотронулась до шрама.

— Ты когда-нибудь думал о том, чтобы стать врачом?

Ее слова обожгли его как виски, выплеснутый на
открытую рану. Он весь напрягся, не желая ответить
грубостью на ее в сущности невинное замечание,
и ровным голосом произнес:

— Оставь это, Анника.

Она села, согнув ноги в коленях, и уткнулась в них
подбородком.

— Я серьезно. Мне вдруг пришло в голову, что из
тебя вышел бы замечательный врач, и я решила
узнать, думал ли ты сам когда-либо об этом.

— Нет,— соврал он.

— И, однако, у тебя несомненные способности
к врачеванию. Взгляни-ка на мой шрам.— Она отки-

нула назад выбившуюся из косы прядь, которая закрывала ей висок.

Ему не нужно было смотреть, чтобы убедиться, что рана хорошо зажила и шрам едва заметен. Он проверял его каждый день, украдкой глядя на ее висок, когда она не знала, что он на нее смотрит.

— Он почти не виден, — продолжала Анника. — Твои швы были столь совершенны... и когда я думаю, что ты вылечил Бейби, когда у нее был жар, и меня от боли в горле... Сколько, по-твоему, людей знают толк в лечебных травах?

— Множество.

— Может быть, но многие ли из них являются также и превосходными хирургами?

Опершись на локоть, Бак повернулся к Аннике лицом. Взволнованный ее близостью, он и так уже почти ничего не соображал, а теперь затеянный ею разговор о том, что из него мог бы получиться отличный врач, грозил окончательно лишить его рассудка.

— Что ты хочешь этим сказать?

Обрадованная его готовностью выслушать ее, Анника, удостоверившись, что Бейби играет неподалеку, продолжала:

— Бак, я еще не видела никого, кто бы умел оперировать так, как ты.

— Не сомневаюсь. Ты также никогда не видела и как освежевывают кролика, пока я тебе не показал. Так что тебе в сущности не с чем и сравнивать мое умение.

Она вздернула подбородок.

— Человек не так уж и отличается от других животных, если говорить о таких вещах, как печень, сердце и... — она сделала широкий взмах рукой, — и так далее. Ты уже знаешь, где найти эти органы у животных. Бьюсь об заклад, что ты не растеряешься, если попадешь в анатомический класс.

— Мы здесь уже довольно долго, и разреженный воздух тебе вреден. Давай-ка поедим и начнем собираться в обратный путь.

— Где ты научился так лечить?

— Передай мне хлеб. — Бак вытащил из бутылки пробку. За что только он любит, мелькнуло у него в голове, эту женщину, которая в сущности вызывает у него почти постоянное раздражение? Ответа на этот вопрос он не знал. — Бейби, иди кушать, — позвал он.

— Не Бейби! — ответила сердито девочка.

— Ладно. Баттонз, иди кушать.

— Бак, — продолжала настаивать на своем Анника. — Ты меня слушаешь или нет?

— Я пытаюсь не слушать, но мне это не удается, поскольку ты продолжаешь зудеть у меня над ухом.

— Ты раньше зашивал кому-нибудь раны, или моя была первой?

В раздражении он откусил кусок хлеба и тщательно его прожевал, прежде чем ответить.

— Конечно, я зашивал людей и раньше. Кто еще мог это сделать?

Охваченная возбуждением Анника отказалась от предложенного им хлеба, но взяла бутылку с вином и, поднеся ее ко рту, машинально сделала большой глоток.

Бак уставился на нее в изумлении. Вот это да! Ну и женщина!

— А как все было в те дни, когда ты охотился на бизонов?

— Было что?

— Тебе приходилось тогда кого-нибудь оперировать? Я имею в виду, кого-нибудь не из членов твоей семьи?

Мгновение поколебавшись, он ответил:

— Ну... в общем, да.

— Кого?

Бак пожал плечами.

— Не могу сказать точно.

— И почему это сделал ты, а не кто-то другой?

— Потому.

— Потому что это получалось у тебя лучше, ведь так?

Отец говорил всем вокруг то же самое, но он не собирался признаваться в этом Аннике.

— Я права? — Она явно ждала от него ответа.

— Идем, Анника.

— Откуда ты так много знаешь о травах, мазях и настоях, которые готовишь?

Как мог он объяснить ей, что он, похоже, всегда умел лечить людей? Он схватывал, казалось, все на лету. Его Ма была повитухой и выращивала лечебные травы везде, где бы они ни жили, поскольку жители гор всегда обращались к ней, если заболевали. Когда же его Па забрал их и они покинули свой дом, он еще многому научился, путешествуя по стране. Он собирал цветы и травы, в каких могла возникнуть нужда, и экспериментировал с незнакомыми образчиками. Он всегда заботился о них всех: о Па, Сисси и Пэтси. И упустил их всех троих.

— В этом нет ничего невозможного, — продолжала Анника давить на него.

Бак вздохнул. Вздох был тяжелым и глубоким. Неужели она никогда не успокоится?

Его вздох лучше всяких слов сказал Аннике, что она зашла слишком далеко, и он опять замкнулся в себе. Вспомнив об отце и его вечных расспросах, она пожалела, что вообще заговорила с Баком о возможном выборе им врачебной карьеры. В конце концов, чтобы стать врачом, ему потребуется учиться много месяцев, даже лет в университете или медицинском колледже. А для этого нужны деньги. К тому же кто-то должен будет заботиться о Бейби-Баттонз, пока он учится. И потом, ему тогда придется покинуть свою драгоценную долину.

Вне всякого сомнения, Бак Скотт ни от кого не примет милостыни. В особенности от нее. И она слишком хорошо его знала, чтобы понимать, что он не захочет уехать из Блу-Крик.

— Ты будешь есть или разговаривать? — Он посадил Баттонз себе на колени и протянул ей второй кусок хлеба с вяленым мясом.

— Я не хочу есть, — ответила Анника и вновь потянулась к бутылке.

— Поосторожнее с этим. Я не смогу нести вас двоих.

— За меня не беспокойся, — сказала она, чувствуя, как по всему телу разливается приятное тепло.

Бак протянул руку к бутылке со сливовой наливкой. Может, как следует выпив, он наконец сумеет забыть о своих старых, невозможных мечтах, которые она пробудила в его душе своими расспросами? Он окинул взглядом залитую солнцем поляну, ветви сосен и островки тающего снега, которые, казалось, отступали назад, в тень деревьев, прямо у него на глазах. Поднеся бутылку ко рту, он сделал большой глоток. Хорошо бы наливка помогла ему забыть о том, что Анника Сторм очень скоро его покинет, перестав терзать своими постоянными расспросами.

Как только солнце скрылось за горой, на поляне сразу же похолодало. Бак с Баттонз на руках начал спускаться по склону, и Анника, сложив остатки ленча, последовала за ними. К тому времени, когда они достигли хижины, Баттонз уже крепко спала на плече у Бака.

— Огонь погас, — сказала Анника, когда они вошли в темную холодную комнату. Она энергично потерла себя по плечам и пока решила не снимать пальто. Бак положил Бейби-Баттонз не раздевая на кровать и занялся камином.

Холодный дом казался нежилым. Пока Бак разжигал огонь, Анника засветила лампы. Вскоре воздух в комнате потеплел, и она сняла с себя пальто и повесила его на крючок рядом с курткой Бака.

— Хочешь есть?

— Я съел достаточно днем.

Анника убрала остатки хлеба в хлебницу и встряхнула полотенце, в котором остались крошки. Поскольку делать ей было больше нечего, она взяла свой дневник, чернильницу с пером и села за стол с намерением записать свои мысли.

Бак уселся за противоположным концом стола, вылил остатки наливки себе в кружку и откинулся на спинку стула, протянув ноги к огню. Взгляд его был прикован к Аннике, делающей записи в своем дневнике, и, хотя ему не было видно, что она пишет, он различал красивые аккуратные буквы, которые выводило ее перо на белой бумаге.

Неожиданно Анника подняла голову и увидела, что он пристально смотрит на нее поверх края кружки.

Встретившись с ней взглядом, он заметил:

— Перевал очистится от снега через пару дней.

У нее на глазах выступили слезы. Она тут же опустила голову и несколько раз яростно моргнула. Слезы упали на страницу и расплылись по аккуратно написанным строчкам. Не в силах смотреть ему в глаза, она обвела взглядом комнату: толстую деревянную доску над камином, на которой стояли жестяные банки и горшочки с травяными настоями и мазями, грязный пол под ней, метлу в углу. Она была готова смотреть куда угодно, но только не на него.

Бак видел, что она прилагает неимоверные усилия, стараясь не плакать, но слезы так и текут из глаз, не замечаемые ею, у нее по щекам. Вид ее страданий не доставлял ему ни малейшего удовольствия, поскольку у него самого еще никогда в жизни не было так тяжело на душе. Залпом он осушил кружку и со стуком поставил ее на стол.

Анника вздрогнула от неожиданного звука, прорезавшего царившую в комнате напряженную тишину, и отложила в сторону перо. Затем смахнула ресницами слезы, шмыгнула носом и наконец осмелилась поднять глаза на Бака.

— Я... я не... не хочу... тебя покидать, — проговорила она, запинаясь на каждом слове.

— Тогда оставайся.

Мгновение они молча смотрели друг на друга.

— Поедем домой со мной, — заговорила она первой.

Бак отодвинул стул и поднялся. Медленно подошел к камину, обхватил обеими руками висевшую над ним полку и прижался к ней лбом. Какой, подумал он, станет его жизнь, если ему опять придется жить в городе? Он чувствовал себя уютно только в двух местах — в холмах Кентукки и здесь, в долине Блу-Крик. Здесь ему не нужно было мириться с ограничениями и насмешками цивилизованного общества. Он понимал, что не сможет выдержать это снова.

— Я не могу, — ответил он ровным голосом.

Не в силах долее выдерживать напряжение, Анника рывком поднялась и подошла к нему сзади. Он весь напрягся, но даже не повернул головы. Она обняла его за талию и прижалась щекой к широкой спине. Фланелевая рубашка Бака была необычайно мягкой, и кожа под ней источала тепло. Анника ощущала каждый его вздох, слышала ровное, но учащенное биение его сердца. Удары ее сердца словно вторили этому биению, что напоминало постукивание метронома.

Анника начала раскачиваться из стороны в сторону, раскачиваться медленно, сладострастно, прислушиваясь к биению его сердца. Вот уже несколько недель она не слышала никакой музыки. Привыкнув посещать камерный концерт или суаре по крайней мере раз в неделю, она вдруг с удивлением подумала, что музыка всегда была неотъемлемой частью ее жизни. Интересно, танцевал ли Бак когда-нибудь? Согласится ли он станцевать с ней сейчас?

— Бак, потанцуй со мной, — прошептала она у его широкой спины.

Он отвернулся от огня и обнял ее за плечи. Они двигались в такт с ударами своих сердец, вынужденные ограничиваться, из-за тесноты, небольшими, скользящими па, которые вскоре сменились медленным покачиванием. Через какое-то время, словно действительно танцевали под музыку, которая вдруг смолкла, они остановились. Анника откинулась слегка назад, на обнимавшую ее за талию руку Бака, и окинула взглядом его волосы, глаза, губы.

— Люби меня сегодня ночью, Бак. Люби меня еще раз, прежде чем я уеду.

Бак впился ей в рот поцелуем, и его язык скользнул между ее губ. Анника застонала и обхватила его руками за шею. Ей хотелось поглотить его, впитать целиком в себя, чтобы в конце от них обоих осталось лишь одно всеохватывающее пламя.

Бак прижался к ее груди почти что с яростью, не в силах оторвать от нее своих рук сейчас, когда она опять оказалась в его объятиях. Они поменялись ролями, и если вначале она была его пленницей, то теперь пленником стал он сам. Она привязала его к себе тысячами нитей, околдовав вначале своей лучезарной улыбкой и добротой, а потом и своим прекрасным телом. Он не мог и помыслить о том, чтобы позволить ей уйти из его жизни, но не мог и удержи

вать ее подле себя против воли. Он знал достаточно
о том, как приручать диких животных, чтобы понимать, что насильно их к себе не привяжешь. Порой
ты должен был отпускать их, чтобы сильнее привязать к себе.

Анника прижималась к нему всем телом, и он не
отрывал своих губ от ее рта. Она запустила ему пальцы
в волосы и тут же решила, что ей очень нравятся его
буйные, непослушные кудри, его широкие плечи и тугие мышцы на плечах и шее. Стоя сейчас в кольце его
рук, она вдруг с необычайной ясностью поняла, что
никогда она не сможет полюбить другого мужчину так,
как Бака Скотта. И если ей суждено было прожить
свою жизнь старой девой, как тетя Рут, то она хотела,
по крайней мере, запомнить эту ночь и поклялась самой
себе никогда о том не жалеть впоследствии.

Она оторвала от его губ свои и шепнула:

— Люби меня, Бак.

Ее просьбы, к ее несказанному облегчению, было
достаточно, чтобы он отбросил последние сомнения и,
подхватив ее на руки, отнес на кровать.

— На этот раз, — сказал он у самых ее губ, — мы
сделаем все как следует. Никаких столов.

— А как же Баттонз?

— Она, как все шотландцы, спит всегда как убитая. Она же не проснулась прошлой ночью, ведь так?

— Да, но...

Видя, что она колеблется, Бак подошел к столу,
взял два стула и, поставив их возле кроватки Бейби,
накинул на спинки одеяло. Теперь если она и проснется, то не увидит Бака с Анникой, пока не вылезет
из кровати.

— Так лучше?

Анника кивнула.

Бак вернулся к кровати и начал расстегивать
брюки.

— Ты снимаешь брюки?

— Так принято. Раздевайся, или в следующую минуту я сорву с тебя одежду и ты не сможешь покинуть меня, пока ее не починишь — а на это могут уйти годы.

На глазах Анники, начавшей дрожащими пальцами расстегивать пуговицы на жакете, выступили слезы.

— Не говори об этом, Бак. Пожалуйста, не напоминай мне. Я не могу остаться, а ты не хочешь уехать со мной.

Сняв рубашку, он отбросил ее в сторону. Вслед за ней на пол полетели брюки. Он сел на кровать и, обняв одной рукой Аннику за плечи, протянул другую к застежке на ее юбке. Губы его приблизились к ее рту:

— Заткнись, Анника.

# ГЛАВА 17

Боясь, как бы он и в самом деле не исполнил своей угрозы, Анника быстро разделась. Однако она так и не смогла заставить себя снять нижнюю рубашку у него на глазах. Оставшись в одних кальсонах, Бак опустился перед ней на колени и начал расстегивать пуговки на ее ботинках. Покончив с этим, он стащил с ее ног кружевные подвязки и чулки.

Анника ожидала, что сейчас он поднимется с колен и заключит ее в объятия. Однако он начал массировать ей ступни ног. Анника закрыла глаза и, опершись на локти, откинулась назад, наслаждаясь медленно разливающимся по телу теплом. Размяв ей одну ногу, он взял в руки другую и принялся проделывать с ней то же самое. Анника издала вздох удовольствия, чувствуя, что замурлыкала бы сейчас, если бы была кошкой.

Отпустив вторую ее ногу, Бак взял Аннику за руку и заставил сесть.

Все еще стоя перед ней на коленях, он прошептал, уткнувшись ей лицом в плечо:

— Ты так прекрасна.

Обняв его за шею, Анника привлекла его к себе. Теперь, когда напряжение, в каком она находилась все это время, спало, сжигавшее ее страстное желание утратило свою остроту. Ей было вполне достаточно сидеть рядом с ним, обнимая его за шею, так как она знала, что сегодня ночью она вновь будет принадлежать ему. Бак, судя по всему, чувствовал то же самое. Она могла сказать это по тому, как он держал ее сейчас, словно она была хрупким цветком из снега, который мог рассыпаться от первого же дуновения ветра.

Однако его руки и губы оставались неподвижными недолго. Вскоре он уже водил носом по ее горлу, целовал в подбородок, ласкал языком ухо.

Забыв обо всем на свете, Анника застонала от наслаждения.

Бак вновь впился в ее губы долгим страстным поцелуем, продолжая в то же время ласкать ее спину, бока, грудь. Он накрыл ладонями обе ее груди и принялся большими пальцами тереть ей соски, пока они не встали, натянув тонкую ткань рубашки. Анника прижалась к нему, молча требуя большего.

Рывком он снял с нее рубашку и, склонившись, стал сосать по очереди ее соски, пока она не начала кричать от сжигавшего ее безумного желания.

Улыбаясь, Бак поднялся и, сбросив одеяла и шкуры, нежно опустил ее на кровать. После чего, быстро раздевшись, присоединился к ней. Смутившись при виде его нагого тела, она отвернулась.

— В наготе нет ничего плохого, Анника.

Она уткнулась лицом ему в плечо.

— Ты когда-нибудь до меня видела нагого мужчину? — Он хотел это знать, как хотел знать о ней все, чтобы было о чем вспоминать, когда она его покинет.

— Нет. — Ее ответ прозвучал приглушенно; и она покачала слегка головой, все так же не отрывая лица от его плеча.

— Хорошо. А теперь расскажи мне об этом твоем женихе, — он вновь прижался губами к ее груди, нежно сжал зубами сосок, исторгнув у нее стон, —

который никогда не вызывал в тебе чувств, какие ты испытываешь сейчас.

Покачав головой, Анника с трудом выжала из себя:

— Сейчас? Я не могу... говорить о Ричарде... сейчас!

Бак провел языком от одного соска к другому.

— Надеюсь, ты никогда не сможешь заговорить с ним снова, не вспомнив об этой минуте.

Обхватив ладонями его лицо, она заставила Бака посмотреть на нее.

— Никто, ты слышишь меня, никто и никогда не вызовет во мне тех чувств, какие я испытываю к тебе.

Он покачал головой.

— Ты говоришь так сейчас. Но, когда ты вернешься в Бостон, к прежней своей легкой жизни, у тебя обязательно кто-нибудь появится.

Напуганная его словами Анника еще крепче прижала Бака к себе. Его большое тело было тяжелым, и веревки кровати заскрипели, когда он лег на нее.

— Не говори так, Бак. Пожалуйста. Не говори вообще ничего.

Он замолчал, продолжая ласкать ее тело. Его рука коснулась завитков между ее ног, и она подалась вперед и прижалась к его ладони. Его пальцы скользнули в жаркие влажные глубины, и стон сорвался у него с губ. Она была уже готова.

Его набухший член пульсировал у ее бедра. Бак знал, что не может больше ждать, но он знал также и другое: сегодняшняя ночь была, скорее всего, последней их ночью любви, поскольку завтра ему, вероятно, придется отвезти ее в Шайенн.

И он хотел услаждать ее всю ночь.

Анника подумала, что растает от наслаждения, когда его пальцы скользнули в нее. Зажав их в себе, она стала поднимать и опускать бедра в стремлении получить как можно большее наслаждение. Он продолжал ласкать ее, пока она вдруг не вцепилась обеими руками ему в плечи и, изогнув спину, не вскрикнула, погружаясь в волны экстаза.

Бак раздвинул ей бедрами ноги и опустился между ними. Сгорая от нетерпения, он потерся о нее кончиком своего набухшего члена в стремлении поддразнить ее, возвратить к действительности, вновь пробудить в ней желание.

Он входил в нее медленно, сразу же подаваясь назад, как только она делала движение, собираясь увлечь его туда, откуда для него уже не будет возврата. Когда он сунул руки ей под ягодицы и приподнял с намерением дать ей возможность принять его всего, она застонала и провела языком по его горлу. Не в силах долее сдерживаться, Бак погрузился в нее целиком. Она обхватила ногами его бедра и изогнула спину, стремясь вобрать в себя его член еще больше.

Бак замер, боясь, что если пошевелится, то не выдержит и разом покончит со сладкой мукой. Анника, почувствовав его напряжение, тоже застыла, едва осмеливаясь дышать. Его набухший член лежал у самой ее матки. Она подвигала мускулами влагалища, втягивая его в себя, и он тут же вскрикнул. Она вновь стиснула его своими сокровенными мускулами, вбирая в себя без остатка, и он начал быстро и ритмично двигаться в ней.

На их блестевших от пота обнаженных телах играли отсветы пламени. Кровать стонала и скрипела под ними, когда они, сплетясь, искали утешения друг в друге, в надежде остановить таким образом время и задержать наступление весны. Бак двигался в ней, пока наконец не понял, что не может долее сдерживать себя. Просунув руку между их телами, он коснулся крошечного бутона у входа в жаркие глубины и еще раз погрузился в нее полностью. Вскоре она начала выкрикивать его имя, и, зная теперь, что дал ей высшее наслаждение, он хрипло вскрикнул и взорвался внутри нее.

Когда Бак проснулся, за окнами было еще темно. Какое-то время он лежал и глядел в потолок, наслаждаясь прикосновением теплой атласной кожи Анники, прижавшейся к его боку. Она спала, закинув на его ногу свою, и их тела соприкасались по всей длине, от плеч до кончиков пальцев ног. Он осторожно убрал упавшую ей на щеку прядь волос и поцеловал в макушку.

Понимая, что пока еще не готов навсегда расстаться с Анникой, он начал в уме строить планы, как бы отдалить минуту их расставания. Если его здесь не будет, чтобы отвезти ее в Шайенн, ей придется ждать, пока он не вернется или пока за ней не приедет сюда ее брат. Вряд ли она решится совершить этот путь сама. Он погладил ее по руке, уверенный, что она не покинет его, не сказав ему «до свидания». Она заверила его в этом вчера.

Конечно, ее брат вполне мог найти их первым, но Бак надеялся, что Кейс Сторм окажется разумным человеком. Мысль быть убитым на месте не слишком-то его прельщала.

Итак, главным сейчас было выиграть время. Еще несколько дней — и, возможно, ночей, подобных сегодняшней, — и он, вероятно, сможет убедить Аннику остаться здесь с ним. После этой ночи, проведенной в ее объятиях, он готов был обещать ей почти что все.

Он подумал о своих сбережениях, спрятанных в жестяной банке под столом, и о том, что ему нужно купить, чтобы удержать здесь Аннику. Он вполне мог бы поднять сюда плиту — разумеется в разобранном виде. Подвезти ее как можно ближе в фургоне, а затем перегрузить на мулов и так, частями, доставить в хижину. А если ей вдруг захочется настоящей обстановки, то и с этим не будет никаких проблем. Сейчас, когда наступит весна, он сможет, воспользовавшись теплой погодой, пристроить еще одну комнату, даже две, если будет работать достаточно быстро.

И дважды в год они могли бы ездить в Шайенн. Он купил бы ей с Бейби красивую одежду... и, черт побери, разорился бы на самые шикарные побрякушки, какие только были бы ему по карману.

Лишь бы она осталась.

Но если он хочет удержать ее здесь, хочет иметь в своем распоряжении достаточно времени для того, чтобы постараться убедить ее не покидать его, тогда ему не следует валяться в постели, ожидая, когда она проснется и потребует отвезти ее в город. Осторожно убрав с себя ногу Анники, Бак встал, подоткнул одеяло вокруг нее со всех сторон и быстро оделся. Стараясь двигаться бесшумно, он приготовил себе кофе и подбросил в камин дров, чтобы в доме было тепло, когда проснутся Анника с Бейби. Качая головой, он посмотрел на девочку, настаивавшую, чтобы ее называли только Баттонз, и улыбнулся. Из Анники, вне всякого сомнения, выйдет прекрасная мать.

Испытывая необычайный подъем, какого не ощущал уже несколько лет, Бак натянул куртку и снял со стены над камином висевшее там ружье. После чего, накинув на голову капюшон, вышел из дома, горя нетерпением поскорее сесть на лошадь и отправиться в горы на охоту. Где-то в окрестностях бродила дикая кошка, и он намеревался ее подстрелить. Шкура должна принести хорошие деньги. Семейный человек обязан содержать свою семью, и именно этим он и собирался сейчас заняться. Возможно ее новая жизнь будет и не совсем такой, к какой Анника привыкла, но он готов был дать ей все, что только будет в его силах.

Со страхом он вспомнил, что вчера едва не признался ей в своей мечте. Она чуть не заставила его рассказать, как сильно ему хотелось когда-то стать врачом. Он подумал о ее безумном предложении. Все это, конечно, было полнейшим идиотизмом, поскольку у него никогда не хватит денег, чтобы учиться несколько лет в медицинском колледже да еще и содержать при этом Баттонз. Так что о врачебной карьере не было смысла даже мечтать.

Чернильное небо начало сереть, когда он сел на лошадь. Сегодня вечером, решил про себя Бак, по возвращении домой, он опустится перед Анникой на колено и попросит ее руки как надо — без всяких там требований и ультиматумов. Он пообещает ей сделать ее жизнь здесь, в долине, настолько прекрасной, насколько это только было возможно, и поклянется лелеять и холить ее до конца своих дней.

Да, он подождет до вечера и тогда попытается снова ее переубедить. И на этот раз он прибегнет в первую очередь к помощи слов, а не своего тела.

Анника напевая скребла стол щеткой, которую обнаружила в ящике под кухонной скамьей. Мыльная пена покрывала всю столешницу, капая вниз на земляной пол. На мгновение у нее мелькнула мысль, что, пожалуй, она только еще больше развезла грязь, но таким облегчением было заняться каким-то новым делом, в особенности после того разочарования, какое она почувствовала, когда проснувшись поняла, что Бак ушел.

Прошлая ночь не поддавалась никакому описанию. Настоящее путешествие на небеса и обратно. Но между ними так ничего и не было решено, а теперь он сбежал, дабы, как всякий мужчина на его месте, избегнуть выяснения отношений. Вот так и Кейс сбежал из

Бостона после ссоры с родителями, подумала Анника и, энергично орудуя щеткой, дала себе слово заставить брата сказать ей о причине трещины в отношениях с родителями, как только увидит его снова.

А увидит она его, только если отправится в Шайенн. Сердце ее разрывалось на части при мысли, что ей придется расстаться с Баком.

Может, ей все-таки удастся привыкнуть к жизни в этом забытом Богом уголке? Будет ли она скучать по прежней жизни или их с Баком любовь вознаградит ее за все понесенные ею потери?

Вспомнив, с какой нежностью обнимал ее Бак прошлой ночью, она вдруг подумала о соединившей их страсти, как о своего рода причащении, вальсе без слов, который вознес ее к самым звездам и даже выше.

Как-то в разговоре с ней Бак сказал, что не знает ни одной песни, но она ему не поверила. Песни жили у него в душе, и их отзвуки нашли отклик в ее сердце.

Бейби-Баттонз гремела банкой с пуговицами в своей кроватке, но сегодня даже это нескончаемое громыхание не раздражало Аннику. Ничто ее не раздражало. Да и как могло ее что-либо раздражать, когда она чувствовала такую легкость во всем теле, что, казалось, еще мгновение, и она взлетит?

Анника склонилась над столом и, постаравшись выбросить из головы все мысли о том, чего она была лишена здесь, в Блу-Крик, сосредоточилась на преимуществах, какие приобрела, попав сюда. Вне всякого сомнения теперь она была намного более независима, чем когда-либо прежде в Бостоне, где родители всячески ограждали ее от всех трудностей, а общество ограничивало четкими рамками поведение незамужних женщин ее круга. Здесь же, в горах, она стала взрослой и к ней относились, как к таковой. Она была здесь с Баком на равных. За то короткое время, что она прожила с ним, ей пришлось взять на себя боль-

шую долю ответственности и справиться с бо́льшими
трудностями, чем за все ее двадцать лет жизни вместе
взятых. Если она возвратится в Бостон, подумала
Анника, надо будет сразу же дать Ричарду ясно понять, что надежд на примирение между ними нет,
поскольку она не собирается более изображать из себя
невинную простодушную девицу.

Она выпрямилась и потянулась. Приятно было
чувствовать себя в чем-то полезной, особенно при том,
что Баку приходилось о столь многом заботиться
прежде самому. Интересно, как он умудрялся со всем
справляться до того, как она здесь появилась? Он не
только охотился и занимался выделкой шкур, но
и убирал снег, носил воду, производил ремонт в доме,
прибирался, готовил еду и заботился о лошадях и му-
лах. Не говоря уже о том, что растил Бейби-Баттонз.
Анника почувствовала откровенное удовлетворение,
что может хоть немного облегчить его жизнь. Ее
стряпня, разумеется, оставляла желать лучшего, но
ведь у себя дома, в Бостоне, где у них была кухарка,
она вообще никогда не готовила.

Довольная проделанной работой, Анника взяла
ведро с грязной водой и вышла на улицу, чтобы
его там вылить. На пороге она на мгновение застыла
и, щурясь на яркое солнце, провела тыльной стороной
ладони по вспотевшему лбу. После чего вылила из
ведра воду и вытерла руки о кухонное полотенце,
которым подвязалась перед тем, как начать мыть
стол.

Внезапно она услыхала отдаленный цокот копыт.
Взгляд ее обратился вверх на гору, и она улыбнулась.
Итак, подумала она, Бак все-таки не смог пробыть
вдали от нее весь день. Поспешно приглаживая волосы, она заметила, что, работая, забрызгала перед
блузки, и перебросила длинную толстую косу на
грудь, чтобы хоть как-то прикрыть влажные пятна.

— Бак возвращается, — крикнула она через плечо Бейби-Баттонз, и девочка сразу же слезла с кровати и подошла к ней.

Наклонившись, она взяла Бейби на руки, и тут ее что-то насторожило в приближающемся цокоте. Внезапно она сообразила, что это был цокот копыт не одного животного. Поспешно она шагнула в дом, и в этот момент из-за деревьев выехали трое всадников.

Слишком поздно она вспомнила, что на двери хижины не было замка. Бак, очевидно, никогда ничего не опасался, но ведь он не был женщиной, и к тому же невооруженной.

Войдя, Анника замерла, ожидая, когда они подъедут ближе и она сможет их разглядеть. Сердце у нее в груди колотилось как сумасшедшее. Она попыталась взять себя в руки. Скорее всего, это были Кейс и его люди, или, возможно, Старый Тед смог наконец пройти через перевал.

Не успела эта мысль мелькнуть у нее в голове, как трое всадников, в мгновение ока пересекши открытое пространство между лесом и хижиной, въехали во двор. Ни один из них не был Старым Тедом.

И ни один из них не внушал доверия.

Первым ехал самый старый из них. На нем были запыленные, выцветшие штаны и куртка коричневого цвета, а на голове красовалась помятая коричневая шляпа. Он улыбнулся Аннике, когда они остановили лошадей, и спрыгнул на землю. Двое других обменялись взглядами. Старик вновь растянул рот в улыбке, демонстрируя почти полное отсутствие зубов, и слегка дотронулся до шляпы в знак приветствия.

Его спутники — один длинный и тощий, другой толстый, с мрачным лицом — остались в седле, продолжая оглядываться то и дело назад, туда, откуда они появились.

При виде незнакомцев Бейби-Баттонз сунула большой палец в рот. Анника не двигалась, замерев у порога. Бака, насколько она могла судить, бросив взгляд вверх, на гору, а затем вниз, в долину, нигде не было видно.

— Чем я могу быть вам полезна, джентльмены? — проговорила она наконец небрежным тоном, стараясь не выдать своей тревоги.

Беззубый старик подошел к двери.

— Здесь живет Бак Скотт, мэм?

— Зачем он вам понадобился?

Старик улыбнулся. Зубов у него было даже меньше, чем ей показалось вначале.

— В общем-то нам нужен не он. Вы будете случайно не Энника Сторм?

Она машинально поправила его:

— Меня зовут Анника Сторм. Анника. — Интересно, мелькнула у нее мысль, откуда он узнал ее имя и как удалось ему проехать через перевал, если Бак утверждал, что они пока не могут отсюда выбраться?

— Слышите, парни? — Старик с ухмылкой повернулся к своим приятелям. — Это она.

— Что вам от меня нужно?

— Собирайся, крошка, — сказал беззубый, вновь оборачиваясь к Аннике. — Мы с друзьями приехали спасти тебя.

Он не сводил с нее глаз, лишь изредка бросая взгляд на Бейби. Девочка, чувствуя его интерес, прижалась теснее к плечу Анники.

Анника, словно защищая ребенка, положила ей руку на головку.

— Мне жаль вас разочаровывать, но, видите ли, я не нуждаюсь в спасителях. Я никуда не еду. — *«Во всяком случае, с вами»,* — добавила она про себя.

Старик распахнул куртку, и в тревоге Анника подалась назад.

— Не волнуйся, крошка. Это не револьвер, а объявление. Вот, гляди.— Он протянул ей грязный измятый листок.

Анника быстро пробежала его глазами:

*Анника Сторм. Награда десять тысяч долларов. Подозревается в похищении Бак Скотт. Обращаться к Кейсу Сторму или в полицейский участок города Шайенн.*

— Это какое-то недоразумение,— сказала она, возвращая старику газетную вырезку.— Я не пленница. По правде говоря, Бак собирался сам отвезти меня в Шайенн на этой неделе. Я полагаю, перевал уже свободен от снега?

— Нам еле удалось пройти там сегодня, и мы хотим поскорее вернуться, поскольку позже вполне может опять повалить снег. Лошадь Дентона,— он кивнул в сторону здоровяка,— по дороге едва не утонула в снегу. Но мы добрались сюда первыми и не уйдем без тебя. Так что собирайся, крошка, и поскорее.

— Но я не могу оставить ребенка одного.

Старик нахмурился и в первый раз внимательно посмотрел на Бейби, явно сравнивая ее с Анникой.

— В объявлении ничего не сказано о ребенке. Она твоя?

Подумав, что вряд ли они решатся везти ее вниз вместе с ребенком, Анника кивнула.

— Да, она моя.

Тощий верзила, который явно не собирался слезать с лошади, крикнул:

— В объявлении нет ни слова о ребенке, Вердж.

Беззубый Вердж бросил через плечо:

— Я ей сказал об этом. Но это ее ребенок.

Здоровяк Дентон недовольно проговорил:

— Ну и что будем делать?

Вердж отошел к своим спутникам и они о чем-то

зашептались, поглядывая время от времени в ее сторону. Медленно Анника шагнула назад, надеясь закрыть дверь и забаррикадироваться, пока они были заняты разговором.

Не успела она, однако, сделать и двух шагов, как Дентон вдруг крикнул, тыча в нее пальцем.

— Она хочет закрыться в доме!

В два прыжка Вердж оказался у двери, которую она только что захлопнула, и, широко распахнув ее снова, вошел в дом.

— Мы забираем тебя вместе с ребенком. Собирай вещи. Но если ты не поторопишься, пеняй на себя. Мы увезем вас обеих в том, что на вас сейчас.

Анника едва не рассмеялась ему в лицо. Знал бы он, что почти вся их с Бейби одежда и была на них сейчас. Однако она промолчала и, усадив Бейби-Баттонз на кровать, достала сумку. С нарочитой медлительностью она сложила и убрала в сумку свою ночную сорочку и фланелевую ночную рубашку Бака. Рубашка была частью Бака, и ей не хотелось оставлять ее здесь.

— Мне нужно написать записку, — она открыла свой дневник, чтобы вырвать чистую страницу.

Вердж уставился на девушку, пытаясь понять, почему она не хочет уезжать. Другая бы на ее месте прыгала от радости и благодарила их за то, что они ее спасли. И зачем ей оставлять записку своему похитителю? Он прищурился, глядя на Аннику, в попытке догадаться, что у нее на уме. Дентон с Клиффом все еще разговаривали снаружи; ему было слышно, что они опять спорят. Эти двое были самыми большими трусами, с какими ему когда-либо доводилось иметь дело, и он жалел, что вообще связался с ними. От Дентона его уже просто тошнило. Будь его воля, он оставил бы их обоих в Шайенне, поскольку от них была только морока, но ради осуществления своего плана ему пока приходилось мириться с их присутствием.

— Никаких записок, — сказал он резко. — Идем.

Анника попыталась его переубедить.

— Но это займет совсем немного времени, обещаю. Я только...

— Никаких записок, я сказал. Поторопись. — Ему не хотелось вытаскивать револьвер и пугать девчушку. В конечном итоге он был ее спасителем, и ему следовало обращаться с ней соответственно, если он рассчитывал получить награду. Тем не менее он все же дотронулся до кобуры, желая показать, что ей не следует его раздражать.

Вздохнув, Анника убрала в сумку дневник, чернильницу с пером и расческу с щеткой. С сожалением она подумала о том, что уже одела Бейби-Баттонз. Каждая лишняя минута увеличивала шансы на возвращение Бака. Если, конечно, он вообще собирался возвращаться сегодня.

Но Баттонз была уже одета и обута и даже причесана.

— Возьми свою куклу, — шепнула она Бейби, сунув в сумку одно из ее старых платьев. Но девочка лишь покачала головой в ответ, продолжая глазеть на незнакомца.

Отыскав куклу, Анника положила ее вместе с лоскутом фланели, который служил той одеялом, в сумку. *«Пожалуйста, найди нас, Бак, — молила она, собираясь. — Пожалуйста, найди нас как можно скорее!»*

— Все, пошли, — рявкнул Вердж. Девчонка явно тянула время, поджидая кого-то, о чем говорили ее украдкой бросаемые взгляды на дверь. — Хватит и того, что ты набрала.

— А как насчет еды? В коптильне полно мяса.

Вердж хотел было сказать ей, чтобы она заткнулась и не лезла не в свое дело, но передумал и крикнул Клиффу:

— Эй, Клифф, пошарь-ка в коптильне. Девчонка говорит, там есть мясо. — Он надеялся, что пополнение их запасов порадует вечно голодного Дентона. — Ну, пошли.

— Пуговки! — взвизгнула вдруг Бейби, показывая на свою кроватку, где осталась лежать ее банка с пуговицами.

— Утихомирь ребенка, — прошипел Вердж.

Анника перевела взгляд с Бейби на стоявшего в дверях старика. Может, мелькнула у нее мысль, увидев, что с Бейби слишком много хлопот, эти так называемые спасители еще подумают дважды, прежде чем забирать их с собой?

— Никаких пуговок, — сказала она резко и, взяв банку с кровати, поставила ее в центр стола, как немое послание Баку. Наверняка он догадается, что она не могла забыть пуговицы случайно, если когда-то подняла из-за них такой шум. Он поймет, увидев банку, что она оставила его не по своей воле.

Анника надела пальтишко на Бейби-Баттонз, которая тут же захныкала, надела свое пальто, невольно подумав при этом, сколько времени и сил ушло у Бака на его шитье, взяла Баттонз на руки, прихватила сумку и окинула прощальным взглядом комнату. Если бы только у нее было время написать Баку записку...

Вердж схватил ее за локоть и вывел из дома. Дентон уже держал мула, ожидая, когда Вердж поможет ей усесться. Мужчины заспорили о том, кому из них взять ребенка, пока Анника будет усаживаться. В конце концов, так ничего и не решив, они опустили девочку на землю.

Как только Анника оказалась на спине мула, Вердж велел Клиффу передать ей ребенка. Оказавшись на руках у молодой женщины, Бейби тут же прильнула к ней и тихо заплакала. Эти трое незнакомых мужчин явно вызывали у нее страх. Анника сама с трудом удерживалась от слез. Но она не потеряла самообладания, когда ее похитил Бак, и не собиралась делать этого и сейчас.

Она посадила девочку перед собой и, вцепившись обеими руками в гриву мула, шепнула:

— Держись, Бейби. Бак скоро нас найдет.

— Не... Бейби, — всхлипнув, ответила девочка. — Баттонз.

Поднимаясь по склону, Анника внимательно вглядывалась в полосу деревьев в надежде увидеть Бака. Невольно она подивилась иронии судьбы. Кто бы мог подумать, что спустя всего лишь два месяца после своего похищения, она будет мечтать о том, чтобы ее похититель пришел ей на помощь. Она повернула голову, желая бросить последний взгляд на хижину, но в этот момент здоровяк с силой хлестнул ее мула, и тот рванул вперед, что заставило ее забыть о хижине и сосредоточить все свое внимание на скользкой тропе.

# ГЛАВА 18

— По другую сторону Шайеннского перевала находится форт Сандерс. Можно послать поисковую партию оттуда. — Зак Эллиот стоял рядом с Кейсом Стормом, внимательно изучая расстеленную на столе новую холтовскую карту Вайоминга.

Кейс вгляделся в тонкие концентрические линии, отмечавшие пики гор Ларами.

— Горная цепь протянулась здесь почти на двести миль, Зак. Не забывай также о перевалах, долинах и ущельях. Анника может находиться там где угодно.

Кейс отошел от стола и, подойдя к окну, устремил взгляд на грязные улочки Бастид-Хила. Снег на улицах местами уже растаял, и грязное месиво под ногами у прохожих ясно свидетельствовало о приближении весны.

— Что еще слышно в Шайенне?

— Все только и говорят об обещанной тобой награде в десять тысяч долларов. По словам шайеннского шерифа, как только потеплело, народ тут же кинулся готовить припасы в дорогу. Повсюду заключаются пари, когда перевалы очистятся от снега и кто первым доберется до твоей сестры и получит обещанную награду.

Кейс снял свою шляпу с высокой тульей, пригладил волосы и вновь надел ее на голову.

— Жаль, черт побери, что я сам не могу отправиться на ее поиски. Но ребенок должен появиться на свет в конце этого месяца, и я не могу в такое время оставить Розу. — Он повернулся к Заку. — Особенно после всех этих смертей.

— Я понимаю, парень, и не виню тебя. К тому же, на поиски твоей сестры устремилась в горы чуть ли не половина штата. Уверен, очень скоро она очутится дома.

— Хотелось бы надеяться. Но я боюсь даже подумать о том, что она претерпела, оказавшись в руках этого человека.

— Попробуй поставить себя на его место. — Зак, явно устав изучать карту, выдвинул из-под стола вращающееся кресло, сел и достал из кармана мешочек с жевательным табаком. — Скорее всего, он и вправду ошибся и сейчас жалеет об этом. Что ты скажешь, если он привезет ее сам?

Кейс резко повернулся к Заку. В глазах его сверкал гнев.

— Анника пыталась объяснить ему, что она не та женщина, которую он ждал, но он все равно заставил ее поехать с ним. Угрожая ножом, черт побери. И потом, есть еще кое-что, чего ты не знаешь.

— Еще кое-что?

Кейс отошел от окна к дальней стене и, прислонившись к ней спиной, устремил взгляд на носки своих начищенных до блеска ботинок.

— Ленард Вилсон, ранчеро, чьи земли граничат с моими, прочел в газете о том, что произошло, и пришел ко мне, чтобы рассказать об этом Баке Скотте. Его жена, как оказалось, знакома со старой шотландкой по имени Мак-Гир, которая живет в окрестностях Индиан-Спрингс, неподалеку от границы с Небраской, и...

— Я так и знал, что здесь есть какая-то история, — заметил Зак, продолжая жевать табак.

Кейс бросил на него яростный взгляд.

— Около трех лет назад Бак Скотт обратился к ней с просьбой взять на себя заботы о его сестре. И он по-прежнему платит ей за сестру, за комнату и за еду.

— Похоже, он парень порядочный.

— Он отдал свою сестру на попечение Мак-Гир, потому что она потеряла рассудок.

— Кто, Мак-Гир?

Кейс шагнул к столу и сурово посмотрел на Зака.

— Сестра Бака Скотта сумасшедшая. Безумная. Чокнутая.

— Но это совсем не говорит о том, что он тоже сумасшедший.

— Ты прав, но тут имеется одна загвоздка. Как утверждает эта Мак-Гир, сестра Скотта сошла с ума, когда у нее на глазах убили ее мужа.

В первый раз с начала разговора на лице Зака появилось тревожное выражение.

— Уж не хочешь ли ты сказать, что это сделал Бак Скотт?

Кейс покачал головой.

— Дело обстоит еще хуже. Оказывается, старик Скотт тоже был психом. Они постоянно держали его связанным, но однажды ему каким-то образом удалось развязать веревки, и он убил мужа сестры Скотта... А потом принялся снимать с него кожу.

— Че...рт! — Глаза Зака едва не выкатились из орбит, став такими же огромными, как дыры на его нижнем белье. — Я слышал, что старый охотник на бизонов был настоящей гадиной, но...

— Уверен, он вполне заслуживал этой характеристики. Короче, Бак Скотт, вернувшись домой, застал отца за этим занятием и тут же пристрелил его на месте. Судя по всему, тогда его сестра и тронулась умом.

— Не сомневаюсь.

— Как я понимаю, там была еще одна сестра, младшая. Мой сосед мало что о ней знает, кроме того, что она была немного... немного не в себе.

— Боюсь уж и спрашивать, что стало с ней.

Кейс пожал плечами.

— Точно неизвестно, но, кажется, она умерла вскоре после той трагедии.

Зак выпустил изо рта струю коричневой слюны, целясь в урну возле стола, но промахнулся.

— И Анника живет в горах со Скоттом уже два месяца? Бедняжка. — Явно расстроенный, он посмотрел на Кейса. — Надеюсь, твоя Рози не слышала этой истории?

— Слава Богу, нет. Я разговаривал с Вилсоном в амбаре. — Кейс потер рукой подбородок. — Если Анника не объявится в ближайшее время, то я и сам вполне могу свихнуться.

Зак поднялся, обошел стол и, подойдя к Кейсу, положил руку ему на плечо.

— Не тревожься, сынок. Аннике не занимать мужества. Как, впрочем, и всем в вашей семье. Помяни мое слово, с ней все будет в порядке. Должно быть, поскольку я поставил на это свои деньги.


Солнце закатилось за вершину горы, и на все вокруг сразу же легла голубовато-серая тень. Бак прервал работу и вытер рукавом со лба пот. В его испачканной кровью руке был зажат нож. Полуразделанная туша оленя лежала на земле у его ног, но он не смотрел на нее. Взгляд его, полный восхищения, был прикован к расцвеченным закатом горам на противоположной стороне долины. Кое-где оставшийся на склонах снег был розовым и на его фоне сосны казались ярко-зелеными. И все небо над долиной было в красных и розовых разводах. Он пожалел, что Анника не видит этой великолепной картины.

Стремясь спуститься с горы до темноты, Бак решил забрать с собой лишь рога и шкуру оленя и оставить тушу волкам. Он вонзил нож в землю, чтобы очистить, после чего убрал его в чехол и начал сворачивать шкуру, за которую надеялся выручить хорошие деньги в Шайенне.

Внезапно его гнедой заржал, и Бак, насторожившись, замер. Затем выпрямился и, оставив шкуру там, где та лежала, шагнул к коню.

— Успокойся, малыш. Ты услышал что-то, что тебе не понравилось? — Бак вгляделся в заросли позади коня, но ничего не увидел. — Не волнуйся. Вероятно, это был всего лишь навсего волк, который ждет не дождется, когда мы с тобой уберемся отсюда.

Не успел он, однако, приблизиться к ошалевшему от страха животному, которого привязал к ветви дерева, как конь, рванув слабо закрепленный повод, освободился и во весь опор понесся вниз по склону.

— Черт! — выругался Бак себе под нос. Возвращение домой, похоже, откладывалось на неопределенное время.

Он повернулся, собираясь забрать шкуру, и прямо перед собой увидел громадную пуму, терзавшую мощными когтями тушу оленя. Весила эта дикая кошка не менее двухсот фунтов, и ее густой зимний мех был все еще белоснежным. Издав предупреждающий рык, она оторвала от туши здоровый кусок окровавленного мяса.

Мех пумы был действительно роскошным, и Бак понял, что не сможет от него отказаться. И тут вдруг вспомнил, что оставил свое ружье у дерева, не далее чем в шести футах от горной кошки. Под настороженным взглядом пумы он начал медленно, дюйм за дюймом, продвигаться в направлении ружья.

— Ты дурак, Бак Скотт, — пробормотал он сквозь зубы, осторожно подбираясь к ружью. Он не особенно боялся, полагая, что, так как еды у кошки было более чем достаточно, она не станет слишком возражать, если он подойдет к ней чуть ближе.

Хищник зарычал, заставив его моментально остановиться. Медленно, делая вид, что уходит, Бак вытащил из чехла нож. Под деревьями и в балках и оврагах начали сгущаться тени. Температура воздуха быстро падала. Где-то позади него завыли волки. Бак поднял глаза к небу и понял, что шансов на успех у него почти не было. Ему нужно было, дождавшись, когда пума насытится, взять ружье и сойти вниз до темноты, а иначе он будет вынужден провести ночь на морозе.

Он присел на корточки, спиной к скале, и застыл в ожидании, уверенный, что, насытившись, пума уйдет. Нож он держал на всякий случай наготове, зажав в ладони.

Волчий вой приблизился. На этот раз пума зарычала громче и принялась ходить взад и вперед, нервно размахивая хвостом и вглядываясь в заросли в поисках волков, угрожающих завладеть ее добычей.

Спустя какое-то время, очевидно успокоившись, она остановилась, потянула носом воздух и начала поворачиваться к оленьей туше. На полпути, однако, она замерла, словно только сейчас вдруг вспомнила о прятавшемся поблизости человеке. И в этот момент опять раздался волчий вой. Не успел Бак приготовиться, как могучая кошка неожиданно присела и одним прыжком преодолела разделявшее их расстояние.

Бак вскочил, пытаясь отразить нападение, и в воздухе сверкнул его нож. Когти громадной кошки вонзились ему в ногу, и его левое бедро словно опалило огнем. Бак взмахнул рукой, целясь пуме в горло.

В следующее мгновение они сцепившись упали, и пума придавила Бака к земле. Морда хищника была так близко, что Бак чувствовал на своем лице его горячее дыхание.

Пума пыталась вонзить клыки ему в предплечье, но Бак резким движением вывернулся из-под лапы хищника. В последнем усилии спастись он взмахнул рукой с зажатым в ней ножом, и на лицо ему брызнула кровь. Нож по самую рукоятку вошел пуме в шею. Ловя ртом воздух, Бак изо всей силы рванул нож и перерезал ей горло.

Громадный хищник рухнул на него, едва не раздавив своим весом. Бак начал выбираться из-под придавившей его кошки, но почти сразу же вынужден был остановиться, поскольку силы вдруг оставили его. Дыхание со свистом вырывалось из его полуоткрытого рта, и сердце стучало как паровой молот, готовое, казалось, в следующее мгновение выскочить у него из груди. Тупая невыносимая боль разливалась по его левому бедру. Он чувствовал, что у него течет кровь, хотя обе его ноги все еще были придавлены телом пумы.

Собрав последние силы, Бак сел и, превозмогая боль, сдвинул мертвого хищника немного в сторону, чтобы выбраться из-под него.

Даже в сгущающихся сумерках он увидел, что его левая нога была вся в крови. Рукав его куртки был разорван, но, насколько он мог судить, рана на руке была не такой глубокой, как на ноге.

Тишину разорвал волчий вой, который на этот раз звучал громче. Волки явно приближались. Бак подполз к дереву, к которому было прислонено его ружье, и, с трудом подтянувшись, сел. Бросив взгляд на видневшуюся сквозь прореху в брючине глубокую рану, он пробормотал себе под нос:

— Черт тебя побери, Бак Скотт! Наступает ночь, а ты, вместо того чтобы шагать домой, лежишь здесь в темноте, истекая кровью.

Волчий вой слышался теперь, казалось, повсюду. Бак тряхнул головой в надежде, что мысли у него прояснятся, и проверил, заряжено ли ружье. Пусть приходят, подумал он про волков. Пусть только сунутся.

Набрав полную пригоршню лежащего под деревом чистого снега, которого еще, похоже, даже не коснулись лучи весеннего солнца, он положил его на рану, в надежде остановить кровотечение. Крови под ногой натекла уже целая лужица. Не хватало только, подумал он, чтобы волки сейчас решили взять реванш.


Анника не сомневалась, что запомнит это путешествие в Шайенн на всю оставшуюся жизнь.

Спуск с горы на спине мула, и сам по себе нелегкий, осложнялся еще и тем, что ей приходилось поддерживать девочку, чтобы та не свалилась под копыта лошадей. На ночь они разбили лагерь и поужинали холодной олениной, поскольку Вердж не разрешил разжечь костер.

Она знала теперь своих так называемых спасителей по именам и дала каждому из них прозвище: Верджилу — Беззубый, Клиффу Вайли — Жердь, и Дентону Мэттьюзу — Бочонок. Про себя она удивлялась, как это они до сих пор еще не прикончили друг друга. Эта троица постоянно ссорилась, так что к тому времени, когда они, после двухдневного путешествия, прибыли наконец в Шайенн, ей хотелось вопить от отчаяния.

Были сумерки, когда они достигли городских окраин. Анника мгновенно приободрилась, зная, что скоро ее передадут властям, а те, в свою очередь, сообщат о ее прибытии Кейсу. К ночи она уже будет с братом и его женой, и ей останется только ждать прибытия на

ранчо Бака. Она надеялась, что он настигнет их прежде, чем они доберутся до Шайенна, и старалась использовать любую возможность, чтобы затянуть их путешествие. Когда Бейби поднимала плач, она ее не успокаи-
вала в надежде, что, даже если это и не заставит мужчин
замедлить спуск, Бак услышит их и придет на помощь.

Один раз, когда ей удалось добиться у мужчин
разрешения отойти в глубь леса по нужде, она сумела,
проходя мимо них, ослабить подпругу у одной из
лошадей.

Как вскоре выяснилось, это была лошадь Дентона,
и, хотя задержка в конечном итоге оказалась небольшой, Анника едва удержалась от радостного воскли-
цания, когда здоровяк грохнулся на землю и покатил-
ся вниз по склону. Верджилу Клемменсу это зрелище
доставило не меньшее удовольствие, чем Аннике,
и к тому же ему не нужно было сдерживать свой смех.
Его откровенное веселье еще больше усилило ненависть к нему Дентона.

К тому времени, когда они въехали в Шайенн
и остановились возле ветхой лачуги, Анника была
уверена в трех вещах: Дентон ненавидит Верджила,
Верджил ненавидит Дентона, а Клифф напуган до
смерти.

Мужчины спешились, и Вердж, привязав мула
к столбику у дома, протянул руки к Бейби. Прежде
чем передать ему ребенка, Анника спросила:

— Что мы здесь делаем? Почему вы не везете нас
в полицию?

На ее лице появилось выражение растерянности,
когда Клифф с Дентоном, не обратив на заданный ею
вопрос никакого внимания, вошли в дом.

Вердж, приняв у нее Бейби, ответил:

— Не задавай вопросов, крошка. Слезай-ка лучше, и, если будешь все делать, как я скажу, с тобой не
случится ничего плохого.

Спешившись, Анника почувствовала, что ее всю трясет. И причина здесь была не только в усталости. Что они задумали? И как же насчет награды? Вердж, отдав ей Бейби, посторонился, пропуская их вперед, и последовал за ними на деревянное крыльцо к двери черного хода. Ближайший дом находился через два участка от них и выглядел не менее убогим. Анника переступила порог, и в нос ей ударил запах плесени. Внутри дом выглядел таким же запущенным, как и снаружи. Краска на окнах облупилась, ставни были перекошены и занавески порваны в нескольких местах. Обстановка состояла лишь из самых необходимых предметов, и в доме было холодно и темно.

— Задерни занавески и зажги лампу, — приказал Вердж тощему Клиффу.

Клифф шагнул к окну, тогда как Дентон принялся рыться среди лежавших в сухой раковине свертков в поисках еды.

Даже Баттонз почувствовала, что что-то здесь было не так. Она начала крутиться, а потом расплакалась. Отвернувшись от окна, Клифф сердито сказал:

— Утихомирь ребенка. Мы не в лесу.

Решив сделать жизнь троицы как можно более невыносимой, Анника надменно произнесла:

— Ей холодно. Она устала и хочет есть, как и я. Я требую, чтобы мне сказали, когда вы собираетесь передать нас властям.

— Ты не в том положении, чтобы чего-то требовать, — буркнул Дентон.

Она зло бросила ему в ответ:

— Ты думаешь, я позволю тебе взять у моей семьи десять тысяч долларов, если ты будешь обращаться со мной подобным образом? К тому же я вообще не хотела, чтобы меня спасали.

На мгновение ей показалось, что Дентон ее сейчас ударит, однако он повернулся к Верджилу.

— Слыхал, старик? Она собирается ныть и жаловаться, так что мы, похоже, не получим ни цента.

Они заспорили, и спор их с каждой минутой становился все более ожесточенным. В душе Анники вспыхнула надежда, что, увлекшись спором, они не заметят, как она выскользнет за дверь. Поэтому она, несмотря на усталость, осталась на ногах и, крепко прижав к себе Бейби, стала ждать удобного момента, чтобы осуществить свое намерение.

— Если ты хочешь получить свою долю от тридцати тысяч, то сейчас же заткнешься, Дентон, — с угрозой в голосе проговорил Вердж.

*Тридцать тысяч долларов!* Анника едва не задохнулась от изумления.

Клиффорд наконец зажег лампу и поднял ее над головой. Не сводя с Анники беспокойного взгляда, он бросил:

— Заткнись, Вердж.

— Глупее плана не придумаешь, — ворчливо проговорил Дентон и указал пальцем на Аннику. — Она заявит властям, что не хотела, чтобы ее спасали, и тогда получится, что мы лишь даром потратили время.

— Ты еще больший дурак, чем я думал, если считаешь, что мы вот так просто подъедем к участку и передадим ее шерифу. Ну уж нет, черт меня побери! — Вердж с силой хлопнул себя по лбу. — Мы напишем записку с требованием выкупа, в которой скажем, что она и ребенок у нас. А потом сообщим шерифу, где мы их оставим и куда они должны положить деньги.

— Выходит, я заложница? — Анника едва не расхохоталась. — Меня опять похитили? — Вся кипя от возмущения, она вышла из кухни, нашла какой-то колченогий стул и, сев, стала качать Бейби, которая вновь расхныкалась. Склонившись над ребенком, Анника прошептала ей на ухо:

— Ты соскучилась по Баку?

Всхлипывания сменились громким плачем.

— Я тоже по нему соскучилась, но плохие люди не отпускают нас.

Баттонз оглушительно заревела. От натуги личико ее сморщилось и покраснело.

В следующее мгновение в комнату ворвалась вся троица.

— Что, черт побери...— заорал Вердж.

Клифф бросил взгляд на дверь.

— Заставь ее замолчать.

— Глупее...— На лице Дентона появилось презрительное выражение.

Вердж наставил на Дентона револьвер.

— Если ты еще раз скажешь, что глупее плана не видел, клянусь, я прикончу тебя.

Анника закрыла ладонью рот Бейби и попыталась ее утихомирить.

— Успокойтесь, вы, оба,— взмолился, обращаясь к компаньонам, Клифф.

Прижав к себе Баттонз, Анника затаила дыхание, не сводя глаз с двоих мужчин, злобно смотревших друг на друга. Револьвер Верджа был все так же направлен на Дентона. Проворчав что-то невразумительное, Дентон отвернулся.

Вердж убрал револьвер в кобуру, и Анника с облегчением вздохнула. Полагая, что инцидент исчерпан, старик шагнул к Аннике, повернувшись к Дентону спиной. Внезапно Дентон вытащил пистолет и выстрелил. Анника закричала, и Баттонз опять разревелась. Вердж, получив в бок пулю, рухнул на пол.

— Господи, Дентон! — воскликнул Клифф, кинувшись вперед.— Какого черта тебе понадобилось это делать? — Он склонился над раненым и вытащил у него из кобуры револьвер в попытке предотвратить перестрелку. — Он жив. Все в порядке, Дентон. Вердж жив.

Дентон шагнул к Верджу, который со стоном попытался подняться.

— Уйди с дороги, Клифф, так как я собираюсь всаживать в него пулю за пулей, пока он не окачурится.

Прикрыв собою Верджа, Клифф попытался урезонить своего компаньона.

— Ты прав, Дентон, это был глупый план. Ну его к черту. Давай смоемся и предоставим им тут самим расхлебывать эту кашу. Пусть Вердж заберет свои десять тысяч и неприятности впридачу.

— Но тогда, выходит, мы зря трудились? Ну, ладно, а теперь отойди и дай мне прикончить этого придурка.

Клифф потер виски, лихорадочно пытаясь найти выход из создавшегося положения. Вердж, держась за бок, тихо стонал. Внезапно лицо Клиффа прояснилось.

— Я придумал! Мы скажем, что Вердж взял девчонку в заложницы, а мы ее спасли. Мы получим наши денежки, а он сядет в тюрьму, где ему самое место. И тебе тогда не нужно будет его убивать, Дентон.

Вердж, тихо постанывая, покачал головой.

— Я никогда на такое не пойду, так что ему придется меня прикончить.

Анника наконец не выдержала. Прижав Бейби к груди, она вскочила на ноги и заорала:

— Прекратите! Прекратите все это сейчас же! Я *не желаю* проводить еще одну ночь в вашем обществе! Как я понимаю, у вас только один выход. Вы *немедленно* передаете меня властям и получаете свои десять тысяч долларов. Я никому ничего не скажу, поскольку хочу как можно скорее освободиться от вашего мерзкого присутствия.

— Нашего чего? — переспросил Клифф.

Анника проигнорировала его вопрос.

— Или вы можете продолжать спорить, пока один или двое из вас не погибнут, а тому, кто останется в живых, будет предъявлено обвинение в убийстве. Как я слышала, здесь, на Диком Западе, убийц вешают на первом же дереве. Я права?

Дентон посмотрел на Клиффа. Клифф посмотрел на Верджила. Вердж застонал.

— Ну? — Анника нетерпеливо топнула ногой. — Я не просила, чтобы меня спасали, но так каждый из вас, по крайней мере, получит более трех тысяч. Решайте. Выбор за вами. — Разумеется, это была пустая трата денег Кейса, но она была готова отдать что угодно, только бы больше не видеть этих негодяев.

Дентон, не выпуская из рук револьвера, бросил на нее злобный взгляд.

— Строишь из себя важную птицу, пытаясь нас запугать?

— Даже не думала, — ответила Анника, похлопав по спинке заходящуюся в крике Баттонз. — Просто, как мне кажется, я здесь единственная, кто способен рассуждать здраво. — Она смотрела на них с вызовом, не желая сейчас, когда в их рядах произошел раскол, идти на попятный.

— Идем, Дентон, — сказал Клифф. — Пусть они тут разбираются вдвоем с Верджилом. Теперь мы с тобой будем работать одни, как раньше.

Рука Дентона с зажатым в ней револьвером дрогнула и опустилась.

— Никаких больше партнеров?

— Никаких. Обещаю.

— Тогда пошли. Плевать я хотел, что с ними обоими станет. — Дентон бросил на Верджа хмурый взгляд, похоже, сожалея немного, что не закончил начатого дела, и, сунув револьвер в карман, вышел вслед за Клиффом на улицу.

Только услыхав удаляющийся конский топот, Анника осмелилась перевести дух. Почувствовав, что ее не держат ноги, она рухнула на ближайший стул и устремила взгляд на Верджила Клемменса, который, привалившись к стене, продолжал стонать. Он держался за раненый бок, и кровь, просачиваясь у него между пальцами, капала на пыльные доски пола.

Раненный и без оружия, он теперь не представлял для нее никакой опасности. Ей, разумеется, совсем не хотелось появляться ночью на улице в незнакомом месте, но мысль о том, чтобы остаться до утра вместе с Верджем в этой лачуге, приводила ее в ужас. К тому же она была голодна и валилась с ног от усталости. И потом, судя по объявлению в газете, вырезку из которой ей показывал Верджил, ее похищение не было тайной; ее разыскивали все. Собравшись с силами, она произнесла:

— Если вы не возражаете, мистер Клемменс, я сейчас возьму вашу лошадь и попытаюсь разыскать местное отделение шерифа. Не советую вам меня останавливать.

Вердж сделал попытку подняться, но тут же вновь припал к стене. Анника поднялась и, прежде чем направиться к выходу, бросила на него прощальный взгляд. Она не испытывала ни малейшего укора совести оттого, что оставляет раненого человека одного в этой пустой грязной комнате.

Когда она шла к двери, вслед ей неслись такие громкие проклятия, что она была уверена, что он не умрет до того, как прибудет посланная ею помощь.

В ярком свете полной луны сосны казались громадными черными тенями. Снег помог замедлить кровотечение, и боль немного притупилась, что позволило ему, хотя и с трудом, снять с себя перчатки и куртку, а затем и рубашку. Пожалев, что под рукой нет сажи, которую можно было приложить к ране, чтобы остановить кровотечение, Бак разорвал рубашку на полосы, перевязал раненую ногу и опять надел куртку. Перчатки он сунул в карман, боясь их потерять. Волки все еще держались в отдалении, и ему хотелось начать спуск, пока они не подобрались ближе. Мысли путались у него в голове, и он едва не потерял сознание, когда, хватаясь за ствол дерева, начал с трудом подниматься. Ружье, как он и рассчитывал, оказалось ничуть не хуже любого костыля. Поспешно оперевшись на него, он шагнул вперед.

Спустя несколько мгновений он пересек поляну и вошел в лес, надеясь, что трупов оленя и горного льва будет волкам вполне достаточно и они за ним не последуют. Через какое-то время, двигаясь медленно, осторожно сквозь залитый лунным сиянием лес, Бак наконец спустился с горы. Пот градом струился у него по лицу, так что вскоре ворот его нательной рубашки стал совсем мокрым. Через каждые несколько шагов он останавливался, чтобы перевести дух, после чего, поддерживая себя мыслью об Аннике, двигался дальше. Сейчас, когда стемнело, она, должно быть, уже начала беспокоиться, не случилось ли с ним чего.

Если бы Бак мог, то несомненно улыбнулся бы, представив, как она будет рассержена, когда он явится домой так поздно. И она, конечно же, разворчится по поводу его раны; это только укрепит ее в мнении, что он должен взять Бейби и переехать в Шайенн.

Он вдруг споткнулся о камень, но забыл на мгновение о том, что ему следует беречь раненую ногу, и зарычал от боли, с силой опустившись на нее. Ловя ртом воздух, он навалился всем телом на ружье и вытер рукавом заливший глаза пот.

*Врач. Ха!*

Ей хотелось, чтобы он стал врачом. Подождем, что она скажет, когда увидит его ногу. Ему понадобится все его мастерство, чтобы как следует зашить такую рану, не говоря уже об удаче, поскольку в нее вполне уже могла попасть инфекция. Да и сможет ли он еще зашить свою собственную ногу. Он не мог представить себе Аннику склонившейся над его раной с иглой в руках. Однако в душе у него теплилась надежда, что она не настолько рассердится, чтобы отказаться посидеть у его постели и подержать его за руку.

По его подсчетам, у него ушло почти два часа, чтобы добраться до долины, два часа, на протяжении которых он то и дело спотыкался, останавливался и чертыхался. Переходя речку, он остановился там, где было мелко, и, наклонившись, напился. После чего ополоснул лицо и шею, машинально отметив при этом, что перестал потеть, хотя каждый шаг давался ему по-прежнему с трудом. Вне всякого сомнения, у него поднялась температура.

Радуясь, что светит полная луна, он двинулся дальше. Хижина была за следующим поворотом речушки. К тому времени, когда перед ним возникли знакомые очертания, он уже весь дрожал от холода. Тупая боль в ноге стала для него привычной как дыхание. Нога почти онемела, и он едва ее чувствовал.

Остановившись передохнуть, как он надеялся, в последний раз перед тем, как достичь порога своего дома, Бак вдруг заметил, что в окнах не светится ни огонька. Итак, Анника уже легла.

А он-то полагал, что она не спит, беспокоясь о нем. Хотя, конечно, пытался он убедить себя, идя к дому, все правильно и он должен только радоваться тому, что она о нем не беспокоится. Ибо это свидетельствовало о том, что она в нем полностью уверена.

Откуда ей было знать, что в эту единственную ночь, когда она занялась своими делами и не стала его ждать, он едва смог вернуться?

В лунном свете хижина походила на коробок спичек. Он был уже достаточно близко от нее, чтобы различить очертания двери и колоды во дворе для рубки дров. Прищурившись, он вгляделся, потом тряхнул головой и протер глаза. Должно быть, его зрение сыграло с ним шутку. С того места, где он стоял, дверь казалась черным пятном, а такое могло быть, только если она была распахнута настежь.

Он позвал Аннику, но никто не откликнулся.

Морщась, и не только от боли, он попытался ускорить шаг и тут же чертыхнулся, проклиная раненую ногу. Когда он наконец добрался до хорошо знакомой тропинки, ведущей во двор, дыхание со свистом вырывалось у него из груди. В изумлении он увидел, что из трубы не вьется дым. Итак, огонь в камине погас. *Почему?*

— Анника! — проревел он.

И опять никакого ответа.

Из-за угла дома вышла его лошадь, которая тут же потянулась к нему мордой, явно требуя подачки. Она все еще была не расседлана.

— Анника-а-а! Бейби! — Он вошел во двор и шатаясь побрел к открытой двери. — Анника, где ты, черт побери? — крикнул он в зияющее перед ним отверстие.

— Анника-а-а, — ответило ему горное эхо.

Схватившись обеими руками за косяк, чтобы не упасть, он в последний раз выкрикнул в темноту ее имя, прежде чем боль, намного более сильная, чем физическая, пронзила все его существо.

И снова никто не откликнулся на его зов.

Лишь холодная тьма пустой хижины приветствовала его.

# ГЛАВА 19

Путь от Бастид-Хила до ранчо Буффало-Маунтин занял времени даже меньше, чем Анника предполагала. Сидя в коляске со спящей у неё на коленях Баттонз, она не отрывала глаз от двухэтажного особняка, к которому они сейчас приближались. Он казался монархом, который царит над простиравшейся вокруг, куда ни кинь взор, бескрайней прерией. Земля возле дома и хозяйственных построек уже покрылась травой, и кое-где виднелись согнувшиеся от времени и ветров деревья. Глядя, как колышется трава, Анника невольно подивилась про себя жизнестойкости тонких ростков, выдерживающих сильный напор ветра, который лохматил ей волосы, бросая в глаза выбившиеся пряди.

Зак Эллиот встретил её поезд в Бастид-Хиле. Последний раз, когда они виделись, ей было семь лет, но время не стерло его образ из ее памяти. Разве могла она забыть эти седые волосы под кожаной, с мягкими полями шляпой, шрам на щеке или неизменную табачную жвачку у него во рту? Он крепко обнял ее, когда она сошла на платформу в Бастид-Хиле, пару раз взглянул на Баттонз, но не задал никаких вопросов. Она поняла, что все вопросы он оставил Кейсу.

Когда они подъехали к дому и остановились у черного входа, Зак, показав рукой на дверь, предложил:

— Почему бы тебе не пойти наверх? Рози не терпится с тобой увидеться. А я пока съезжу в дальний кораль за твоим братом.

Словно в ответ на его слова дверь на широкую веранду, которая шла вокруг всего дома, вдруг распахнулась, и на пороге появилась Роза Сторм. Узнав Аннику, она всплеснула руками и кинулась ей навстречу с такой прытью, какой трудно было ожидать от женщины на последнем месяце беременности.

У коляски Роза остановилась. По щекам у нее текли слезы, но губы улыбались. Спрыгнув на землю с саквояжем Анники, Зак протянул свободную руку и принял у нее спящего ребенка. Роза бросила удивленный взгляд на Бейби, но, как и Зак, воздержалась от вопросов.

— Идем в дом,— предложила она, когда Анника взяла девочку у Зака.— Кейс сейчас будет. Ты ведь съездишь за ним, Зак? Нет?

— Нет. То есть я хотел сказать «да», мэм.— Он перевел взгляд на Аннику.— Иногда она говорит по-английски как-то чудно, и я немного теряюсь.— Зак вновь повернулся к Розе.— Кейс в дальнем корале, мэм?

— Да. Возится, как обычно, со своими бизонами. Он так обрадуется.— Она взяла Аннику под руку.— Идем. Я хочу знать, как ты.

«Смертельно устала,— подумала Анника.— И беспокоюсь о Баке. Гадаю, когда он приедет сюда и как отреагирует на его появление мой горячий братец...» Молча она последовала за Розой на кухню и устало опустилась на выдвинутый для нее хозяйкой из-под стола стул. Глядя на невестку, она вдруг почувствовала себя рядом с ней настоящей замарашкой. На Розе было темно-синее платье с белоснежным крахмальным фартуком, подчеркивавшим ее расплывшуюся талию; волосы заплетены в косу и уложены на голове в корону, совсем как у Аналисы. Еще в свою первую встречу с Розой Анника обратила внимание на то, что обе женщины были в чем-то неуловимо похожи. Вероятно, подумала она тогда, это объяснялось тем, что обе они родились и выросли в Европе.

— Садись, садись, Анника, и поешь. — Роза сложила на мгновение руки на своем объемистом животе.

— Спасибо, Роза, но мне сейчас не хочется есть. В общем-то я не голодна.

Не обратив на слова Анники никакого внимания, Роза открыла шкафчик и достала оттуда блюдо со сдобой. Кофе уже стоял на плите, и его аромат смешивался с такими же уютными, домашними запахами корицы и свежеиспеченного хлеба. Анника окинула взглядом крошечную кухню, рассматривая все вокруг с жадным любопытством, словно никогда ничего подобного не видела в жизни. Кружевные занавески на окнах, плетеный коврик на натертом до блеска желтом деревянном полу, коллекция заварочных чайников и чашек с блюдцами с рисунком из розочек на открытых полках... На кухне царил идеальный порядок и, однако, здесь было очень уютно.

— Не хочешь уложить *bambina* [1] в постель? — Роза, забыв о блюде со сдобой, остановилась перед Анникой, глядя на спящую девочку, головка которой покоилась у Анники на плече.

— Ничего... она легкая. Я привыкла носить ее. — С легким удивлением Анника вдруг осознала, что соскользнувшие у нее с губ слова не были обычной вежливостью. Баттонз и в самом деле не являлась для нее обузой. К тому же, держа ее на руках, она чувствовала себя ближе к Баку.

Роза не сводила с девочки жадного взгляда. Анника улыбнулась темноглазой итальянке.

_____
[1] Девочка (*итал.*).

— Хочешь подержать ее, когда она проснется?
Роза кивнула.

— *Che bella chica*, прекрасная маленькая девочка. — Она слегка похлопала Бейби по спинке. — Чей
это ребенок?

Анника глубоко вздохнула и с трудом выдавила из
себя улыбку.

— Она родственница человека, который меня похитил. Ее имя Бейби, но она любит, когда ее называ-
ют Баттонз.

Зная, как Кейс с Розой мечтают о детях, Анника
была уверена, что ее невестка без колебаний согласилась бы взять Бейби. Что же до Кейса, то тут еще
бабушка надвое сказала.

Подумав об этом, Анника, однако, тут же выбросила эту мысль из головы. Бак, несомненно, скоро
приедет за ними с Бейби. Может, даже уже сегодня
вечером. И к его приезду она должна твердо знать, что
намерена делать.

Внезапно задняя дверь распахнулась, и на пороге
кухни возник Кейс, за которым маячила фигура Зака.
При виде своего обожаемого старшего брата Анника
вздернула подбородок и храбро встретила вопроси-
тельный взгляд его голубых глаз. Небесно-голубой
цвет глаз и высокий рост были у них единственными
общими чертами, которые они унаследовали от матери. В остальном они были совершенно не похожи.
Кейс был брюнетом с черными как вороново крыло
длинными волосами, и его кожа своим цветом напоминала бронзу, что еще больше подчеркивало синеву его
глаз. Их родители сходились во мнении, что оба они
отличаются необычайным упрямством. Анника, правда, считала, что в отношении Кейса это было явной
недооценкой. Она надеялась, что, женившись, он немного смягчился, но сейчас, глядя, как брат стоит
в дверях, медленно оглядывая ее замызганное платье

и расстрепавшиеся от ветра волосы, Анника поняла: он весь кипит от возмущения.

Судя по всему, он уже решил для себя, что с ней произошло самое худшее. И если так, он не успокоится, пока не рассчитается с Баком.

Она решила не медля прояснить ситуацию, пока он не рассвирепел окончательно. Она рывком встала, протянула спящего ребенка Розе и, шагнув к брату, крепко обняла его за шею.

Кейс сразу же весь напрягся, и Анника затаила дыхание. Однако уже в следующее мгновение он расслабился, и она перевела дух. Он прижал ее к груди, и это объятие было выразительнее всяких слов. В следующее мгновение, однако, он, не выпуская ее из объятий, слегка отодвинулся и испытующе поглядел ей в лицо.

— С тобой все в порядке?

Анника кивнула и улыбнулась ему, но не смогла сдержать мгновенно выступивших на глазах слез. Кейс был ее братом, и она любила его. Ей было жаль, что, хотя и невольно, она явилась причиной его беспокойства и гнева.

— Со мной все в порядке, правда, — проговорила она еле слышно.

— Ты выглядишь просто ужасно.

— А кто говорил, что я слишком забочусь о собственной внешности? Но теперь, полагаю, я с этим покончила. — Она бросила взгляд вниз, на грязную юбку с обгоревшим подолом. — К тому же, мне не дали времени купить новое платье или хотя бы привести себя в порядок перед приездом сюда.

— И как же ты сюда добралась?

— Меня привез Зак. — Увидев его взгляд, как бы говоривший: не втирай мне очки, Анника поспешно добавила: — В общем-то это долгая история.

Кейс бросил взгляд на Баттонз.

— Откуда у тебя этот ребенок?

— Она неотъемлемая часть всего, что со мной произошло.

Кейс подвел ее вновь к столу, усадил на стул, поцеловал жену в щеку и в первый раз внимательно оглядел спящую на руках у Розы Бейби-Баттонз.

— Времени у меня предостаточно. Так что рассказывай. — Кейс повернулся опять к жене: — Этот ребенок слишком тяжел для тебя. Отдай его назад Аннике.

— Нет.

Анника с трудом подавила улыбку. Молодец, Роза! Наконец-то ее брату встретился кто-то, способный дать ему отпор. Зак подошел к плите, взял с ближайшей полки кружку и налил себе черного кофе.

— Кто-нибудь еще хочет? — предложил он.

Ему никто не ответил. Роза продолжала стоять, игнорируя Кейса, а тот, весь кипя от ярости, сверлил глазами ребенка у нее на руках. Наконец, не выдержав, он забрал у жены Баттонз и, подержав ее несколько мгновений, осторожно передал Аннике.

— Сядь, Роза.

Итальянка даже не пошевелилась.

— Пожалуйста, — умоляюще добавил Кейс.

Роза села, и Кейс опустился на стул рядом с ней. Вытащив из-под стола четвертый стул, Зак тоже приготовился слушать. Анника, вновь подавив улыбку, прижалась на мгновение губами к макушке Бейби.

— Начинай, — требовательно произнес Кейс.

— Рада видеть, что ты еще сохранил свои прекрасные манеры, мой большой брат.

Роза рассмеялась, и Кейс нахмурился.

— Сейчас не время для всяких нежностей. Что, черт побери, случилось за то время, что ты была там, и как тебе удалось вырваться?

Насколько Анника могла судить по выражению его лица, настоящий допрос был еще впереди.

Она вздохнула и медленно начала свое повествование, старательно избегая всякого упоминания о том, как постепенно изменялись их отношения с Баком. Она поведала им о Вердже, Клиффе и Дентоне и о том, как они заставили ее поехать вместе с ними и она была вынуждена взять с собой Баттонз. Рассказала и о том, что приключилось с ней в Шайенне.

— В общем я вышла из той лачуги и забрала лошадь Клемменса. Слава Богу, было уже совсем темно. — Анника рассмеялась в попытке внести шутливую нотку в свое повествование.

Кейс, однако, даже не улыбнулся. Взгляд его был прикован к ее лицу, и он явно с трудом сдерживался, сжимая и разжимая кулаки. Если бы она не знала его, то могла бы подумать, он сердится на нее за то, что ее похитили. Но она понимала, что он просто пытается не выказать своих чувств. Он стал таким после возвращения из пансиона, куда уехал учиться в тринадцать лет. С того дня он постоянно держал свои чувства в такой узде, что иногда казалось, будто единственной эмоцией, которая ему присуща, был гнев.

Не отрывая глаз от лица брата, Анника возобновила свой рассказ.

— Вероятно, я выглядела как настоящее огородное пугало, когда ехала через город. Да, между прочим, я весьма неплохо езжу верхом. Хотя, должна сказать, ездить по городу, да еще в мужском седле, совсем не так легко, как скакать по горам и долинам.

— Анника, — произнес с явным нетерпением в голосе Кейс, — не отвлекайся.

— Улицы Шайенна были безлюдны, но я продолжала ехать в направлении наиболее высоких зданий, где, по моим расчетам, был центр, и вскоре добралась до оперного театра. Спектакль, очевидно, только что закончился, и перед театром было много народа. Я спросила каких-то людей, ожидавших карету, как

мне найти полицейский участок, и они в свою очередь
тоже начали задавать мне вопросы. Когда же они
узнали, как меня зовут, то тут же вызвались проводить меня туда. Меня что, знает весь Шайенн?

Кейс промолчал, и тогда подал голос Зак.

— О твоем похищении было трижды напечатано
в газетах. Да и награда обещана немалая. Так что,
думаю, мало найдется таких, кто о тебе не слышал.

— Этого-то я и боялась. А как восприняли все это
мама с папой?

Склонившись к Аннике, Роза слегка похлопала
ее по руке.

— Они хотели приехать сразу же, как только Кейс
прислал им телеграмму. Но он сказал, что нет никакого смысла сидеть здесь и ждать.

— Я написал им не приезжать до весны,— по-
яснил Кейс.

Анника постаралась в нескольких словах закончить свою историю.

— Когда я добралась до полицейского участка,
они послали Заку в Бастид-Хил телеграмму и устро-
или меня на ночь в отеле «Интероушн». Бейби, как
и я, была ужасно измучена и никак не могла заснуть.
Так что мы не сомкнули глаз почти до утра. Начальник участка посадил нас на первый же поезд, и Зак
встретил меня.

Зак прервал ее, обратившись к Кейсу.

— Я решил не посылать к тебе человека с сообще-
нием о ее приезде, поскольку она все равно приезжала
шестичасовым поездом. Просто привез ее сюда, а потом поехал за тобой.

— Вот так я и очутилась здесь, немного, правда,
грязная и помятая, но и только. — Она надеялась, что
голос ее звучал достаточно убедительно и не выдал
владевшей ею неуверенности.

На лице Кейса, продолжавшего пристально смотреть на нее, не дрогнул ни один мускул. Роза, словно успокаивая его, положила руку ему на плечо. Кейс перевел взгляд с Анники на ребенка, которого она прижимала к груди, время от времени гладя с нежностью светлые кудряшки. Он откинулся на спинку стула, положил, не спеша, ногу на ногу и лениво протянул:

— Ну, а теперь почему бы тебе не рассказать нам, что же произошло в действительности?

Он знал, что его сестра врет, был уверен в этом так же, как в том, что сегодня солнце закатится за горизонт. Может, конечно, она и не врет, но во всяком случае не говорит всей правды. Она провела более двух месяцев наедине с человеком, у которого в роду были, похоже, одни сумасшедшие. В ее же изложении ее пребывание там выглядит самым обычным делом, вроде остановки дилижанса на промежуточной станции. Определенно там случилось нечто такое, о чем она предпочитает не говорить. Женщина, сидящая сейчас за столом напротив него, мало чем напоминала ту его младшую сестренку, которую он видел последний раз в Бостоне два года назад в рождественские праздники.

Ту Аннику Сторм интересовали лишь ее балы, ее образование, ее наряды и ее книги. Эта же Анника Сторм даже не подумала извиниться за свой непрезентабельный вид. Она не стонала и не хныкала, что ей немедленно нужно принять ванну и переодеться, как и не требовала, чтобы он отомстил за нее. И она ни разу, даже мимоходом, не упомянула в разговоре своего оставшегося в Бостоне жениха.

Каким-то образом его избалованная младшая сестрица превратилась совершенно в другого человека — и эта мысль тревожила Кейса больше всего. Она выглядела сейчас настоящей женщиной, и он молил про себя небеса, чтобы это не оказалось и в самом деле правдой.

Если Бак Скотт и изнасиловал ее, то по какой-то причине она не желала в этом признаваться. Не пыталась ли она за внешней бравадой скрыть свой стыд? От этой мысли у Кейса противно засосало под ложечкой.

— Твоя сестра устала. Я провожу ее наверх, в ее комнату, хорошо? — Роза встала, словно заданный ею вопрос был пустой формальностью.

Кейс взял жену за руку и вновь усадил на стул подле себя.

— Ты уверена, — обратился он к Аннике, — что Скотт явится сюда за ребенком?

— Да. — Анника кивнула, но вопрос брата вновь пробудил в ней сомнения. Что, если Бак не приедет за ними? Что, если он вернулся к прежней мысли, что Бейби нужен настоящий дом, семья, и решил не приезжать за ними? И она не имеет ни малейшего понятия, как отыскать хижину, даже если ей и удалось бы уговорить Кейса отвезти их с Бейби туда.

— И ты говоришь, что Бейби ребенок его сестры? Не его?

— Да. Она дочь Пэтси.

Кейс наклонился вперед.

— Что ты знаешь об этой Пэтси?

Анника покраснела.

— Мне известно, что она... ну... не вполне здорова.

— Это слишком мягко сказано, — произнес он тихо.

Моментально она перешла в нападение.

— Что ты знаешь о сестре Бака? И откуда?

Ему не понравился звучащий в ее голосе вызов, как и тон, каким она произнесла имя своего похитителя.

— Слухом земля полнится. Мне известно, что она сумасшедшая. Считает себя Клеопатрой.

Анника расхохоталась.

— Клеопатрой? Ну, Кейс, если ты веришь всяким...

— Это правда. Мой сосед знаком с женщиной, которая за ней ухаживает. И он также рассказал мне, что в семье Скотта все были сумасшедшими.

Анника хотела было возразить, но внезапно передумала. В сущности она знала слишком мало о родне Бака, чтобы должным образом аргументировать свою точку зрения.

— Ты не против,— обратилась она к брату, решив оставить этот спор до лучших времен,— если Роза проводит меня сейчас в мою комнату? Я ужасно устала, и мне хотелось бы немного вздремнуть, пока не проснулась Баттонз.

— Баттонз?

— Я объясню позже, откуда у нее такое имя.

— Твои сундуки и саквояжи наверху. Так и стоят нераспакованные.— Он надеялся услышать радостное восклицание, однако Анника лишь кивнула и коротко бросила:

— Хорошо.

Кейс нахмурился. Не такого ответа он ждал от сестры, привыкшей менять наряды по четыре раза на дню. Что-то здесь было явно не так, и он дал себе слово обязательно докопаться до истины.


— Вставай, Бак. Тебя зовет папа.

Бак приподнял голову, недоумевая, как здесь очутилась Сисси. С усилием разлепив губы, он спросил:

— Сисси?

Его младшая сестра подошла ближе и словно бы качнулась к нему. Баку показалось, что она дотронулась до его щеки. Прикосновение было холодным, как лед. Мгновение она стояла, склонившись над ним. На ее лице блуждала ее обычная бездумная улыбка, и в глазах, устремленных на него, не светилось ни одной мысли.

— Я не хотела поступать плохо, Бак. Никогда.

— Я знаю, Сисси. Я знаю.

— Они все дарили мне вещи. Красивые. Поэтому я разрешала им трогать меня.

Бак покачал головой, показывая, что он не винит ее за то, что делали с ней охотники на бизонов, когда его не было поблизости. Она позволяла им все — за безделушку, дешевые украшения, ленту для волос, новое зеркальце. Да что уж там говорить — она отдавалась им за одну лишь улыбку. Ее Бак никогда ни в чем не винил — Сисси не понимала, что делает, — но он винил мужчин, прекрасно видевших, что у нее разум ребенка.

Он попытался сесть, чтобы разглядеть ее получше, но не смог пошевелить и пальцем. Тело не повиновалось ему. В комнате было невыносимо жарко, и он невольно подивился про себя, зачем ему понадобилось разводить такой сильный огонь.

— Сисси?

Куда она подевалась? Он прищурился, пытаясь ее разглядеть, но перед глазами у него все расплывалось. Обессилев, он уронил голову на подушки.

— Вот, Бак, вот кролик. Я приготовила все, как тебе нравится.

Это был голос Анники. Бак узнал бы его из тысячи голосов, настолько он был нежен и сладок — как мед из сот. Он хотел спросить ее, почему она его бросила, но ответ сам возник у него в мозгу — потому что он был охотником на бизонов. А теперь он стал траппером, тогда как она была городской леди. Но она забрала с собой и Бейби. Просил ли он сам, чтобы она уехала? Он не помнил.

Он повернул голову и увидел, что Анника стоит перед ним, держа в руках пару освежеванных кроликов.

— Ты ведь любишь их такими, не так ли? — Она протянула руку, и кролики повисли у самого его лица.

— Не покидай меня снова. — Слова прозвучали, как мольба, и на мгновение он почувствовал стыд, но даже это не остановило его, и он повторил: — Не покидай меня снова, Анника. Останься со мной. — От невыразимой муки он на мгновение закрыл глаза, а когда открыл их опять, Анники рядом не было.

Пульсирующая боль в раненой ноге вернула его к действительности. Он слегка приподнял голову и попытался сосредоточить взгляд на пятнах засохшей крови. Интересно, кто перевязал ему рану, изорвав для этого на полосы его собственную рубашку? Не Анника ли? Неужели она позаботилась о нем, прежде чем оставить?

Чей-то голос отвлек его от беспорядочно кружащихся в голове мыслей.

— Пусть знает, что тебя я не держу... [1]

— Пэтси? — Он выставил вперед руку, пытаясь отгородиться от нее. От Пэтси можно было ожидать чего угодно. Даже сейчас, находясь в бреду, он помнил об опасности, какую представляла для него с Бейби Пэтси. Она была безумна, как и отец под конец жизни. Достаточно безумна, чтобы решиться — как Авраам, по ее словам, — принести свою дочь в жертву. Если бы не он, она, не задумываясь, сбросила бы девочку с крыши.

— Прошу, не приближайся... [2]

Хотя она стояла к нему лицом, взор ее был обращен не на него, а куда-то в пространство. Она вся была в ином времени, в иной эпохе. Она говорила словами, которые вложил в уста египетской царицы бард шестнадцатого века. И, хотя слова эти были

---

[1] Перевод Б. Пастернака.
[2] Перевод Б. Пастернака.

искажены, как и черты ее лица, горделивая осанка Пэтси не оставляла сомнений в том, кем она себя считает.

— Узнай, где он, кто с ним, чем занят он [1].

Бак знал, что находится в полной ее власти.

— Пэтси, прости меня. Я был вынужден так поступить. Я должен был увезти тебя.

Продолжая цитировать Шекспира, она произнесла:

— Послушай, отвернись и прослезись... потом, прощаясь, уверь, что слезы назначались мне. Тебе удастся чудно эта сцена чистосердечной фальши... [2]

Одеяние ее было из прозрачного шелка, а на голове, словно солнце, сверкал золотой обруч. Он сверкал так ярко, что Бак прикрыл на мгновение глаза, боясь ослепнуть. Над сверкающим обручем распростер крылья такой же излучающий сияние орел. Бак задрожал, глядя на нее. Дрожь сотрясала все его тело, и у него не было сил ни унять ее, ни заставить видение своей сумасшедшей сестры оставить его в покое.

Пэтси подошла вплотную к кровати, и край шелкового рукава коснулся его лица. Он задрожал сильнее. Она склонилась над ним, и он почувствовал на своей щеке ее ледяное дыхание.

— Сначала погребем его, — заговорила она вновь словами египетской царицы, — а после, как должно, со свободною душой, без трепета, по-римски, горделиво, на зависть всем сумеем умереть... [3]

И тут Бак понял, что умирает.

Послеполуденное солнце пронизывало своими лучами занавеси на окне, образуя причудливый узор на

---

[1] Перевод Б. Пастернака.
[2] Перевод Б. Пастернака.
[3] Перевод Б. Пастернака.

восьмиугольных плитках пола в ванной комнате. Анника лежала, откинувшись назад, в высокой, изысканно украшенной ванне, чувствуя, как постепенно расслабляются ее одеревеневшие мышцы и боль в ногах уходит. Как только Роза оставила ее с Баттонз в отведенной для них комнате, Анника решила последовать примеру ребенка и лечь спать. И сейчас, после того как она искупала Баттонз и передала ее Розе, настало время побаловать и себя. С наслаждением вдыхая резкий запах розовых солей, ароматизировавших воду, она намылила руки и ноги, после чего принялась за мытье головы и терла и скребла ее до тех пор, пока не почувствовала себя так, будто вместе с грязью смыла всю усталость последних двух дней. Наконец, когда вода остыла и ее охватило чувство вины за то, что она оставила Розу на милость Бейби на такое долгое время, Анника медленно, стараясь не набрызгать на пол, поднялась из воды и протянула руку к оставленному для нее Розой толстому махровому полотенцу.

Закрутив полотенце тюрбаном на голове, она медленно провела руками по телу, смахивая капли воды, и мысли ее невольно обратились к тем двум ночам, когда она лежала в объятиях Бака, наслаждаясь его ласками. Она нахмурилась. Когда же он наконец явится? Ей хотелось быть уверенной, что она будет с Кейсом, когда мужчины встретятся. Выражение, замеченное ею в глазах Кейса, не сулило ничего хорошего. Встреча несомненно перерастет в драку, если только она не будет на ней присутствовать. Кейс будет слишком разъярен, чтобы внять голосу рассудка, а Бак даже не подумает сказать хоть слово в свое оправдание.

Вытерев волосы, она повесила полотенце снова на крючок и вылезла из ванны. Протянув руку, она сняла с вешалки в углу свой пеньюар из лилового шелка, который повесила для нее там Роза. Судя по всему, невестка нисколько не сомневалась, что ее спасут.

Аннике хотелось сказать Розе, что в общем-то она не нуждалась ни в каком спасении, но она боялась, как бы та не передала ее слова Кейсу. Она жаждала поговорить с Розой, рассказать ей обо всем, что с ней произошло, но пока она не слишком-то хорошо знала жену брата, чтобы с ней откровенничать. Шлепая босиком по коридору в свою комнату, Анника спрашивала себя, сможет ли она когда-либо поделиться своим секретом с Розой.

По сравнению с хижиной Бака в Блу-Крик отведенная им с Бейби комната для гостей в доме Кейса выглядела настоящими хоромами. Широкая, на четырех высоких ножках кровать была застелена желтым покрывалом. В изголовье возвышалась гора подушек в наволочках с оборками, и на окнах висели такие же занавески. Ее одежда занимала полностью высокий дубовый шкаф, а на комоде были расставлены взятые ею из дома флаконы с духами.

Распахнув дверцы шкафа, Анника провела рукой по висевшим там атласным и шелковым платьям всех цветов радуги. Они были куплены девушкой, для которой главным в жизни был вопрос, как она выглядит, и не вызывали особой радости в женщине, чье сердце сжималось от тоски и нерешительности. Два месяца прошло с тех пор, как она отправилась в путь со всеми этими великолепными нарядами, и за это время выяснилось, что в сущности ей не нужен ни один из них. Среди роскошных нарядов висело и сшитое для нее Баком пальто, резко контрастировавшее с ними и напоминавшее о разнице в их положении. Анника опустила руку, остро сознавая в этот момент, что отдала бы все свои наряды за то только, чтобы увидеть Бака снова.

Глядя на себя в зеркало, она подняла кружевной воротник своего шелкового пеньюара. Интересно, что сказал бы Бак, если бы ее сейчас увидел? Вероятно, покачав головой, он сказал бы, что был прав, когда говорил, что жизнь, полная удобств, ей дороже, чем он. Она провела рукой по волосам, затем машинально взяла свою расческу из слоновой кости и принялась расчесывать влажные пряди.

Причесываясь, она вглядывалась в свое отражение в зеркале. Отразилось ли пережитое ею за эти два месяца у нее на лице? Мог ли кто-нибудь, глядя на нее, догадаться, что ее похититель лишил ее невинности? Поймут ли ее, если она скажет, что не является уже той беззаботной девушкой, которая считала, будто ей все известно об этом мире и о ее месте в нем? Что ей мельком удалось увидеть жизнь, о которой она даже не подозревала и которую, возможно, и не пожелала бы себе, но сейчас готова была принять эту жизнь и вместе с ней — мужчину, являвшегося неотъемлемой частью этой жизни?

Снизу до нее донесся смех Баттонз. Она улыбнулась. Интересно, что скажет Бак, увидев девочку в дорогой, красивой одежде, которую заказала для нее Роза? Зак опять уехал в Бастид-Хил, на этот раз со списком необходимой одежды для Баттонз, и Роза заставила его пообещать, что он завтра же все привезет. А пока Роза приспособила в качестве ночной рубашки для Баттонз одну из своих блузок из мягкой ткани. Баттонз согласилась ее поносить, пока сохло ее шелковое платьице и еще одно, ситцевое, которое Анника тоже захватила с собой.

Старый коричневый костюм Анники лежал на полу у двери. Привести его в порядок было уже невозможно, и она решила выбросить костюм. Однако во взгляде ее, устремленном на него, была печаль. Глядя на него, она не могла не вспомнить все то, что произошло с ней в последние два месяца. Несмотря на тяготы, сомнения и ссоры с Баком, дни, проведенные ею в Блу-Крик, были в какой-то степени самыми счастливыми в ее жизни.

Она подошла к окну, чтобы посмотреть, как солнце опускается за горы. Не глядит ли и Бак сейчас на этот закат? Будем надеяться, подумала она со вздохом, что темнота заставит его поторопиться.

## ГЛАВА 20

Такой отвратительной галлюцинации у него еще не было.

На его груди стояло существо размером с крысу и, нервно вращая своими круглыми, навыкате глазами, поводило тупым носом, по обе стороны которого торчали черные усы. Тоненькие, как спички, лапы существа, казалось, вот-вот подломятся под тяжестью его наполовину лысого, наполовину покрытого спутанной шерстью тела, которое сотрясала непрекращающаяся дрожь. Существо открыло пасть, из которой на него пахнуло острым собачьим запахом, и лизнуло его в губы.

Бак поморщился и отвернул лицо в попытке избежать новых прикосновений влажного языка.

— Уйди от меня, Мышка!

Он хотел сбросить с себя чихуахуа, но сил у него хватило лишь на то, чтобы слегка поднять руку.

Слуха его коснулась чье-то шарканье, и, повернув голову, он увидел Старого Теда. Подойдя к кровати, Тед наклонился, взял собачку и сунул ее себе за пазуху.

— Пора бы тебе уже и проснуться.

— Я не умер?

— Нет, если только мертвые вдруг не начали разговаривать, а я о таком пока не слыхал. Видок у тебя, надо сказать, такой, будто ты побывал в аду.

Бак почувствовал аромат кофе. К нему примешивался еще какой-то запах, но, как он ни старался, ему никак не удавалось его определить. Он сделал попытку приподнять голову, но тут же опять уронил ее на подушки.

— Похоже, я не могу пошевелить и пальцем.

— Лихорадка вытянула из тебя все силы. Да, я приготовил поесть, если тебе вдруг захочется. Можешь сам сесть или мне тебя приподнять?

После нескольких безуспешных попыток Бак сдался.

— Без твоей помощи, похоже, не обойтись.

Пробормотав что-то нечленораздельное, Старый Тед склонился над ним и, поминутно кряхтя и охая, помог Баку принять сидячее положение. После чего взбил подушки, чтобы ему было удобнее сидеть, и отошел на шаг.

— Что тебе принести?

— А что у тебя есть?

— Копченая оленина, галеты, кофе и мясная подлива.

— Галету и кофе.

Шаркая, Старый Тед отошел к столу, взял тарелку, положил на нее галету и, налив в кружку кофе, отнес все Баку.

— Тебе повезло, что я проезжал мимо.

— Сколько времени я пробыл в беспамятстве?

— Я здесь уже с неделю. Думаю, ты был в бреду день или два до того, как я появился. Один из твоих мулов забрел сюда в поисках еды.

— Теперь я понимаю, откуда здесь этот странный запах.

— Да, попытался убраться, но, кажется, развез грязи еще больше, — признал Тед.

Бак откусил от галеты и сделал глоток кофе. Нога его все еще пульсировала. Но он не знал, было ли это добрым знаком. По крайней мере, она не онемела, однако он не спешил взглянуть на нее, боясь увидеть, что она почернела от гангрены.

— Что случилось? — спросил Тед.

— Горная кошка. Пума. Я подстрелил оленя, и ей захотелось его попробовать. А я оказался у нее на дороге.

Тед откашлялся и спросил, избегая встречаться взглядом с Баком:

— А где ребенок?

Боль, пронзившая Бака при этих словах, боль от потери Анники и Бейби, была сильнее, чем от когтей пумы.

— Уехала. Женщина взяла ее с собой.

— И ты ей позволил?

— Даже велел, — ответил Бак. Теду совсем необязательно было знать, что Анника бросила его, убежала от него тайком, разбив ему сердце с такой же легкостью, с какой ты убиваешь летом комара.

— Да что ты говоришь? — Тед подался слегка вперед, и его красные, в прожилках щеки затряслись. Нахмурившись, он убрал упавшую на лицо прядь волос.

— Еще кофе. — Бак протянул кружку, надеясь отвлечь старика. Когда Тед поднялся, чтобы налить в кружку кофе, Бак попытался переменить тему: — Лихорадка, значит. Вон оно что.

— Тебе было очень плохо. Когда я вошел, ты совсем ничего не соображал. — Тед протянул Баку полную кружку. — Я промыл тебе, как мог, рану на ноге и положил на нее хлеб, но она все еще сочится из-под повязки.

— Ты думаешь, рана загноилась? — Задавая этот вопрос, Бак вдруг с необычайной ясностью понял, что ему в высшей степени наплевать, занес ли он в рану инфекцию или нет. Сказать по правде, ему было сейчас на все наплевать.

Старый Тед покачал головой.

— Я держал рану в чистоте, но ее нужно обязательно зашить.

— Почему же ты этого не сделал?

Тед пожал плечами.

— Руки у меня уже не те, дрожат.

Бак поставил тарелку с чашкой на стоявший подле кровати ящик и откинул одеяло. На нем все еще было его грязное нижнее белье, но Тед разрезал кальсоны на левой ноге и перевязал рану.

— Сними повязку.

Медленно, осторожно Тед разбинтовал ногу.

С учетом обстоятельств, подумал Бак, рана выглядит не так уж и плохо. Края раны были неровными, и из нее сочилась красноватая жидкость, но гноя не было. Склонившись над раной, Бак почувствовал, что у него кружится голова. Выпрямившись, он потряс головой и на мгновение прикрыл глаза.

— Достань-ка мне из комода в ногах кровати коробку из-под сигарет. Я сейчас зашью рану.

Покопавшись в ящиках, Тед достал коробку и положил ее Баку на колени. Затем подошел к столу и взял стоявшую там свою флягу с виски. Плеснув в кружку щедрую порцию, он протянул виски Баку.

— Я не буду пить, пока не зашью рану,— бросил Бак.

Тед залпом выпил виски.

— А вот я. не могу на это даже смотреть, не опрокинув прежде стаканчик.

Бак вдел в ушко иголки ту же черную нить, которой зашивал рану Аннике. *Прекрати о ней думать!* Он склонился над левой ногой и решительно воткнул иголку в кожу.

Старый Тед отошел в дальний угол и опустился на стул.

На лбу в верхней губе Бака выступили капли пота.

К тому времени, когда края раны были наконец сшиты, он находился уже почти на грани обморока. Взяв ножницы, он отрезал нитку и дрожащей рукой отставил коробку в сторону.

— А теперь,— произнес он еле слышно,— я, пожалуй, выпью это виски.

— На, держи.— Тед протянул ему кружку и, пододвинув к кровати стул, сел.— Хочешь поговорить об этом? — Он почесал за ухом у собачки, которая высунула голову из-за пазухи хозяина и теперь беспокойно поглядывала на Бака.

— О чем? — Бак угрюмо взглянул на Теда, надеясь, что его суровое выражение лица заставит того умолкнуть. Но надеждам его не суждено было сбыться.

— О том, что эта женщина уехала и забрала с собой ребенка.

— Мне нечего сказать.

— Приехав сюда, я увидел множество следов вокруг хижины. Они хорошо отпечатались на влажной земле.

— Я сказал...

— Ты сказал, она уехала. Но я хочу знать, как это произошло.

— Ее пребывание здесь было ошибкой. Она уехала, как только наступила оттепель, только и всего. Я был на охоте в тот момент.

— Гм.

— Что ты хочешь сказать этим своим «гм»?

— Ничего. Просто «гм».— Тед отхлебнул из кружки виски.— Она уехала не одна.

Бак, не донеся кружку до рта, замер.

— На что это ты намекаешь, старик?

— Ты уверен, что она хотела уехать? — ответил вопросом на вопрос Тед.

— Ты видел ее в тот первый день. Ей, черт побери, явно не хотелось здесь оставаться, ведь так?

— Ну, то когда было! Ты хочешь сказать, за эти два месяца не произошло ничего такого, что заставило бы ее передумать?

— Ничего,— проворчал Бак. Он потер подбородок и почувствовал под рукой недельную щетину. Хорошо. Больше он вообще никогда не станет бриться. Ни для нее. Ни для кого бы то ни было. Он отрастит себе такую же длинную бороду, как у Теда и...

— Кто, как ты думаешь, мог ее забрать?

— Не знаю. Скорее всего, ее брат.

— Так у нее действительно есть брат? Мне следовало бы воспользоваться ее предложением и отвезти назад в тот первый день.

— Ее брат Кейс Сторм. Слышал про него?

Старый Тед почесал нос, после чего опять стал почесывать Мышку за ушами.

— Это случайно не тот начальник полицейского участка, который покончил с бандой Досона?

— Он самый.

— Черт! Хорошо, что ты был на охоте, когда он сюда заявился.

— Я того же мнения.— Бак попытался представить радость Анники, когда ее брат подъехал к хижине. Бросилась ли она ему на шею? Поведала ли тут же о своих бедах? Рассказала ли, как надула этого большого дурака, который ее похитил, уверив его в своей любви? Не смотрела ли она и на Бейби, как на обузу? Не поспешит ли она избавиться от ребенка, устроив ее где-нибудь в Шайенне?

Он прикрыл глаза и прислонился к стене.

— Еще?

Бак открыл один глаз и увидел, что Тед протягивает ему флягу с виски.

— Почему бы и нет? — Он протянул Теду свою кружку.

Вне всякого сомнения, он был все еще слишком слаб, чтобы стоять на ногах. Что плохого в том, если он напьется, как свинья? Худшее, что может произойти с ним, — это свалиться с кровати на пол.

А самым лучшим было бы, если бы он уснул и никогда бы больше не проснулся.

— Как только ты поправишься, я отправлюсь в Шайенн. Хочешь, я возьму все твои заготовленные за зиму шкурки и продам там? — предложил Тед.

Если он позволит старику продать шкурки, подумал Бак, это избавит его от риска услышать случайно что-либо про Аннику. О ее спасении говорили, несомненно, во всех салунах. Но со временем разговоры утихнут, и тогда он сможет без всякой опаски спуститься в город.

— Конечно. Почему бы и нет? Ты поедешь назад мимо меня?

— Поскольку я беру с собой твои шкурки, то да. Я привезу тебе твои деньги и новости о девушке.

Стиснув в руках кружку, Бак повернулся лицом к Теду.

— Я не желаю о ней слышать. Я не хочу знать, что произошло с ней или с Бейби. Никогда.

— Никогда — большой срок.

— Заткнись, старик.

Молча Тед поставил флягу с виски на ящик возле кровати и поднялся.

— Куда ты? — Бак нахмурился, увидев, что Тед направился к двери.

— Пойду пройдусь. Надеюсь, когда я вернусь, ты будешь в лучшем настроении.

В просторном корале обитали двадцать два бизона — все с клеймом Буффало-Маунтин. Одетая в просторную белую блузку и красиво расклешенную у щиколоток темно-синюю, в тон ботинок, юбку, Анника стояла на нижней перекладине забора и, ухватившись за верхнюю, наблюдала за массивными животными. Большинство из них стояли, уставясь в землю, или лежали на боку, лениво следя за жужжащими вокруг мухами. Анника попыталась представить, какими они были, когда жили на свободе. Кейс говорил ей, что бизоны проносились по прерии, как бурный коричневый поток, волна за волной, сметая все на своем пути, и, когда они мчались, дрожала земля.

Два самца в корале были столь огромны, что на них даже смотреть было страшно. Их острые, как ножи, рога были изогнуты дугами над мощными черными лбами, а на загривках торчали клоки выгоревшей коричневой шерсти. Было время линьки, и шерсть местами у них выпала, или они сами ее вытерли, валяясь на земле.

— В них есть нечто таинственное, ты не находишь? Это и влечет тебя к ним, или ты просто глазеешь на них в ожидании, когда проснется Бейби?

Анника вздрогнула, услышав вдруг за спиной голос брата. Кейс двигался всегда совершенно бесшумно, что было весьма необычно для такого крупного мужчины. В детстве она обвиняла его в том, что он к ней подкрадывается. Убрав упавшую на лицо от ветра прядь волос, она улыбнулась облокотившемуся рядом на забор брату.

— Они почему-то вызывают у меня чувство глубокого покоя. Может, потому, что они просто стоят или лежат. Они словно ожидают чего-то.

— Они ждут, — в голосе Кейса звучала откровенная печаль, — что все опять будет, как раньше. Они ждут, что будут носиться по прерии свободные, как ветер, вместе со своими братьями, которые, к сожалению, никогда уже не вернутся. Они ждут, что на них снова будут охотиться сиу, которые тоже никогда больше не отправятся на охоту.

— Откуда ты знаешь, о чем они думают?

— Я это чувствую. А ты разве нет?

Анника покачала головой.

— Не знаю.

— Когда-нибудь, уверен, ты это почувствуешь. Тебе известно, что здешние индейцы всегда жили за счет бизонов? Они ни в чем не зависели от белых, пока на этой земле обитали бизоны. Из бизоньих шкур они делали одежду, из их копыт — клей, из жил — нити, из ребер — ножи. А бизоньи желудки они использовали для хранения воды.

— Как ты нашел своих бизонов?

— Это было нелегко, должен сказать. Мы окружили их по одному, редко сразу двоих. Они все беспорядочно бродили по прерии, находясь почти на грани вымирания. У нас ушло почти два года, чтобы найти девятнадцать особей. А три бизона родились уже здесь.

— И что ты собираешься с ними делать?

Кейс устремил взгляд на возвышавшиеся вдали горы.

— Держать их здесь. Кормить их и заботиться о них, чтобы мои дети знали, что такое бизоны. И не только мои дети, но и дети моих детей. — Он снова повернулся к ней и испытующе посмотрел ей в глаза, словно хотел взглядом своим проникнуть ей в самую душу. — Охотники, такие, как тот, что похитил тебя, почти полностью их истребили.

Анника с трудом сглотнула.

— Может, они этого не знали? Может, они думали, что бизоны будут всегда?

Кейс покачал головой.

— Они знали, как знали и те люди, которые им платили. Им было прекрасно известно, что, когда исчезнут бизоны, вместе с ними исчезнут и индейцы. Это был грандиозный план.

— Не может быть, — запротестовала она.

Кейс посмотрел на сестру, у которой были такие же светлые волосы и черты лица, как у матери. Анника была больше белой, чем индеанкой, и он не мог винить ее за то, что ей незнакомы чувства, владевшие им. Он всегда ощущал себя индейцем, чувствовал это в своем сердце. Возможно, она вообще никогда не почувствует того, что чувствовал он. Кейс порадовался про себя, что ей не приходится сталкиваться с людскими предрассудками, о которых сам он знал даже слишком хорошо, но с которыми постепенно научился мириться, как научился этому в свое время Калеб.

— Как долго ты собираешься держать здесь ребенка? — резко переменил он тему разговора в надежде застать ее врасплох. Его уловка удалась. Анника побледнела и отвернулась, но он успел заметить выражение страдания в ее глазах.

— Месяц назад, — Анника провела пальцем по перекладине забора и пожала плечами, — я думала, что Бак приедет за ней. Но сейчас я в этом не уверена.

— Бак? Ты произносишь его имя с таким благоговением.

Она повернулась к нему.

— Ты ошибаешься.

Не обратив на ее возражение никакого внимания, Кейс продолжал:

— Я беспокоюсь о тебе, Анника. Ты почти ничего не ешь и проводишь все дни дома, работая за Розу.

— Разве тебя это не радует? Она ведь сейчас едва может ходить, не говоря уже о том, чтобы выполнять какую-либо работу по дому. Я просто пытаюсь ей помочь, Кейс, насколько это в моих силах.

— Меня волнует то, что это совсем на тебя непохоже. А так помогай ей, сколько тебе хочется.

— Огромное тебе спасибо, братец.

Кейс надвинул шляпу на лоб, чтобы тень от полей упала ему на глаза.

— Мою младшую сестренку, которую я оставил в Бостоне, интересовали лишь балы и приемы, да еще, пожалуй, наряды, которые у нее были всегда самыми модными. Дома ты не пошевелила бы пальцем, чтобы даже вскипятить себе воду для кофе.

— Ты несправедлив, Кейс. Дома мне не нужно было ничего делать. Здесь же все обстоит совсем иначе, и я занимаюсь домашними делами, только чтобы помочь Розе.

— Нет, ты изменилась,— проговорил он сердито, пытаясь за резким тоном скрыть свою тревогу. — Твой похититель явно обидел тебя сильнее, чем ты хочешь признать, но я не буду пока настаивать на том, чтобы ты мне все рассказала. Мне придется подождать со всеми выяснениями до того, как Роза разрешится от бремени, но я стал сейчас весьма терпелив. Более терпелив, чем когда-либо прежде. Я подожду.

Анника проводила его глазами, пока он не скрылся в здании конюшни, стоявшем между домом и загоном для бизонов. Когда он вошел внутрь, она повернулась к забору спиной, борясь с желанием закрыть лицо руками и разрыдаться. С усилием подавив минутную слабость, она расправила плечи, глубоко вздохнула и попыталась обдумать сложившуюся ситуацию.

Почему Бак не приехал за ней? Она жаждала его увидеть, жаждала сказать ему, что готова жить с ним, где он только пожелает. Все было лучше, чем эта ужасная разлука. Она уже думала о том, чтобы попросить Кейса отвезти ее назад в горы и поискать там вместе долину Блу-Крик и Бака, но они не могли уехать с ранчо до тех пор, пока Роза не родит и не оправится от родов. К тому же, учитывая отношение

Кейса к Баку, с ее стороны было бы верхом глупости даже заикаться об этом.

Она попыталась встать на место Бака. Был ли он уверен, что она не могла покинуть его столь внезапно по доброй воле, или он воспринял ее отъезд как бегство? Он, правда, заподозрил ее в том, что она решила покинуть его, в тот день, когда они с Бейби собрались на пикник, но как он мог сомневаться в ней после того, как в ту же ночь она столь откровенно ответила на его чувства?

Сейчас, когда она прожила без него целый месяц, ей стало ясно, что в сущности для нее не имеет никакого значения, где он хочет жить. Он был нужен ей, нужен больше всего на свете. Мысль о возвращении в Бостон без него вызывала у нее слезы. Конечно, она могла бы остаться здесь, в Вайоминге, но это было бы слабым утешением, поскольку рядом все равно не будет Бака.

Ветер усилился. Хотя Анника и привыкла к постоянно дующему здесь ветру, сейчас, глядя на клубящуюся по коралю пыль, она решила, что на сегодня с нее довольно. Погруженная в свои мысли, она медленно прошла через скотный двор. Ветер прижимал ее юбку к ногам, развевая расклешенный подол вокруг лодыжек.

Подняв голову, она посмотрела на дом, который своим ярким желтым цветом напоминал свежее сливочное масло. Окантовка была выполнена яркой белой эмалью, и каждый гвоздик, каждая досочка были окрашены с необычайной тщательностью. На мгновение Анника позавидовала брату и его жене. Как и у родителей, любовь их была такой откровенной, такой бьющей через край, что они казались одним существом, когда бы ты ни видел их вместе.

Она не могла представить себя работающей бок о бок с Баком в качестве его жены. Их отношения начались столь необычно, их миры были столь различны, что, вероятно, с ее стороны было настоящим безумием даже думать об их союзе.

Союзе? Анника мысленно чертыхнулась. О каком союзе между ними можно говорить, когда она ему совершенно безразлична? То, что он за ней не приехал, не оставляло на этот счет никаких сомнений. А может, подумала она вдруг, он получил все, что хотел, и к большему не стремился? Он поразвлекся с ней, а потом случай помог ему от нее избавиться, да еще вдобавок и сложить с себя бремя ответственности за Бейби. И теперь он мог жить так, как хотел — один и свободный от всяких уз. Он сам ей говорил, что, в сущности, ему не нужна жена и он написал Алисе Соумс лишь из-за Бейби, которой требовалась нянька. Почему он должен менять свои планы только оттого, что она вдруг пожелала упасть ему в объятия?

При мысли об этом Анника, уже взявшись за ручку задней двери на кухню, почувствовала, как лицо ее заливает краска стыда. О Господи! Подумать только, что в тот первый раз она чуть ли не набросилась на него... и занялась с ним любовью прямо, можно сказать, на столе...

— А вот и ты, — раздался голос Розы, и от неожиданности Анника едва не подпрыгнула.

Виновато она перевела взгляд со стола на невестку.

— Я была в корале. Смотрела бизонов.

Роза улыбнулась.

— Ты совсем как твой брат. Для него, как и для тебя, бизоны что-то значат, но я, глядя на них, замечаю только грязь и мух. — Она пожала плечами. — Но Кейсу они доставляют радость, так что я не возражаю против них.

Шагнув вперед и встав позади невестки, которая была по крайней мере на голову ее ниже, Анника стала смотреть, как та раскатывает тесто.

— Где Баттонз? Она тебе не докучала?

— Что ты! Баттонз чудесная девочка. Она сейчас спит.

Анника покачала головой.

— Она может быть настоящим бесенком. Ты случайно не отнесла ее наверх?

Роза покачала головой и приподняла раскатанный лист теста. Осторожно она уложила его в форму для пирога и начала раскатывать второй ком. Работая, Роза продолжала разговаривать, и, глядя, как порхают над доской ее руки, Анника поразилась про себя мастерству невестки. В фаянсовой миске была приготовлена начинка для будущего пирога — персики в сахаре, — и, судя по исходящему от них аромату, от которого текли слюнки, Роза добавила туда и корицы. Не удержавшись, Анника стащила из миски кусочек персика.

— Опять ты ведешь себя, как твой брат, который постоянно таскает у меня фрукты из начинки для пирога.

Роза, повернув голову, посмотрела пристально на Аннику, и в первый раз руки ее застыли неподвижно. Анника, прислонившись к кухонному шкафчику, ждала, что она скажет. За этот месяц она полюбила невестку и прониклась к ней доверием. Может, подумала она, если она расскажет Розе о том, что ее мучило, ей удастся прийти к какому-нибудь решению? Прошло несколько томительных мгновений. Наконец, поскольку Роза, казалось, ожидала, что она заговорит первой, Анника спросила:

— В чем дело?

— Я подумала просто, что ты хочешь мне о чем-то рассказать. Ты встревожена, я права?

Вздохнув, Анника опустила глаза на запыленные носки своих ботинок.

— Мне необходимо с кем-нибудь поговорить.

— Но ты не можешь говорить об этом со своим братом, так?

Тряхнув головой, Анника признала:

— Только не об этом.

— Речь идет о мужчине, да? О том, кто похитил тебя?

Анника кивнула.

— Я так и думала. Расскажи мне.

— А ты не скажешь Кейсу?

— Если я пообещаю ничего ему не говорить, то и не скажу.

— Не говори ему, пожалуйста. Думаю, в конце концов мне все же придется ему все рассказать, но пока я не могу. Он все еще в ярости, а ты знаешь, какой он, когда сердится.

Роза подняла на мгновение глаза к потолку и начала выкладывать начинку в форму.

— Он теперь не такой, каким был, когда я только приехала в Бастид-Хил. Уже не сердится постоянно, как раньше.

Анника знала, что брат примирился со своим наследием, но многое было ей по-прежнему неясно. Ей хотелось спросить Кейса, что побудило его столь внезапно переехать в Вайоминг пять лет назад, но она решила пока воздержаться от каких бы то ни было вопросов. Кейс был не на шутку разгневан, и к тому же сейчас ее занимали больше собственные проблемы.

— Я не могла сказать всего Кейсу — я никому не могла этого сказать. Но сейчас я просто не знаю, что делать, Роза, и это сводит меня с ума.

— Успокойся и начни с самого начала.

— Поначалу я ненавидела Бака Скотта. Во-первых, я была напугана, и потом, никто прежде не обращался со мной столь грубо. Он не желал ничего слушать и тащил меня вперед, настаивая, что я и есть та самая женщина, за которой он послал. Когда же до него, наконец, дошло, что он ошибся, было уже поздно, поскольку снег отрезал нам путь назад.

— Это я знаю. Но что ты чувствуешь к нему в душе?

Анника вскинула голову.

— В душе?

— Твоя душа в твоих глазах, когда ты думаешь о нем. Я вижу, что ты ждешь его. Ты постоянно оглядываешься и прислушиваешься. Когда к дому подъезжает кто-то в фургоне или на лошади, ты тут же бежишь к дверям. Твой брат считает, ты боишься, как бы сюда не явился твой похититель, но я уверена, ты с нетерпением ждешь его приезда.

Анника рывком повернулась к Розе, чувствуя себя так, словно с плеч у нее свалился тяжкий груз. Забыв про пирог, Роза вытерла руки о фартук и подтолкнула Аннику к столу.

— Садись. Разговаривать лучше сидя.

Роза продолжала держать ее за руку, чего Анника никак не могла понять, пока вдруг не сообразила, что из глаз у нее льются слезы, капая прямо на белую блузку.

— О Господи, Роза, я совсем не собиралась реветь, но я таю это в себе уже целый месяц и...

— Все в порядке. Рассказывай.— Роза бросила взгляд на дверь.

Анника поспешно вытерла глаза, не желая, чтобы брат застал ее в таком состоянии. Тогда бы он точно заставил ее все ему рассказать.

— Бак оказался совсем не таким, как я думала вначале,— продолжила она свое повествование.— Разумеется, он несколько неотесан и беден, но в некотором смысле он богаче многих. Он живет в горах, где небо так близко, что до него, кажется, можно дотронуться рукой, а воздух прозрачный и насыщенный запахом сосен. И Бак не такой уж и нецивилизованный. Скорее, я бы сказала, он придерживается собственного кодекса чести. Он никогда не коснулся бы меня и пальцем, если бы... если бы я сама этого не захотела.

Роза вздохнула с явным облегчением.

— Кейс боится, что он тебя изнасиловал. Он думает, что поэтому-то ты так напугана и почти ничего не ешь. У него не идет из головы тот давний случай...— Сообразив, очевидно, что сказала лишнее, Роза умолкла.

Анника нахмурилась.

— Давний случай? Какой давний случай?

— Я дала слово, как сейчас тебе. Я не могу рассказать тебе эту историю.

— Но, Роза, изнасилование?.. О Господи. Надеюсь, Кейс никого не изнасиловал? Я так до сих пор и не поняла, почему он тогда так внезапно покинул Бостон, но...

Лицо Розы мгновенно потемнело от гнева.

— Твой брат никогда такого не сделает. Помни об этом.

— Знаю, знаю... Извини, что так сказала, но...

— Он должен рассказать тебе все сам. Ну, а теперь вернемся к этому человеку, этому Скотту...

Сложив на коленях руки, Анника тихо произнесла:

— Я влюбилась в него, а потом...

— А потом эти люди, которые хотели получить за тебя награду, увезли тебя оттуда,— закончила за нее Роза.

— Да. Я думала, что он тут же бросится за ними в погоню, но он этого не сделал, и теперь мне кажется, что он никогда не любил меня по-настоящему.— Анника подняла глаза на Розу, и по щеке у нее скатилась слеза.— Боюсь, он просто использовал меня.

— Так вы любили друг друга, как женщина с мужчиной?

Анника кивнула.

— Да. Я его спровоцировала, не вынеся его сдержанности. А теперь мне так стыдно.

— Ну, все не так уж плохо. Никто ничего не узнает, если ты никому не скажешь.

Анника наклонилась вперед, обхватив руками голову.

— Это еще не самое худшее, Роза. Боюсь, я беременна.

Роза молчала так долго, что Анника опустила руки и подняла глаза на невестку. Роза откинулась на спинку стула и положила ладонь на живот.

— И что ты собираешься теперь делать?

Анника едва не рассмеялась. Именно об этом она и хотела спросить Розу в надежде, что та ей что-нибудь присоветует. Пожав плечами, она честно призналась:

— Не имею ни малейшего понятия. О Господи, мама никогда мне этого не простит. У нее в отношении меня были всегда такие грандиозные планы. Еще когда я была девочкой, она говорила мне, какой великолепной будет моя свадьба. На мне будет роскошное белое платье, и я буду идти по ступеням, опираясь на руку Калеба. Мужем у меня будет чудесный добрый человек, такой же, как Калеб, и мы с ним будем жить в прекрасном доме в Бостоне. Единственное, чего она желала для меня,— это чтобы я была счастливой, такой же счастливой, как она с моим отцом. Мне казалось, что оправдать ее надежды в отношении меня будет совсем нетрудно. А теперь мне так стыдно...

— Ты стыдишься этого Бака, которого любишь?

— Нет, конечно. Я никогда пе буду его стыдиться. Я стыжусь того, что сделала. Особенно теперь, когда мне стало ясно, что в действительности я ему совершенно не нужна.

— Тогда ты должна попытаться его разыскать.

Сообщить ему — естественно, когда ты в этом окончательно удостоверишься, — что ждешь от него ребенка. Кейс примет тебя и поможет.

Анника схватила Розу за руку.

— Роза, пожалуйста, не говори ему. Пожалуйста, не говори ему ничего.

Внезапно обе женщины вздрогнули, услышав тихие шаги в переднем холле. В следующее мгновение на пороге кухни возник Кейс.

— Не говорить мне о чем? — спросил он.

# ГЛАВА 21

Не было никаких сомнений в том, что Кейс едва сдерживается.

— Так о чем мне не говорить, я вас спрашиваю? — Он перевел взгляд с Анники на Розу и обратно.

Пока Анника лихорадочно соображала, как ей поступить, разрываясь между желанием выбежать из кухни через заднюю дверь и стремлением покончить со всем этим, откровенно признавшись во всем брату, Роза встала и, упершись руками в бока, вперила в мужа грозный взгляд.

— Твоя сестра хочет поговорить, но не с тобой.

Кейс посмотрел сердито сверху вниз на жену.

— Она скажет мне правду, хочется ей этого или нет.

Роза сложила руки на торчащем вперед животе, и Анника увидела, что взгляд брата мгновенно смягчился.

— Ты должен слушать, что тебе говорят, и не орать.

— Ты себя-то слышишь, Роза? Ты же сама и орешь.

Протянув руку, Роза ткнула его пальцем в грудь.

— Будь добр к своей сестре.

Взгляд, который Кейс бросил в этот момент на Аннику, ничего не обещал.

— Идем в гостиную.

Анника поднялась, чувствуя себя как преступница с петлей на шее, сидящая на готовой вот-вот вырваться из-под нее норовистой лошади. Кейс взял ее за руку и потащил за собой через холл в гостиную. Роза последовала за ними, однако Кейс не пустил ее в гостиную, захлопнув дверь у нее перед носом.

— Перестаньте с Розой терзать меня, — сказал он, повернувшись лицом к Аннике. — А теперь выкладывай.

В ожидании ее объяснения он прислонился к камину, необычайно похожий в этот момент на Калеба. Одежда сидела на нем как влитая, и его иссиня-черные волосы, более длинные, чем предписывалось модой, были тщательно расчесаны и скреплены на затылке заколкой, украшенной бисером. Черная, одного цвета с брюками, рубашка Кейса была из тончайшего полотна, а поверх нее он надел безрукавку из дорогой телячьей кожи. Анника сознавала, что могла бы запросто влюбиться в него, если бы он не был ее братом. Как же тогда, спросила она себя, она смогла влюбиться в Бака Скотта? Конечно, он был таким же высоким, как Кейс, если не еще выше, но на этом, пожалуй, и кончалось их сходство. Кейс был брюнетом, а у Бака волосы были светлыми. Кейс отличался изысканностью манер, он был элегантен и высокообразован, Бак же был грубоват и не обладал внешним лоском. Неотшлифованный алмаз...

— Я сказал, выкладывай.

Поглощенная своими мыслями, Анника от неожиданности вздрогнула, услышав голос Кейса. Мимоходом пожалев, что не заплела косу, она поспешно пригладила взлохмаченные ветром волосы и заговорила, нервно меряя шагами комнату:

— Ты сказал, ты думаешь, что все не ограничилось лишь похищением, и ты прав, но...

— Я так и знал! — воскликнул Кейс с нескрываемым самодовольством.

— Но это не то, что ты думаешь.

— И что же, по-твоему, я думаю?

— Ты думаешь, что Бак меня изнасиловал.

— Разве не так?

Помедлив секунду, она сказала, глядя ему прямо в глаза, чтобы быть уверенной, что он ее правильно поймет:

— Ему не нужно было этого делать.

Ей никогда еще не доводилось видеть человека, которого бы ударили под дых, но она знала, что происходит с парусами на море, когда наступает внезапно штиль. И в этот момент Кейс выглядел таким же поникшим, как паруса при полном безветрии. Однако, судя по выражению его лица, он все еще не верил тому, что она ему сказала.

Когда он наконец заговорил, слова, произносимые им, прозвучали тихо, но отчетливо:

— Что конкретно ты хочешь этим сказать?

— Что я позволила ему любить меня, — прошептала она.

Кейс взорвался.

— *Любить?* Ха! Я весьма сомневаюсь в том, что этот живодер знает, как *любить!* Ты уверена, что *позволила* ему, Анника? Или ты защищаешь его по какой-то непонятной мне причине? Потому что, если он изнасиловал тебя, то помоги мне Господь, я...

Схватив брата за плечо, она потрясла его изо всех сил. После чего тихо, ровным, размеренным тоном произнесла:

— Я *умоляла* его об этом.

Размахнувшись, Кейс влепил ей звонкую пощечину.

Анника рухнула в стоявшее у камина кресло

и в ту же секунду дверь распахнулась и в комнату
влетела Роза, глаза которой сверкали от гнева.

— *Basta!* Кейс, прекрати!

Кейс, в явном изумлении от собственного поступка,
опустился на колени возле кресла и попытался взять
руку Анники, но она тут же ее вырвала.

— Черт! Прости меня, Аннемеке, — проговорил он
смиренно.

— Вероятно, я заслужила это, — прошептала Анника, чувствуя себя в этот момент самым несчастным
человеком на свете. Брат ненавидит ее, родители,
скорее всего, не захотят теперь с ней даже разговаривать, и все это ради чего? Бака она все равно
потеряла.

Кейс обнял сестру, и, видя, что Анника склонила
голову ему на плечо, Роза тихонько вышла, вновь
оставив их наедине.

— Прости меня, — повторил Кейс. — Я совсем
потерял голову. До сих пор не могу поверить, что
это правда.

Шмыгнув носом, Анника вытерла глаза тыльной
стороной ладони.

— Это правда.

Кейс вздохнул и, почувствовав, что она немного
успокоилась, убрал руку.

— Ну, и что теперь?

— Не знаю.

— Ты его любишь?

— Да. Я думала, он тоже меня любит, но он так
и не приехал за мной.

— А как же Баттонз?

В нескольких словах она рассказала ему, как Бак
хотел, чтобы она осталась с ним, но она, как ей ни
хотелось выйти за него замуж, наотрез отказалась
жить с ним в горах, и как он пытался уговорить ее
найти для Баттонз настоящий дом, семью, которая

могла бы дать девочке все то, чего она была лишена, живя с ним в глуши.

— Я думала, что со временем смогу убедить его переехать в город. Из него вышел бы замечательный врач...— Увидев скептическое выражение на лице брата, она добавила:— Это правда, поверь мне. Но тут явились эти негодяи и, так сказать, спасли меня. И теперь я не знаю, любил ли меня Бак или нет. Почему он не приехал за мной? И как я могу теперь возвратиться в Бостон к родителям?

— Баттонз можем взять мы с Розой,— проговорил без колебаний Кейс.— И ты можешь спокойно возвратиться в Бостон. Совсем необязательно говорить кому бы то ни было о том, что с тобой случилось.

— Все не так-то просто,— Анника глубоко вздохнула, собираясь с силами в ожидании нового взрыва негодования.— Мне кажется, Кейс, что я беременна.

Он встал с колен и, вновь подойдя к камину, снял с каминной полки отделанную золотом вазу из черного дерева. На мгновение Анника испугалась, что сейчас он бросит вазу в камин, однако Кейс поставил вазу обратно на полку и, не оборачиваясь, спросил:

— Ты бы вышла за него замуж?

— Да.

Кейс возвратился к ней и, присев возле кресла на корточки, стиснул ее ладонь.

— В таком случае,— произнес он тоном отца, обещающим своему дорогому отпрыску леденец,— нам остается только разыскать мистера Скотта и, сообщив ему приятное известие, помочь ему остепениться.

— Ты не можешь заставить его, Кейс. И это совсем не то, чего я хочу.— Она махнула в сторону окна.— Бак похож на этих твоих бизонов — его настоящее место не в загоне. Таких, как он, больше нет. Он единственный в своем роде, и ему дорога его свобода. И если он сам не решит, что ему хочется на мне жениться... ну... я не стану его к этому принуждать. И ты тоже,— поспешно добавила она,— не должен этого делать.

Кейс с облегчением вздохнул, словно все наконец было решено, и поднялся.

— Почему бы нам сначала не убедиться окончательно, что ты и вправду беременна, прежде чем что-либо предпринимать? Ты согласна?

Улыбнувшись ему сквозь слезы, она быстро встала с кресла.

— Спасибо тебе, Кейс.

Взяв ее слегка пальцем за подбородок, он приподнял ей голову и посмотрел на уже побледневшее пятно у нее на щеке.

— Прости еще раз за то, что ударил тебя. До сегодняшнего дня я не ударил в своей жизни ни одной женщины.

Внезапно Анника вспомнила слова Розы о каком-то давнем изнасиловании, но, прежде чем она успела спросить Кейса, что имела в виду невестка, говоря это, дверь отворилась и в комнату вошла Роза.

В глазах у нее плясали веселые чертики, и на лице сияла улыбка.

— Анника! К дому приближается какой-то всадник. Он высокий и...

Подобрав юбки, Анника стрелой вылетела из комнаты. Поспешно пригладив в коридоре волосы, она стремглав промчалась через столовую и холл и влетела в кухню. Сквозь тюлевые занавески на овальном стекле двери, ведущей во двор, был ясно различим силуэт высокого человека, поднимающегося по ступеням. Его светлые волосы ярко блестели на солнце. В следующее мгновение с веранды донесся стук каблуков.

Сделав глубокий вздох, Анника распахнула дверь. И у нее упало сердце.

— Анника! Слава Богу! — Стоявший на пороге элегантно одетый мужчина схватил ее в объятия.

С трудом подавив мгновенно охватившее ее желание вновь разрыдаться, она выдавила:

— Ричард? Что ты здесь делаешь?

День был поистине безупречным для первой недели мая. Высоко в безоблачном небе сияло солнце, заливая ярким светом поляну, изумрудные сосны, которые, казалось, о чем-то шептались при каждом порыве ветра, и обнаженного по пояс мужчину, рубящего дрова за новой оградой во дворе перед хижиной. Топор в руках мужчины ритмично поднимался и опускался, и в такт с движениями на его блестящей от пота спине перекатывались мускулы. Хотя лето было уже не за горами, он все еще нуждался в дровах, поскольку ночи в горной долине бывали нередко довольно прохладными и весной, и летом.

Бак отложил топор и вытер вспотевший лоб. Достав из заднего кармана брюк старую выцветшую косынку, он повязал ее на лоб, чтобы волосы не падали на лицо и пот не заливал глаза, и окинул взглядом долину. Все вокруг было таким же, как всегда, но сейчас он смотрел на то, что его окружало, совсем другими глазами. Раньше он слышал музыку в шепоте сосен. Теперь она была ему не слышна. Раньше он всегда замечал, как сверкает на солнце вода в ручье. Теперь же он этого не видел. Раньше до него доносился веселый смех ребенка. Теперь же вокруг царила угрюмая тишина, и единственное, что он слышал, был тоскливый стук его одинокого сердца.

До Анники жизнь его была совсем иной.

Теперь же у него осталась только работа, чтобы отмечать унылую череду серых, пустых дней.

Внезапно он заметил едущего вдоль берега речушки Старого Теда. На мгновение он ощутил порыв броситься ему навстречу и пройти вместе с ним назад, просто для того, чтобы насладиться звуками голоса другого человека, но он знал, что если так поступит, то покажет Теду свою слабость. И старик несомненно тут же догадается, что он вконец истерзался от своего одиночества. А этого никак нельзя было допустить.

Поэтому он вновь взялся за топор и занялся опять рубкой дров, остановившись, только когда Старый Тед въехал на своей лошади во двор и спешился.

— Как дела, Бако? — Тед подтянул штаны и повел лошадь и мула к навесу. Задав им корм и напоив их, он возвратился к Баку.

— Прекрасно, Тед. Лучше не бывает.

*Какой же ты лгун, Бак Скотт!*

— И сколько же ты выручил за мои шкурки? — спросил он Теда.

Тед снял висевший у него на поясе мешочек и покачал его перед Баком, чтобы тот, глядя, с каким трудом он раскачивается, в полной мере оценил его весомость.

— Тут тебе хватит на всю зиму, а может, и на пару зим. И я купил припасы, как ты просил.

— Хорошо, позже я помогу тебе их разгрузить. А теперь идем в дом. Моей ноге требуется отдых.

Подняв с земли свою фланелевую клетчатую рубашку, Бак надел ее, но застегивать не стал и вместе с Тедом направился к хижине. Дверь была широко открыта, как и ставни, и в окна лился солнечный свет.

— Да, как она? Когда я уезжал, ты едва ковылял.

— Неплохо. Наступить на нее, правда, еще полностью не могу, но я продолжаю втирать в нее медвежье сало и каждый день ее разрабатываю. Так что дело идет на поправку.

Тед выдвинул себе из-под стола стул, сел и, достав из-за пазухи Мышку, поставил ее на пол. Та походила по комнате, понюхала углы и, возвратившись, замерла у стула Теда, всем своим видом показывая, что желает, чтобы ее вновь взяли на руки.

— Все никак не расстанешься со своей собакой?

— Мышка — лучший друг человека.

— Глядя на тебя, я радуюсь, что у меня нет лучшего друга, — пробормотал Бак и отвернулся, не желая смотреть, как Тед целует свою облезлую собачонку в губы.

Молча он налил в тарелку бобовой похлебки и, поставив ее перед приятелем, положил рядом ломоть кукурузного хлеба. После чего приготовил себе и Теду по кружке кофе и, подтащив к столу кресло, сел и вытянул перед собой раненую ногу.

— В Шайенне все по-прежнему? — Баку хотелось откусить себе язык за то, что он все-таки не выдержал и спросил об этом, но, судя по той неторопливости, с какой Тед ел бобы, прошли бы, вероятно, часы, прежде чем он начал бы рассказ о своем путешествии.

— В общем-то да, — пробормотал Тед, отправляя в рот очередную ложку похлебки. Крошки кукурузного хлеба усыпали всю его бороду.

Барабаня пальцами по скатерти, Бак устремил взгляд на пятно сажи на потолке над камином.

— Никаких, значит, новостей? Ты привез газету?

Тед поднял глаза на Бака.

— На этот раз я удостоверился, что не привез никакой бостонской газеты.

— Хорошо.

Покончив наконец с едой, Тед отодвинул тарелку в сторону и взял в руки кружку с кофе.

— Но я ездил не только в Шайенн.

— Поэтому ты и задержался?

— Да, — кивнул Тед с умным видом и умолк.

Бак, заерзав, провел пальцем по верхней губе и потрогал отросшую уже на полдюйма бородку, которой чрезвычайно гордился, видя в ней символ независимости. Она была курчавой и почти белой, выгорев на солнце, как и волосы на голове, ниспадавшие ниже плеч. Ему нравилось встряхивать головой так, что они рассыпались у него по плечам. Это пробуждало в нем странное воинственное чувство, помогавшее заполнить пустоту, которая царила в его душе.

— Ну и где же ты был? — протянул он лениво, стараясь не выдать своей заинтересованности.

— У тебя найдется хоть немного виски к этому твоему кофе?

Молча Бак протянул руку к кувшину, стоявшему позади него на скамье, и поставил его перед Тедом. Мышка тут же захныкала, напоминая о себе, и Тед чмокнул ее в голову.

— Подожди минутку, Мышка, — сказал он сюсюкая, как обычно разговаривал с собачкой в моменты, когда был преисполнен к ней особой нежности. — Тебе хочется немножко вкусненьких бобочков? — Он поставил собачку на стол и пододвинул к ней почти пустую тарелку, которая была почти в два раза больше маленькой чихуахуа.

Бак с подозрением посмотрел на Мышку.

— Эта собака потом не распукается?

— Мышка себе этого никогда не позволяет. Она хорошая, умная собака. Не так ли, — Тед опять засюсюкал, — моя миленькая Мышка? Ты ведь самая замечательная соб...

Бак подумал, что сейчас взорвется. С трудом он подавил желание протянуть через стол руку и схватить Теда за горло.

— Ну и где же ты был?

Уголки рта Теда слегка приподнялись в улыбке.

— В Бастид-Хиле.

— В Бастид-Хиле? Зачем тебя, черт возьми, туда понесло?

— Бастид-Хил, позволь тебе напомнить, это город, в котором Кейс Сторм был когда-то начальником полицейского участка, — произнес Тед с важным видом. — У него сейчас ранчо недалеко от города.

Бака прошиб холодный пот, и ладони мгновенно стали влажными.

— Именно там, — продолжал Тед, поглаживая собачку, облизавшую пока еще только полтарелки, — и обитает сейчас та женщина, которую ты по ошибке принял за свою будущую жену.

Черт! Бак стащил с головы косынку и вытер лоб, надеясь, что Тед не заметил, как дрожат у него руки. Если старик только заикнется о том, что он проявляет слабость, он его тут же придушит.

Мысль об этом, однако, сразу же вылетела у него из головы, когда он услышал следующие слова Теда.

— Я узнал обо всем этом в Шайенне и решил отправиться в Бастид-Хил, чтобы убедиться самому. Ты готов?

— К чему?

— Оказывается, ее забрал отсюда вовсе не ее брат. Это были трое мужчин, надеявшихся получить награду.

— Награду?

— Ее брат поместил в газетах объявление, что даст десять тысяч долларов любому, кто ее вернет. Черт, когда я об этом услыхал, то пожалел, что сам не забрал ее отсюда в самый первый день. Ты поела, Мышечка? — Он опять засюсюкал, снимая собачку со стола и ставя на грязный пол. — Когда я услышал, что она не сама отсюда уехала...

— Ты услышал *что*?!

— Как я понял, эти трое отвезли ее в Шайенн, но не передали властям, надеясь потребовать за нее больше денег. Однако каким-то образом ей удалось улизнуть от этих мошенников вместе с Бейби. Так что братцу ее не пришлось раскошеливаться. И сейчас она живет у него на ранчо. Как и Бейби.

Бак, поглощенный своими мыслями, едва слышал Теда. Выходит, Анника не бросила его. Ее увезли от него, возможно, даже против ее воли...

Тед вновь заговорил с Мышкой, но Бак не обращал на них внимания, продолжая размышлять над новостью, принесенной Тедом. Почему Анника не вернулась к нему? Может, ей запретил это делать ее брат? А может, она просто не знала, как до него добраться? Может, она надеялась, что он сам за ней приедет, и когда он не появился...

Тед вновь заговорил о своей поездке в Бастид-Хил:

— Мне повезло, и я попал в Бастид-Хил в тот самый день, когда они приехали в город за покупками.

Бак едва не перескочил к нему через стол.

— Что? Ну-ка повтори, что ты сказал.

— Видишь ли, я не собирался показываться на ранчо... Я достаточно слышал про ее братца и не сомневался, что он пристрелит меня на месте, узнав, что я твой друг. В общем, я уже готовился к отъезду, думая, что не увижу ее, и тут-то они и появились. Приехали с Бейби в черной роскошной коляске вместе с тощим парнем, который выглядел так, будто его только что сбрызнули водой и отгладили в китайской прачечной.

— Это был ее брат?

— Полукровка? Нет. Это был настоящий городской хлыщ. С таким жестким и высоким воротничком, что, казалось, его концы вот-вот выколют ему глаза. У этого парня был такой вид, будто ему вставили стержень кукурузного початка в одно...

— Кто же, черт возьми, это был? — проворчал Бак, уже устав от комментариев Теда.

— Я к этому сейчас подхожу. Прохлаждаюсь я себе в баре, потягивая виски, и жду. И тут входит начальник полицейского участка. Старый хрыч с одним глазом. И начинает рассказывать бармену об этой дамочке Сторм и городском хлыще. Как я понял, ему хотелось заключить с барменом пари о том, уедет ли она в Бостон или нет. — Тед умолк, допил свой кофе и вытер ладонью рот. Заметив наконец крошки на своей бороде, он смахнул их на пол.

Бак сидел как на иголках, одновременно страшась и желая услышать остальное.

Тед рыгнул.

— В общем, это был ее жених. Из Бостона.

— Черт!

— То же самое я сказал и себе. Вышел на улицу и околачивался поблизости, глядя на них. Бейби в этих своих бантиках и оборочках, да еще и в ботинках с пуговицами и носочках, выглядела настоящей фарфоровой куколкой. Умытая да разодетая в пух и прах, она походила на настоящую маленькую леди. Хлыщу она, похоже, тоже приглянулась. Таскал ее все время на руках.

У Бака было такое чувство, будто у него застыла вся кровь в жилах. Он встал, и ногу моментально пронзила острая боль, так как, позабыв о ране, он наступил на ногу всем телом. Хромая, он направился к двери. Тед, слава Богу, не стал его звать, оставив в покое.

У холма, откуда открывался вид на ручей, он остановился, скрестив на груди руки. Итак, она, похоже, махнула на него рукой. Не этого ли он и добивался? Бейби была теперь пристроена. У нее будет настоящий дом, семья и все самое лучшее, если Анника и этот городской хлыщ оставят ее у себя. По крайней мере, он знает теперь, что ребенок все еще с ней. Что она достаточно сильно привязана к Бейби, чтобы

держать ее при себе все это время. Ну что же, в конечном итоге все оказалось к лучшему. Он был свободен,
Бейби была окружена заботой, и Анника могла вернуться к своей прежней жизни в Бостоне.

Он засунул руки в карманы и сжал кулаки. После
чего, обернувшись, внимательно оглядел со всех сторон хижину. Да, не много для человека его лет.
Конечно, он скопил достаточно денег, чтобы сдви-
нуться с места, бросить все это и начать сначала.
Но какой был в этом смысл, если, куда бы он ни
отправился, с ним все так же не будет Анники и Бейби-Баттонз?

*Баттонз.*

Когда он в ту ночь, когда был ранен, ввалился
в хижину, вид стоявшей посреди стола жестяной коробки с пуговицами привел его в настоящую ярость.
Он увидел в этом попытку умилостивить его, поскольку она не раз говорила ему, что эти пуговицы стоят
кучу денег. Оставленная ею жестянка с пуговицами
была для него все это время явным свидетельством ее
предательства.

*Но что, если в действительности она не предавала
его?*

Что, если она все еще ждет его?

В полной растерянности он уставился невидящим
взглядом на журчащую внизу речушку, не замечая,
что ветер развевает его незастегнутую рубашку и ее
концы хлопают его по бедрам. На глаза ему упала
прядь волос, и машинально он откинул ее с лица.

*До Бастид-Хила отсюда не так уж и далеко.*

Если у него осталась хоть капля мужества, он
сейчас же отправится туда и убедится собственными
глазами, что Бейби там действительно хорошо. И вы-
яснит также, не забыла ли его Анника.

*И желает ли она его по-прежнему?*

Он повернулся и зашагал назад к хижине, стараясь

идти так быстро, как только позволяла ему его раненая нога. Из головы у него не шли слова Старого Теда о женихе Анники из Бостона. Что, если он опоздал и Анника опять бросилась в объятия этого городского хлыща?

Последние ярды он преодолел чуть ли не бегом и ворвался в дом с такой стремительностью, что едва не наступил на Мышку. Собачонка тявкнула и вцепилась ему в мокасину. Приподняв ногу, он сделал вид, что собирается пнуть чихуахуа, и тут же заработал проклятие от Старого Теда.

— Отсчитай деньги, что ты мне должен, — бросил он старику. После чего поспешно отодвинул в сторону стол, схватил совок и, со стоном опустившись на колени, начал выкапывать жестянку с деньгами. — Ты, — поднял он на мгновение глаза на Теда, — можешь жить здесь сколько угодно, а мне нужно съездить в одно место.

Откинувшись на спинку стула, Тед усмехнулся и разгладил бороду.

— Интересно, откуда я знал, что ты именно это и скажешь?

День ото дня атмосфера в доме на ранчо становилась все более напряженной.

Ричард Текстон находился здесь уже неделю, и за все это время Анника умудрилась ни разу не остаться с ним наедине. И сейчас, когда они с Ричардом сидели в гостиной, обмениваясь, словно двое незнакомых людей, ничего не значащими фразами, ей хотелось, чтобы Роза была здесь, вместе с ними, как это было всю эту неделю. Даже Кейс сообразил, что она стремится держать своего бывшего жениха на расстоянии, и пытался, когда был свободен, занять как-то Ричарда. Но сегодня брат уехал в Бастид-Хил в надежде уговорить тамошнего врача приехать на ранчо и пожить здесь до рождения ребенка.

Анника опустила глаза на свои сложенные на коленях руки и досадливо поморщилась. Все это слишком уж напоминало ее прежнюю жизнь в Бостоне. Ричард сидел на приличном расстоянии от нее на одном конце дивана, тогда как она застыла на краешке на другом, чопорно выпрямив спину. Она вдруг почувствовала глубокую печаль, осознав, что дни, проведенные ею вместе с Баком, постепенно начинают забываться и, вероятно, очень скоро навсегда исчезнут у нее из памяти.

Медленно она провела пальцем по одной из украшенных вышивкой лент, которыми было отделано ее бархатное платье. Светло-лиловое, с отделкой из желтых полос, оно было также творением Уорта и считалось весьма модным в то время, когда она уезжала из Бостона. К сожалению, оно плотно облегало талию, и это было для нее еще одним источником беспокойства.

Поскольку Ричард прибыл сразу же после того, как она рассказала обо всем Розе и Кейсу, у нее не было возможности посетить врача и узнать, беременна ли она. Вечером, в день приезда Ричарда, она встретилась с Кейсом за домиком для работников ранчо, и брат посоветовал ей выйти замуж за ее бывшего жениха и уехать с ним в Бостон.

— И повесить на него чужого ребенка? — Мысль эта ее явно ужаснула.

Кейс резонно заметил:

— Ты ведь пока не знаешь наверняка, беременна ты или нет. Может, у тебя обычная задержка.

На мгновение она тогда растерялась, с трудом веря, что действительно разговаривает с братом о столь интимных вещах, и шепотом ответила:

— У меня их никогда не бывает.

— Тогда ты должна сказать ему прямо, что расторгаешь помолвку, и на этот раз окончательно, чтобы он больше не питал никаких иллюзий и уехал назад в Бостон. Он ведь хочет увезти тебя отсюда и жениться на тебе, дабы положить конец слухам, вызванным газетными статьями.

— Я поговорю с ним, — пообещала она в тот вечер Кейсу, — как только подвернется удобный случай.

Но до сегодняшнего дня такого случая не представилось. Всегда рядом с ней и Ричардом были или Кейс, или Роза, или Баттонз. Недавно она попросила его съездить с ней в Бастид-Хил за содой для пирогов Розы, надеясь во время более чем часовой поездки по пустынной дороге все ему объяснить. Однако она так и не нашла слов — как и мужества, — чтобы сказать ему, что никогда не вернется с ним в Бостон. Не сумела она также и придумать какую-нибудь отговорку для посещения врача.

За окном сгущались тучи, суля весенний ливень. Стоявшие на каминной полке изящные серебряные часы своим громким тиканьем напоминали об уходящих минутах, побуждая ее сказать об всем Ричарду и покончить навсегда с этой проблемой. Она бросила искоса взгляд на Ричарда, который с умиротворенным видом просматривал первую страницу шайеннского «Лидера». Высокий и худощавый, он казался необычайно хрупким по сравнению с Баком Скоттом. Пальцы у него были тонкими и ухоженными; они явно принадлежали человеку, имеющему дело лишь с бумагами. Жесткий целлулоидный воротничок охватывал его шею как железный ошейник. Темно-русые волосы были тщательно зачесаны набок. Она вдруг сообразила, что еще никогда не видела его без воротничка, а также в рубашке, на которой была бы не застегнутой хоть одна пуговица. Не видела она никогда и его шеи, или горла, или ключиц.

Почувствовав вдруг непреодолимое любопытство, Анника слегка наклонилась в сторону Ричарда. И, конечно же, мелькнула у нее мысль, она никогда не видела его обнаженной груди. Была ли та покрыта золотистыми волосками, как у Бака? И так ли, как у Бака, вырисовывались на ней мускулы? С зардевшимися внезапно щеками она осмелилась опустить взгляд вниз, на ширинку на его брюках. Интересно, было ли у Ричарда что-нибудь такое же, как у Бака Скотта?

Она продолжала мысленно раздевать Ричарда, вполне отдавая себе отчет в том, что он был бы потрясен, если бы поймал ее за этим занятием. Она едва не свалилась с дивана, когда он вдруг поднял глаза от газеты и встретил ее любопытный взгляд.

Губы его раздвинулись в улыбке. Зубы у него были белыми и ровными, кожа на лице гладкой и чисто выбритой. Интересно, подумала она, брился ли он тоже дважды в день, как Бак, чтобы так выглядеть?

*Опять Бак!*

*И опять, и опять.*

Хотя Бак Скотт был, скорее всего, навсегда для нее потерян, он по-прежнему постоянно занимал ее мысли. Она вела себя нечестно по отношению к Ричарду, продолжая водить его словно бычка за собой на веревочке. Нужно кончать с этой комедией, и немедленно.

Не успела она, однако, открыть рот, как Ричард спросил:

— Роза готовит чай?

Анника откашлялась.

— Да. Пожалуй, я пойду посмотрю, не нужно ли ей помочь.

*Трусиха. Трусиха.*

Ричард с хрустом сложил газету, бросил ее на стоявший возле дивана стол-тумбу и взял Аннику за руку.

— Я бы предпочел, чтобы ты осталась. Мне кажется, мы не пробыли наедине и минуты с того дня, как я приехал.

Не в силах произнести ни слова, она опустила глаза на их соединенные руки.

К несчастью, он тоже.

— Ты не носишь моего°кольца?

Анника вырвала руку и, кажется, в сотый раз разгладила юбку.

— Я оставила его перед отъездом из Бостона у мамы. И я этому рада... учитывая, что произошло. Ричард, я...

— Анника, я хочу, чтобы ты знала: несмотря на то, что произошло, я по-прежнему был бы счастлив назвать тебя своей женой.

— Я рада, что ты сам затронул эту тему, потому что, видишь ли, я...— Только она собралась с мужеством, чтобы сказать ему обо всем, как он снова ее прервал.

— Надеюсь, ты не думаешь, будто для меня имеет какое-либо значение факт твоего похищения? Я знаю, что тебе пришлось прожить почти два месяца бок о бок с негодяем, который тебя похитил. Однако ты выжила, выжила и не сломалась, и это только лишний раз доказывает, какой у тебя сильный характер. Именно такая женщина мне и нужна. Твоя экзотическая, загадочная натура всегда возбуждала у меня интерес. С тобой я смогу завоевать весь мир или, по крайней мере, его часть.

Она попыталась представить Бака произносящим подобные романтические бредни и невольно улыбнулась, поняв, насколько нелепа сама мысль об этом. Ричард, судя по всему, был самым понимающим и всепрощающим человеком на свете. Он готов был забыть о том, что она жила два месяца бок о бок с совершенно незнакомым человеком, тогда как большинство мужчин на его месте никогда бы такого не забыли.

Она чувствовала себя ужасно виноватой, вновь его отвергая. Он был именно таким мужчиной, за какого ее родители хотели бы выдать ее замуж. Конечно, руки у него были слишком мягкими и изнеженными, а кожа практически никогда не подвергалась воздействию солнечных лучей, но это не могло служить основанием для того, чтобы отвергать его ради человека, который даже не дал себе труда узнать, жива ли она еще.

Бросив взгляд на дверь, Ричард наклонился к ней.

*«Он собирается поцеловать меня. Сейчас я буду знать. Знать наверняка».*

Но Ричард не поцеловал ее. Он лишь стиснул ей руку и сказал:

— Я так тебя люблю, что готов забыть о твоем похищении и не придавать этому никакого значения, как не придаю значения всему остальному.

— Всему остальному? О чем ты говоришь?

Он покачал головой, глядя на нее так, словно она была самым простодушным и наивным созданием на свете.

— Ну, ты же знаешь, индейская кровь и все такое прочее.

## ГЛАВА 22

**И** ндейская кровь? Что *конкретно* ты имеешь в виду?

Выдернув руку, Анника вскочила на ноги.

Ричард тоже встал и положил ей руку на плечо.

— Я и не представлял, что это такой щекотливый вопрос. Иначе я никогда бы его не затронул.

— Это не щекотливый вопрос. Это просто вообще не вопрос.

Ричард смотрел на нее с такой откровенной снисходительностью, что ей захотелось его ударить, и как можно больнее.

— Полагаю, это самое правильное отношение.

— Ты не понял. Я хотела сказать, что вообще над этим не задумываюсь, воспринимая все это как данность, как нечто присущее мне, а также Кейсу и моему отцу.

— Прости. Вижу, я обидел тебя.

— Объясни, пожалуйста, что ты имел в виду, говоря о моей индейской крови? Ну, что ты не придаешь этому никакого значения?

Протянув руку, он слегка дотронулся до жемчужин на ее шее, и она тут же отступила назад, не желая, чтобы он к ней прикасался.

— Уверен, ты понимаешь. Я лишь хотел сказать, что это не имеет для меня никакого значения.

— Подразумевая, что это имеет значение для некоторых людей?

— Уж не хочешь ли ты сказать, будто не сознаешь, что твою семью так до конца и не приняли в Бостоне? Господи, да ведь все знают эту историю, что произошла с твоим сводным братом из-за его дикого нрава!

— Никогда не употребляй больше этого слова, говоря о моем брате!

В первый раз за все время ее знакомства с Ричардом она увидела мелькнувшую на его лице тень гнева.

— Какое слово? «Нрав» или «дикий»? Всему городу известно, что твой брат лишился своей работы в адвокатской конторе, поскольку едва не придушил там какого-то человека.

Анника вспомнила внезапный отъезд Кейса из Бостона.

— Уверена, этому есть какое-то разумное объяснение.

— А как расценить тот факт, что твоя мать имела дело не с одним, но с двумя индейцами?

— *Имела дело?* Ты говоришь это так, будто она прелюбодействовала все эти годы! Калеб ее муж. А также и мой отец. Не забывай это.

Над верхней губой Ричарда выступили капли пота.

— Твои родители попали в бостонское общество лишь благодаря положению, занимаемому семьей отца Калеба Сторма, а также его связям в столице.

— Мне кажется, Ричард, ты забыл, что мой отец юрист, а не *дикарь*, и его связям в Вашингтоне уже лет двадцать.

— Анника, давай прекратим этот спор. Пожалуйста. Как я уже сказал, для меня это ровным счетом ничего не значит.

— Перестань повторять одно и то же! Если бы это ничего для тебя не значило, ты бы не поднял этого вопроса.— Не в силах более выносить его присут-

ствие, она решительно повернулась и направилась
к двери. На пороге она, однако, остановилась и, резко
обернувшись, выпалила, глядя ему прямо в глаза:

— Я не могу выйти за тебя замуж, Ричард.

— Но, послушай, я ведь извинился.

— Дело не только в том, что ты сказал мне сегодня. Просто я люблю тебя недостаточно сильно для
того, чтобы стать твоей женой. Сейчас я думаю, что
вообще никогда не любила тебя.

— Но...

— Это было увлечение. Больше всего меня при-
влекала сама мысль о замужестве. Мне хотелось,
чтобы у меня была свадьба, муж, собственный дом.
Я жаждала независимости, не брака. — Она вернулась в комнату и, встав позади дивана, стиснула
спинку так, что у нее побелели костяшки пальцев. —
Мои родители, благослови их Господь, делали все,
чтобы жизнь моя протекала без забот и тревог. И благодаря тому, что я не похожа на индеанку, мне не
довелось столкнуться с презрительным к себе отноше-
нием, как моему отцу и брату. Но я никогда не
забывала о своих корнях. Они скрывали от меня
истинное положение вещей, вероятно, чтобы оградить
меня от страданий. — Она подумала о Баке, об огромной разнице в их положении, о своем отношении
к нему и его образу жизни, и о том, как она изменилась, когда душа ее открылась любви.

— Сейчас я понимаю, — продолжала она, — что
они должны были, по крайней мере, позволить мне
хотя бы мельком увидеть настоящую жизнь с ее бед-
ностью, предрассудками, страданием и надеждой.
Я узнала эту жизнь, когда уехала из Бостона, и поняла, что она мне нравится. И я хочу знать больше, хочу
испытать и радость, и страдание. Я хочу жить полной
жизнью, не закрывая глаз на то, кто я есть и к чему
меня влечет, как бы это ни расценивалось другими.

Медленно лицо Ричарда побагровело. Еще одним свидетельством того, что он с трудом сдерживается, были его сжатые в кулаки пальцы.

— Ты совершаешь огромную ошибку, Анника.

Слегка улыбнувшись, она покачала головой.

— Я так не думаю.

— Анка! Анка! — с криком влетела в комнату Баттонз и, подбежав к Аннике, обхватила ее за колени.

Анника взяла девочку на руки и прижала к груди, уткнувшись носом в пышные кудряшки. Баттонз обняла ее ручонками за шею, и молодая женщина почувствовала, как на нее снисходит покой. Ребенок неизменно приносил утешение ее исстрадавшейся душе. Ричард застыл, не сводя с них обеих изумленного взгляда.

— Не понимаю, как ты можешь держать при себе этого ребенка. Она ведь должна постоянно напоминать тебе о твоем похитителе.

— Ты многого не понимаешь.

— Роза говорит, приходи сейчас. — Бейби потянула за нить жемчуга у Анники на шее.

— Роза хочет, чтобы я пришла? Она на кухне?

— Наверху.

Анника слегка отодвинула от себя Баттонз, пытаясь понять, что та хочет ей сказать.

— Я нужна Розе наверху?

Баттонз сунула бусы в рот, пососала их и затем несколько раз энергично кивнула.

— У нее сейчас будет ребеночек.

— О Господи! — Сунув Баттонз Ричарду, Анника коротко бросила: — Пригляди за ней, — и кинулась к лестнице. Пулей она пролетела через холл второго этажа и, остановившись на мгновение, чтобы отдышаться и придать лицу спокойное выражение, толкнула дверь хозяйской спальни.

Роза, держась обеими руками за живот, ходила взад-вперед по комнате. Лоб ее блестел от пота.

— Господи, Роза. Это ребенок?

— Si! — Роза на мгновение остановилась, хватая ртом воздух, потом возобновила свое хождение взад-вперед по комнате.

— Что я могу сделать?

— Ничего. Думаю, я все сделаю сама.

— Сейчас не время шутить, Роза.

— Кейс вернулся? — Всегда необычайно выдержанная, итальянка выглядела сейчас по-настоящему испуганной, не видя рядом с собой мужа в такой ответственный для себя момент.

Анника покачала головой, стараясь изо всех сил успокоиться и собраться с мыслями.

— Он все еще в городе. — Она бросила взгляд на живот Розы. — О Господи!

Роза схватила Аннику за руки.

— *Basta*, Анника. Прекрати. О Боже! О Боже! Может, Ричард сумеет отыскать Кейса? И врача. Может, еще есть время? Хотя, думаю, это даже лучше, что Кейса здесь нет. — Ее темные глаза наполнились слезами. — Он слишком сильно переживает, когда новорожденные умирают.

Вся дрожа, Анника стиснула пальцы Розы и попыталась ее успокоить.

— Не говори так, Роза. — С усилием она взяла себя в руки и улыбнулась. — Мы и сами со всем прекрасно справимся. А сейчас, — с ловкостью опытной сиделки она обхватила одной рукой Розу за талию, подвела ее к кровати, откинула одеяло и взбила подушки, — постарайся расслабиться. Я обо всем позабочусь. Все будет хорошо.

Роза присела на край постели, но наотрез отказалась лечь.

— Я отправлю сейчас Ричарда в город за Кейсом и врачом, а потом вернусь и больше тебя уже не оставлю.

— А как же Баттонз?

— Не беспокойся. Я попрошу Ричарда, чтобы он перед отъездом прислал кого-нибудь из работников посидеть с ней. Они все любят играть с Бейби.— Анника наморщила лоб, пытаясь сообразить, осталось ли у них еще печенье, которым можно было бы задобрить одного из ковбоев брата и уговорить его поработать нянькой.

Она ринулась назад на первый этаж, мимоходом пожалев, что надела платье из тяжелой плотной ткани. Носить его на ранчо было, конечно, верхом глупости, но ей не хотелось, чтобы привезенные ею из Бостона наряды пропадали зря. Ворвавшись в гостиную, она увидела, что Ричард сидит в кресле, слегка наклонившись вперед, и смотрит, как Баттонз делает сальто. Ее три нижние юбочки в рюшах и пышная верхняя юбка полностью закрыли ей голову, и в воздухе торчал лишь ее облаченный в кружевные панталончики пухлый задик.

— Ты должен сейчас же отправиться в город и привезти Кейса,— сказала Анника с порога.— Одна из лошадей наверняка стоит оседланная — Кейс приказывал седлать коня каждое утро вот уже три недели. И, перед тем как уехать, пришли сюда Тома. Как только вы с Кейсом встретитесь, поезжайте сразу же за врачом и вместе с ним немедленно возвращайтесь. У Розы начались роды.

Она ожидала, что после того, как она обошлась с ним, он откажется. Но Ричард, разумеется, был истинным джентльменом, и воспитание никогда бы не позволило ему совершить столь недостойный джентльмена поступок.

— Конечно,— он встал и холодно ей поклонился.— Я выезжаю тотчас же.

На пороге он остановился и повернулся к ней лицом.

— Анника, я хочу забыть наш сегодняшний раз говор и надеюсь, ты поступишь так же. Мне бь хотелось увезти тебя отсюда, как только ты обра зумишься.

— Прежде чем она успела что-либо сказать в от вет, он резко повернулся на каблуках и вышел и комнаты.

— Я уже образумилась, — громко крикнула он ему вслед. — Впервые в жизни.


— Еще одну, начальник?

Кейс поморщился. Сколько бы он ни твердил чтобы они перестали его так называть, жители Бас тид-Хила игнорировали эти просьбы своего бывшег начальника полицейского участка. Он кивнул Пэдди О'Халохану и постучал пальцем по краю своего ста кана. Лысый ирландец, над ушами у которого ку дрявились остатки седых волос, плеснул ему туд щедрую порцию виски. Залпом выпив, Кейс уста вился на свое отражение в зеркале, висевшем на стойкой бара. Он никогда не пил так рано, да и вообщ был весьма воздержан в том, что касалось крепки напитков. Но сегодня, когда он обрыскал весь горо и так и не нашел ни одного врача, ему требовалос что-нибудь покрепче, чтобы успокоить нервы. В са луне в этот час еще никого не было, кроме нег и Пэдди. Для местных ковбоев было еще слишком рано, как, впрочем, и для него, но Бог свидетель ему во что бы то ни стало нужно было расслабиться и хоть немного прийти в себя.

Последние недели были настоящим адом. Он д смерти боялся за Розу, представляя, что с ней будет если она опять потеряет ребенка. О том, что она сам тоже может умереть, он не позволял себе даже думать Сегодня, перед тем как отправиться в город, он заста

вил себя подняться на холм за домом, где за оградой
располагались крошечные могилки его детей. Там он
опустился на колени и обратился с молитвой ко всем
богам и пророкам, каких только смог вспомнить: к Ва-
кантанкану, богу своих предков сиу, к Иегове, Иису-
су, Аллаху, Будде и Магомету. После чего поклялся
самому себе, что этот ребенок, эта искра надежды,
будет жить. Его молитва была скорее не мольбой,
а утверждением. «Мой ребенок, — повторял он вновь
и вновь, — останется жив, и Роза тоже». Под конец он
поблагодарил богов, словно все это уже свершилось.

Идея поселить врача на ранчо принадлежала ему
самому. Первый их ребенок появился на свет задолго
до срока и был слишком мал, чтобы выжить. Он
принял его сам и тогда же поклялся, что никогда
больше этого не допустит.

Второй и третий младенцы тоже родились раньше
срока; мальчик оказался мертворожденным, а родив-
шаяся через год после него девочка прожила всего
лишь три часа. У нее были совершенной формы
крошечные ножки и ручки и черты лица, как у него.
Он пытался скрыть от жены свою боль. Ему казалось,
что так Розе будет легче. Срезая розы для могилок
за оградой, она говорила, что Бог испытывает ее.
Какое-то время после смерти ребенка она открыто
горевала, а затем жизнь для нее вновь входила
в обычную колею.

Он был на такое неспособен. Он был в ужасе.
В последних двух случаях врач прибыл вовремя, но
только-только. Сейчас, когда Роза уже с неделю как
должна была родить, он устал каждое утро седлать
лошадь, дабы быть готовым сразу же послать кого-
нибудь в город за врачом, как только возникнет в этом
необходимость.

Сегодня утром он вдруг подумал, а почему бы не
привезти врача на ранчо. Он был готов заплатить ему

годовое жалованье, только бы врач согласился при
ехать на ранчо и пожить там до того, как ребенок
появился на свет. Но его поездка в город оказалась
безрезультатной.

Перед тем, как тронуться в обратный путь, он
решил, что ему требуется выпить. Стакан или даже два.
Он это заслужил. Жизнь под одной крышей с двумя
весьма темпераментными особами была не из легких.
Анника была сплошной комок нервов. А Ричард Тек
стон? Интересно, что вообще когда-то находила его
сестра в этом хлыще? Текстон был воплощением всего
того, что и заставило его в конечном итоге покинуть
Бостон. Чопорный, неуклонно следующий предписы
ваемым бостонским обществом правилам хорошего то
на, Текстон, вероятно, осмеливался, самое большее
лишь на то, чтобы поднести к губам руку его сестры.

Пэдди сделал движение, собираясь снова напол
нить его опустевший стакан, и Кейс махнул рукой,
отгоняя ирландца. Недоставало еще только явиться
домой пьяным, чтобы Роза оторвала ему голову!

Черт, подумал он. Неудивительно, что Анника
влюбилась в Бака Скотта. Если в Бостоне ее ок
ружали лишь такие, как Текстон, то Скотт, похоже,
был первым настоящим мужчиной, которого она уви
дела в жизни. И, однако, он все еще не пришел
к окончательному решению, как ему поступить, когда
они со Скоттом встретятся лицом к лицу. Как-никак
Скотт все же похитил и обесчестил его сестру.

Анника. Кейс тряхнул головой. Ну и каша.

— Что-нибудь еще нужно, начальник?

— Нет, Пэдди, спасибо. Я просто задумался.

Если окажется, что Анника беременна, он ей помо
жет и сделает все, что в его силах, чтобы смягчить
удар для матери и Калеба. Господи, как же безжа
лостна может быть судьба... А еще говорят, что мол
ния не ударяет дважды в одно дерево.

Он взял со стойки свою шляпу, расправил поля и, натянув на голову, поднялся.

— Спасибо, Пэдди. Пока.

Он бросил бармену две монеты, и тот поймал их на лету.

Бастид-Хил ничем не отличался от тех заштатных городишек, через которые Баку довелось проезжать в юности. Красочные фасады магазинчиков и салунов, китайская прачечная, извозчичий двор и кузня были здесь такими же, как и везде. И, как и везде, здесь, несомненно, было полно ограниченных людишек, закосневших в своих обычаях и привычках. Так обстояли дела во всех городах. Незнакомцев редко встречали в них с распростертыми объятиями.

Он остановил своего мощного жеребца перед салуном и, спешившись, вытащил из чехла ружье. Вывеска над входом гласила: «Салун «Рафлд Гартер». Обмотав поводья вокруг столбика коновязи, он ступил на деревянный тротуар. Внутри салуна царил полумрак, но двери были открыты. Вздохнув, он шагнул вперед, надеясь, что не пробудет в этом городишке слишком долго. Ему нужно было лишь узнать дорогу на ранчо Сторма. Если ему повезет, он узнает об этом у первого же человека, которого встретит.

Не успел Кейс отойти от стойки, как в дверях возникла громадная фигура мужчины. Он четко вырисовывался в дверном проеме, но черт его лица невозможно было разглядеть, поскольку свет падал на него сзади. Его светлые волосы ярко блестели на солнце, так что казалось, будто вокруг его головы сияет нимб. У Кейса мелькнула мысль, что этот великан чрезвычайно похож на бога грома Тора, каким его представляли себе древние викинги.

— Кто-нибудь здесь знает, как проехать к ранчо Сторма? — Бак вошел внутрь и прищурился, ожидая, когда его глаза привыкнут к полумраку. Как и во всех других салунах, в которых ему когда-либо довелось бывать, здесь пахло застоявшимся табачным дымом, виски и мужским потом.

Положив руку на «кольт», который он всегда брал с собой, когда уезжал с ранчо, Кейс сдержанно спросил:

— Кого это интересует? — Он надеялся, ему не придется иметь дело еще с одним крутым молодчиком, вознамерившимся померяться силами с человеком, который покончил с бандой Досона, и тем самым доказать себе и другим собственную значимость.

Бак услышал нотку предостережения в низком голосе и моментально весь подобрался. Внезапно он узнал громадного полукровку с длинными волосами, который стоял перед ним. Он уже видел его на станции в Шайенне в тот самый день, когда похитил Аннику. Это был Кейс Сторм собственной персоной.

Увидев, что рука Сторма лежит на кобуре, он понял: он конченый человек. Сторм выстрелит в него до того, как он успеет поднять ружье или вытащить нож. Уверенный, что в следующее мгновение умрет, и почти что радуясь этому, как избавлению от всех своих мук, он медленно произнес:

— Меня зовут Бак Скотт.

Он ожидал тут же получить пулю меж глаз, и, когда Кейс Сторм, промчавшись через зал, набросился на него с кулаками, он упал скорее от изумления, чем от мощи обрушившегося на него удара. В следующее мгновение Кейс ударил его снова, на этот раз в рот, и когда Бак почувствовал на губах вкус крови, в нем проснулся инстинкт самосохранения.

Не размышляя, он начал извиваться под Кейсом. Сцепившись, они покатились по комнате, и стулья вокруг них с грохотом полетели на пол. Вскоре Кейс опять оказался наверху и, прижав Бака к полу, нанес ему сильный удар в челюсть. Бак выбросил вперед правую руку, целясь Кейсу в глаз. Кейс отклонился, и, изловчившись, Бак сбросил его с себя. В следующее мгновение они вновь сцепились. Бармен что-то кричал, но Бак не мог разобрать слов. Шаги бармена прозвучали где-то у его уха и удалились.

Схватив одной рукой Кейса за горло, Бак нанес ему удар в нос. Брызнула кровь. Однако, когда он слегка откинулся для следующего удара, Кейс схватил его сзади за волосы и резко дернул.

Бак взревел от боли и скатился на пол в попытке вырваться.

Но Кейс так и не выпустил его волосы. Изловчившись, Бак схватил противника за черную как смоль косичку. Сцепившись в драке, словно два молодых лося, они проскользнули под крутящимися дверями салуна и выкатились на тротуар.

Кейс тут же схватил его за уши и резко дернул. Моментально отпустив его косичку, Бак обеими руками стиснул ему горло. Глаза Кейса расширились, но Бак не заметил в них и тени страха. Несколько мгновений они не отрываясь смотрели в глаза друг другу. Оба тяжело дышали, и у каждого лоб блестел от пота. Черт, подумал Бак, как же ему выбраться из этой передряги, не убивая брата Анники?!

Она никогда ему этого не простит.

Но он может сам погибнуть, если так не сделает.

Кейс Сторм смотрел не отрываясь на гиганта, из чьей рассеченной губы капала кровь прямо ему на рубашку. Роза, вне всякого сомнения, устроит ему по возвращении настоящий ад. Могучие руки Скотта сжимали ему горло, как железные тиски. Интересно, подумал Кейс, как он выберется из этой передряги, не убивая возлюбленного Анники?

Она никогда не простит его, если он убьет Скотта.

Лицо Кейса багровело все больше по мере того, как Бак, мечтавший лишь о том, чтобы он наконец отпустил его уши, все сильнее сжимал ему горло.

Неожиданно над их головами прозвучал выстрел. Бак в предчувствии боли закрыл глаза. Кейс затаил дыхание. Но оба ничего не почувствовали.

Прозвучал еще один выстрел, и в следующий момент кто-то пнул их под ребра.

— Черт побери, сейчас же отпустите друг друга, парни, пока я не влепил каждому из вас по пуле! Ну-ка, пошевеливайтесь!

Кейс узнал голос Зака и медленно разжал пальцы, сжимавшие уши Скотта.

Бак выждал полсекунды, хмуро глядя на Кейса, и наконец скатился с него. Стоя на коленях, он дотронулся до рассеченной губы и, почувствовав кровь, вытер рот рваным рукавом рубашки.

Кейс сел и, приложив ладонь к нему, проворчал:

— Черт, ты, кажется, сломал мне нос.

Бак не ответил. Он вдруг обнаружил, что смотрит прямо в дуло шестизарядного «кольта», который держит в руке какой-то одноглазый старик. Сплюнув табак, который он все это время жевал, старик махнул револьвером ему в лицо.

— А ну-ка, сынок, отдай мне свой нож, а потом ответь, кто ты такой и что, черт возьми, здесь происходит?

— Мое имя Бак Скотт, я лишь спросил дорогу.— Он достал из чехла нож и протянул его старику.

— Ну и как,— осторожно спросил Зак,— ты узнал, что тебе было нужно?

— В некотором роде, да, но я не еду, куда меня

послали. — Бак хмуро посмотрел на Кейса. — Я ищу ранчо Сторма, и, если понадобится, я силой вытрясу из кого-нибудь эти сведения.

— Держись подальше от моей сестры. — Кейсу удалось наконец встать на колени.

— Сначала тебе придется меня убить.

С быстротой, какой ни Бак, ни Кейс не ожидали от него, Зак выхватил у Кейса его «кольт» и взял их обоих под прицел.

— Первое, что ты должен зарубить себе на носу, парень, это не бросаться такими словами, когда не знаешь, с кем говоришь.

— Я знаю, с кем говорю. — Бак сплюнул кровь на тротуар.

— А я знаю, кто ты, — проворчал Кейс.

— Ну, а теперь, когда мы все познакомились, — Зак качнулся на каблуках, — как насчет того, чтобы подняться и пройти со мной в тюрьму?

В первый раз за все время разговора Кейс оторвал взгляд от Бака и посмотрел на Зака.

— Брось шутить, Зак.

— Вставай, говорю. Начальник полицейского участка здесь я, не ты, и я собираюсь посадить вас обоих в камеру, чтобы вы немного поостыли.

Смирившись с судьбой, Бак встал и отряхнулся. Пэдди стоял в дверях салуна, держа в руках шляпы обоих нарушителей спокойствия и ружье Бака. Отдав одну из шляп Баку, ирландец повернулся к Кейсу и протянул ему другую.

— Вот, начальник, возьмите.

— Здесь начальник я, — напомнил о себе Зак, забирая у него ружье Бака, — о чем этот парень, — он кивнул в сторону Кейса, — похоже, забыл. А теперь вы, двое, следуйте за мной, и никаких возражений.

Кейс сделал попытку избежать наказания.

— Мне нужно домой, Зак.

Зак подтолкнул друга вперед стволом его собственного «кольта».

— Тебе следовало бы подумать об этом до того, как ты набросился на этого парня.

Вокруг салуна тем временем собралась уже небольшая толпа, состоявшая из наиболее ярких обитателей Бастид-Хила. Флосси, стоявшая тут же с двумя девочками из своего заведения, уставясь сонно на Кейса с Баком, крикнула:

— Кейс Сторм, это ты? Я думала, ты умнее. Что скажет обо всем этом Рози, а?

Кейс проигнорировал ее вопрос и с опущенной головой первым двинулся в сторону тюрьмы, прикрывая одной рукой разбитый в драке нос, а другой потирая челюсть.

Сверху начали капать тяжелые, размером с серебряный доллар капли. Бак последовал за Кейсом, мысленно поклявшись себе, что никогда больше не сунет и носа ни в одно цивилизованное место.

— А как насчет моей лошади, старик? — вспомнил он внезапно про своего гнедого с притороченными к седлу одеялами и сумками с вещами.

Остановившись на мгновение у коновязи, Зак отвязал лошадь и протянул ему поводья. Не выпуская из рук оружия, он продолжал подталкивать арестантов, пока они шли через улицу к зданию тюрьмы. Войдя, он бросил револьверы и нож Бака на стол и занялся поисками ключей к единственной в тюрьме камере. Его заключенные продолжали игнорировать друг друга. Наконец Зак выпрямился и махнул в сторону открытой двери.

— Никак не могу отыскать ключи. Ладно, входите и посидите там немного, а я за вами присмотрю.

Кейс вошел в камеру первым, даже не потрудившись посмотреть, следует ли за ним Бак. Ему в общем-то было на это наплевать. Он думал лишь о том, как бы поскорее вернуться к Розе, надеясь, что Зак продержит его здесь не слишком долго. Единственная кровать в камере, служившая обычно постелью Заку, была привинчена к стене, наподобие полки. Кейс опустился на жесткое ложе и приготовился ждать.

Войдя в крошечную камеру, Бак сел на другом конце кровати. Старый начальник участка закрыл за ним дверь, опять проворчав что-то о потерянных ключах. Похоже, он решил положиться на их со Стормом совесть, уверенный, что она не позволит им сбежать. У брата Анники все еще текла кровь из расквашенного им носа, но Баку было в общем-то на это наплевать. У него самого была рассечена губа, и щека около рта слегка припухла. Прекрасное зрелище он будет собой представлять, если ему все же доведется встретиться с Анникой. Он подумал вдруг о ее женихе из Бостона и едва не решил, что тут же повернет назад домой, как только выберется из этой передряги.

Он посмотрел вниз, на пол, затем перевел взгляд на дверь, в верху которой было небольшое, забранное решеткой оконце, и наконец поднял глаза к потолку. Человека, сидевшего на той же кровати не далее чем в трех футах от него, он старался не замечать. Да пусть этот Кейс Сторм хоть в преисподнюю провалится, ему-то что.

— Что тебе нужно от моей сестры? — прервал в этот момент его размышления Сторм.

Бак бросил на него искоса взгляд.

— Ничего.

— Ничего? Почему ты не приехал повидать ее раньше?

Бак посмотрел на свою фланелевую рубашку в клетку, которая была вся в кровавых пятнах. Один рукав почти оторвался у плеча. Три верхних пуговицы исчезли. Сквозь прореху спереди виднелась его голая грудь.

В комнате повисло молчание. Кейс попытался представить свою красивую утонченную сестру в постели с Баком Скоттом. Но, как он ни старался, ему это никак не удавалось. Скотт был настоящим гигантом. Таким же высоким, как он сам, но на добрых тридцать фунтов тяжелее, причем все это были мускулы. Волосы у Скотта тоже были длинными, как и у него, но он был небрит, и, судя по ее виду, его бородке было не меньше месяца. Во взгляде его ярко-голубых глаз сквозила некоторая напряженность, но он явно не казался сумасшедшим, чему Кейс был откровенно рад ввиду того, что ему было известно о семье Скотта. Со вздохом он оставил свои попытки выяснить для себя, что могла найти Анника в этом Баке Скотте. Черт, подумал он, люди вокруг, должно быть, тоже никак не могут понять, почему Роза вышла замуж за него.

Кейс слегка переменил позу и убрал руку, которой прикрывал нос. Кровотечение почти прекратилось. Вытерев ладонь о штанину, он откинулся к стене.

— Не помню, когда в последний раз я так вышел из себя, чтобы полезть в драку.

Бак удивленно повернул голову и, увидев на губах Кейса улыбку, согласно кивнул.

— Я тоже. В большинстве случаев я стараюсь не лезть в драку. Немного найдется таких здоровяков, как я, и мне не хочется убивать тех, кого я предпочел бы лишь слегка покалечить.

Кейс, отлично его понимая, рассмеялся и тут же скривился от боли.

— Я тоже.

Внезапно за дверью камеры послышался какой-то шум. Кейс вскочил на ноги и шагнул к двери, но вынужден был поспешно отступить, когда та с грохотом распахнулась, едва не ударив его по и так уже разбитому носу. В камеру вошел Ричард Текстон и тут же застыл, переводя взгляд с Кейса на Бака и обратно.

Бак почувствовал, как у него противно засосало под ложечкой. Франт, застывший в дверях, не мог быть никем иным, как только бостонским женихом Анники. Он выглядел точь-в-точь, как описал его Старый Тед — высокий, худой и такой же приглаженный, что на него было противно смотреть. Он был в элегантном твидовом костюме, и, хотя на улице шел дождь, его полуботинки были все еще блестящими, а крахмальный воротничок рубашки — жестким и ослепительно белым. Стиснув в руках котелок, франт сосредоточил все свое внимание на Кейсе.

— Едем, Сторм. Пока ты тут буянил, у твоей жены начались роды.

— Уже? Она родила?

— Пока еще нет. Анника сразу же послала меня за тобой, когда у нее начались схватки. Ты нашел врача? — Ричард бросил взгляд на Бака и тут же отвернулся, очевидно, сочтя его не стоящим внимания.

— Он уехал в Шайенн.

— И что теперь?

С лицом, черным как туча, Кейс Сторм, не ответив, прошел мимо Ричарда и вышел из камеры. Бак последовал за ним. Взяв со стола свой «кольт», Кейс сунул его в кобуру и посмотрел на одноглазого начальника полицейского участка с вызовом, как бы побуждая того попробовать его остановить.

Зак рассмеялся.

— Надеюсь, парни, вы немного поостыли.

— Я уезжаю, Зак. У Розы начались роды.

— Разумеется. Поцелуй Рози за меня.

Бостонский щеголь вышел на улицу. Кейс шагнул вслед за ним к выходу, но тут Бак положил руку ему на плечо и заставил остановиться.

Кейс резко повернулся.

— Убери с меня свои лапы, Скотт. Мы с тобой закончили.

Баку потребовалось все его мужество, чтобы спросить:

— Она собирается выйти замуж за этого парня? — Он кивком головы показал на дверь, за которой скрылся Ричард Текстон.

Кейс пристально посмотрел ему в глаза.

— Нет.

— Тогда я еду с тобой.

# ГЛАВА 23

Дождь лил не переставая уже целый час. Анника вытерла Розе пот со лба, убрала с ее лица влажные пряди волос и посмотрела в окно. Серое небо было вполне под стать унынию, которое царило у нее в душе. Ричард должен был вернуться вместе с Кейсом и врачом по крайней мере еще с полчаса назад.

Хотя время только близилось к полудню, она зажгла в хозяйской спальне все лампы, чтобы прогнать полумрак. Огонь в камине был уже разожжен, и в комнате было тепло. Все было готово к появлению на свет ребенка. Все, но не она сама.

Следуя указаниям Розы, она собрала все имеющиеся в доме чистые простыни и полотенца. Том, которого она заставила приглядывать за Бейби, поставил внизу кипятиться воду. Когда у Розы уже больше не стало сил ходить, она помогла ей снять платье и облачиться в ночную рубашку и лечь. Следовать указаниям не составляло никакого труда; успокоить же взвинченные нервы было не так легко. Каждый раз, когда у Розы начиналась схватка, она давала ей держаться за свою руку, хотя вскоре и начала бояться, как бы та ей ее не сломала. Между схватками Роза тяжело дышала, явно до смерти напуганная, но не жаловалась. Она подозревала, что Роза пытается задержать роды, и молилась про себя о том, чтобы Кейс наконец возвратился и привез с собой врача.

Анника не могла бы сказать, кто из них молится более истово — она или Роза. Но одно она знала твердо — ей совсем не хочется принимать самой роды, тем более после всех тех потерь, которые Роза уже понесла. Если по неумению, она навредила бы чем-то Розе или младенцу, то никогда бы в жизни себе этого не простила.

— Анника? — прошептала, задыхаясь, Роза и вновь с силой вцепилась ей в руку, словно это был якорь спасения. — Я больше не могу... не могу...

— Можешь! Ты прекрасно со всем справишься. Ты и *сейчас* прекрасно справляешься. — Она надеялась, что Роза не заметила, как у нее трясутся руки.

— Я хочу видеть Кейса, — простонала Роза.

«Я *тоже*», — подумала Анника и вслух произнесла:

— Он будет здесь с минуты на минуту.

— Я уверена, что-то произошло. Где он?

— Уже едет сюда, вне всякого сомнения. — Анника опять посмотрела в окно. — Дождь льет не переставая. Вероятно, это их и задержало.

Роза стиснула зубы, борясь с очередным приступом боли, и, когда он прошел, откинулась на подушки. Бросив взгляд в окно, она тут же отвернулась.

— Дождь — плохая примета.

— Ерунда. — Анника покачала головой. — Он смочит землю, и появятся первые весенние цветы. Только подумай, скоро зацветут все твои розовые кусты. Дождь — неотъемлемая часть весны, символ роста и возрождения.

Роза закрыла глаза.

— Иногда дождь не к добру. Ты должна кое-что сделать для меня.

— Что?

— Положить крестом ключи.

Уверенная, что Роза бредит, Анника даже не спросила, что она хочет этим сказать.

Однако Роза продолжала настаивать:

— Положи крестом ключи. Они висят на кухне возле двери. Пойди вниз и положи их там на столе вот так, — Роза подняла руки и скрестила указательные пальцы в виде буквы «Х». — Это не позволит злу войти в дом вместе с дождем. Эти ключи мне подарили, когда я приехала в Америку.

На лице Анники появилось скептическое выражение.

— Право, Роза...

— Пожалуйста... — Скривившись от внезапной боли, Роза опять стиснула руку Анники и попыталась принять сидячее положение. Затем, обхватив обеими руками живот, стала качать ребенка внутри, словно надеялась таким образом остановить неизбежное. Когда приступ боли прошел, она без сил откинулась на подушки и прошептала:

— Иди и побыстрее.

— Я не могу тебя оставить одну.

Роза покачала головой.

— Ребенок не появится пока. Я знаю.

— Но разве он не может родиться в любую минуту?

Роза опять покачала головой.

— Нет. Что-то не так. Ты должна положить ключи крестом.

В неуверенности Анника застыла перед кроватью. Она боялась оставить Розу одну, но та продолжала настаивать, чтобы она спустилась на кухню и сложила крестом железные ключи, которые висели на гвозде возле двери черного входа. Схватки участились и происходили сейчас почти беспрерывно. Встав в ногах постели, Анника приподняла простыню, прикрывавшую нижнюю часть тела Розы, надеясь увидеть хоть какой-нибудь признак прогресса, а не только покрытые кровянистыми пятнами полотенца под ней, но головка ребенка еще так и не показалась.

Убрав упавшую на лицо прядь волос, Анника вытерла пот со лба. И в этот момент услышала, как кто-то взбегает по лестнице. Она бросилась к двери. Охваченная нетерпением, она не сразу смогла повернуть в нужную сторону ручку и едва не расплакалась. Наконец дверь распахнулась.

— Кейс! Слава Богу!

Ее брат, торопясь войти, не ответил ей, но она успела заметить, что все его лицо было в ссадинах и кровоподтеках. Бросив шляпу на пол, он опустился на колени подле постели своей жены. Волосы его растрепались, и во всем облике была необузданность, о какой она даже не подозревала. Увидев его сейчас в таком состоянии, она поняла, что он был человеком, которого следует воспринимать серьезно и ни в коем случае не злить.

Анника прошла за ним в спальню, и внезапно у нее перехватило дыхание. Только теперь, на свету, она как следует разглядела брата и поняла, что лицо его было избито сильнее, чем ей показалось вначале. Роза протянула руку и нежно коснулась раны на его щеке и лиловых кровоподтеков у него под глазами.

— Что случилось? — Глаза Розы наполнились слезами.

Кейс в ответ лишь пожал плечами и погладил ее по щеке.

— Тебе нужно было видеть моего противника.

Анника решила, что можно обождать с объяснениями того, что произошло. Сейчас главным было другое.

— Где врач, Кейс? — Она подошла к двери и с надеждой посмотрела на лестницу, но та была пуста. В ней вспыхнуло раздражение при мысли, что в то время, когда он там буянил в городе, она тут сходила с ума от страха. Отойдя от двери, она прошлась взад-вперед по комнате. — Ну? Где же он?

Плечи у Кейса поникли.

— Он в Шайенне.

Анника на мгновение задумалась, глядя на застывшую в страхе пару. Кейс держал жену за руку. Роза выглядела растерянной и встревоженной. Кейс, несмотря на свою внушительную внешность, похоже, растерял все свое мужество сейчас, когда дело касалось его жены. Кто-то должен был немедленно что-то предпринять, и, кроме нее, это было сделать некому. Глубоко вздохнув, Анника как можно более авторитетно произнесла:

— Кейс, пойди умойся, или ты напугаешь ребенка, когда он увидит тебя. В кувшине на умывальнике свежая вода.

Словно осужденный на казнь, Кейс медленно поднялся с колен. И в тот же момент очередная схватка заставила Розу вскрикнуть от боли. Кейс тут же опустился на кровать и обнял жену за плечи.

— Черт побери, Роза. Все, хватит! Это последний раз. Я не потеряю тебя.

Позади заскрипели половицы, и Анника обернулась к распахнутой настежь двери, ожидая увидеть на пороге Ричарда. Взгляд ее натолкнулся на взгляд Бака, и на мгновение ей показалось, что у нее оборвалось сердце. Бак выглядел не лучше, чем ее брат, и неожиданно она поняла, что они встретились в городе. Встретились и подрались, да так, что едва не убили друг друга.

Бак с Бейби на руках продолжал молча стоять в дверях. Он выглядел таким же, каким она видела его в последний раз, за исключением того, что под глазами у него залегли тени, лицо осунулось и он отрастил себе бороду. Да и волосы тоже стали заметно длиннее. Очевидно, он потерял тесемку, которой обычно их подвязывал, и они расстрепались, да еще и слегка закудрявились от дождя, так что вокруг его лица был

ореол кудряшек, как у ребенка, обнимающего его
сейчас за шею. Еще никогда ей не доводилось видеть
такой прекрасной картины.

— Анка! Анка! Смотри, Бак! — Продолжая обнимать Бака за шею, Баттонз прижалась своей розовой щечкой к его щеке.

Анника не могла отвести от Бака глаз. Ей хотелось
обнять его так же крепко, как Бейби-Баттонз, и никуда
не отпускать. Лишь драма, происходящая сейчас у нее
за спиной, помешала ей тут же броситься ему на грудь.

Бак, с трудом оправившийся от шока при виде
Анники, испытывал почти то же самое. Однако ее
роскошное лиловое платье, замысловатая прическа,
столь отличная от той, что он видел раньше, а также
жемчужное ожерелье на шее и бриллиантовые серьги
в ушах мгновенно показали ему, какую громадную
ошибку он совершил, явившись сюда.

Ее роскошный наряд и драгоценности, великолепная обстановка спальни, где он сейчас находился,
и кухни, через которую он только что прошел, — все
это было частью ее мира. Это было то, чего Анника
Сторм заслуживала и что принадлежало ей по праву.
Думать, что ему удастся заставить ее забыть о таком
богатстве, было его второй грубой ошибкой. Первой
же — то, что он влюбился в нее.

Он понял это с первого же взгляда, как только
увидел ее сейчас.

В следующее мгновение все его внимание сосредо-
точилось на маленькой черноволосой женщине, лежавшей среди подушек на высокой, с четырьмя стол-
биками кровати позади Анники. По частоте схваток
он мог сказать, что рвущийся на волю ребенок погиб-
нет, если в ближайшее время не появится на свет.
Молча он передал Аннике Бейби и подошел к ногам
кровати. В комнате стоял удушающий жар, и машинально он вытер со лба пот.

Роза посмотрела на него и тут же отвела глаза, вскрикнув от боли.

— Ш-ш! Ш-ш! Все в порядке, Роза. Сейчас пройдет,— Кейс вытер лицо влажной салфеткой, бормоча тихо какие-то нежности в попытке ее успокоить.

— Пусть кричит,— откашлявшись, сказал Бак.— Головка уже показалась?

Анника, подойдя, приподняла слегка простыню.

— Пока нет.

Резко повернувшись, Кейс с яростью посмотрел на Бака, рядом с которым стояла Анника, с трудом удерживая извивающуюся у него на руках Баттонз.

— Вон отсюда,— прошипел Кейс и вновь повернулся к жене, не в силах видеть Бака так близко от своей сестры.

Анника перехватила взгляд Бака, брошенный им на Розу, и внезапно почувствовала, как у нее словно гора свалилась с плеч. Если кто и мог сейчас спасти Розу и ребенка, так только Бак Скотт.

— Разреши ему помочь, Кейс,— обратилась она к брату.

Кейс мгновенно вскочил на ноги. Кинув влажную салфетку, которой вытирал лицо, в тазик на столике у кровати, он сжал кулаки.

— Уведи его отсюда, пока я его не прикончил!

— Кейс!— вскричала от боли Роза, и Кейс тут же повернулся к ней.

Анника подошла к брату и лихорадочно зашептала:

— Он может помочь, Кейс.

— Я не желаю, чтобы этот человек прикасался к моей жене.

— Пожалуйста, Кейс. Он знает, что делать.— Она посмотрела на Бака и почувствовала облегчение, когда в ответ он молча кивнул и затем добавил:

— Все так, Сторм. Моя мать была повитухой,

и я видел больше принятых новорожденных, чем могу сосчитать.

Кейс даже не повернул головы. Роза плакала сейчас, извиваясь от почти непрекращающейся боли так, что едва не падала с кровати.

— Я сам принимал Баттонз, — продолжал Бак.

— Позволь ему помочь, Кейс, — взмолилась Анника. — Поговори хотя бы с ним.

Бак скрестил руки на груди.

— Судя по всему, времени осталось совсем немного, Сторм.

Кейс бросил взгляд на Розу, кусающую от боли губы, потом посмотрел на полное надежды лицо сестры и наконец взглянул на Бака Скотта. В оклеенной обоями в цветочек элегантной спальне охотник на бизонов — громадный, в простой, грубой одежде — выглядел как слон в посудной лавке. Но он был прав. Времени почти не было.

— Что ты можешь сделать? — прошептал Кейс.

— Прежде всего я могу со всем справиться, не развалившись при этом на части. Твоя жена в ужасе, и ты сам перепуган до смерти. Сделай всем одолжение и уйди куда-нибудь. Пойди вниз и напейся.

Не обращая больше на Кейса никакого внимания, Бак снял с себя куртку, бросил ее на стул в углу и закатал рукава рубашки.

— Анника, отведи Баттонз вниз. У меня в седельной сумке лежат травы. Отыщи там мяту и завари. Принеси отвар сюда, как только он будет готов, и захвати также бутылку вина, если оно есть в доме.

Анника заколебалась.

— Я не знаю, как она выглядит.

Бак наклонился над стоявшим на умывальнике тазике с водой и начал мыть руки.

Кейс, уже стоявший в дверях, буркнул:

— Идем, я помогу тебе отыскать траву.

С этими словами он вышел, но Анника осталась на месте, не в силах оторвать глаз от Бака. Она все еще не осмеливалась верить, что он наконец-то приехал за ней.

Бак выпрямился и посмотрел на нее.

— Ступай вниз, но, перед тем как уйти, открой окно. Ты, что, хочешь, чтоб ребенок сварился, едва появившись на свет?

— Я не хотела, чтобы он простудился, — резко бросила она в ответ.

Бак слегка улыбнулся.

— Открой окно и потом сделай отвар. — Он подошел к кровати и положил ладонь Розе на лоб. — Вы слышите шум дождя, миссис Сторм?

— Да. Я слышу.

— Вы любите дождь?

— Иногда дождь к несчастью, но да, я его люблю.

— Я тоже. — Определив температуру, он убрал руку и заглянул Розе в глаза. — Не боритесь с болью. Тужьтесь. Тужьтесь сильнее. — Он положил ей ладонь на живот и почувствовал, как шевелится ребенок. — Вы и глазом не успеете моргнуть, как ваш ребенок появится на свет, если только постараетесь немного мне помочь.

Сквозь пелену боли, застилавшую ей глаза, Роза попыталась вглядеться в склонившееся над ней лицо Бака, невольно подчиняясь звучавшей в его голосе уверенности.

— Меня зовут Роза.

Возвратившись в комнату через несколько минут с подносом, Анника поставила его на стол и налила немного отвара в чашку. Бак все еще стоял подле Розы, поддерживая ей голову и мягко побуждая ее тужиться, когда наступал очередной приступ боли. Вид у Розы был более спокойный и уверенный. Анника с чашкой в руке застыла, глядя на них.

Повернувшись к ней, Бак сказал:

— Посмотри, не показалась ли головка.

Поставив чашку на стол, Анника сделала, как он просил, и покачала головой.

— Нет пока.

— Что-то явно не так, — проговорила слабеющим голосом Роза.

— Ничего подобного. Еще несколько минут — и все закончится. — Бак взял со стола чашку с отваром и, поднеся ее к губам Розы, уговорил сделать несколько глотков. После чего вытащил зубами пробку из бутылки с вином.

— Отвар уменьшит боль? — спросила Анника с надеждой.

— Нет, но она немного успокоится.

— А когда ты дашь ей вино?

— Оно для меня.

Он поднес бутылку с бургундским ко рту и сделал большой глоток. Когда он возвратил ей бутылку, она решила последовать его примеру и тоже выпить. Приятное тепло моментально разлилось по всему ее телу.

— Иногда самая большая проблема — это страх, — заметил Бак. — Твой брат был так напуган, что его страх передался и Розе. А ее стремление задержать роды лишь ухудшило дело.

— От меня тоже не было большого толку, — прошептала Анника и посмотрела ему в глаза. — Мы все очень благодарны тебе, Бак.

— Благодарить меня еще рано. — Он повернулся к Розе, у которой началась очередная схватка. Поддерживая ее то ласковым словом, то улыбкой, он помог ей преодолеть приступ боли, после чего уговорил ее еще немного отпить из чашки. — Посмотри снова, — обратился он к Аннике, ставя чашку на столик.

Анника приподняла простыню и тут же громко

воскликнула, не в силах сдержать радостного возбуждения:

— Я вижу! Я вижу головку ребенка!

— Как много?

— Самую макушку.

— Тужьтесь, — велел он Розе.

Лицо Розы покраснело от натуги.

— Кричите, когда больше невмочь терпеть, — добавил Бак.

Роза покачала головой и закусила губу.

— Кричите! — приказал он. — Вам станет легче.

Роза закричала, и в ту же секунду в спальню ворвался Кейс.

— Выйди, — бросил через плечо Бак. — Мы уже почти закончили.

Кейс взглянул на Аннику. Она кивнула и улыбнулась. Он попятился к двери, и через мгновение она захлопнулась за ним.

— Я вижу уже головку и одно плечико! — воскликнула Анника и сквозь слезы улыбнулась Баку. — У него темные волосики, совсем как у Кейса.

Бак подошел к Аннике, стоявшей в ногах кровати. То, что он увидел, подтвердило его самые худшие опасения. Пуповина обмоталась вокруг шейки ребенка. Еще несколько мгновений, и ребенок умрет, так и не успев окончательно родиться. Бак попытался просунуть палец между шейкой ребенка и пуповиной, но у него ничего не получилось.

— Тужьтесь, Роза, — произнес он ровным тоном, стараясь не выдать охватившей его паники.

Звучавший в его голосе приказ требовал повиновения. Роза вся напряглась от натуги. Анника, встав в изголовье, всячески подбадривала ее, помогая преодолеть боль. Бак просунул руку под тельце ребенка, ожидая, когда оно выскользнет из родового канала.

Роза громко вскрикнула, и ребенок наконец пробил себе путь на свет.

Анника затаила дыхание, когда тельце ребенка скользнуло в руки Бака, застыв от изумления при виде чуда, которое произошло на ее глазах. Бак был неподражаем. Она была уверена, что, доведись ей прожить даже сто лет, она и тогда не забудет этой бесподобной картины: громадный охотник на бизонов, держащий в руках пульсирующий комочек жизни, которому он помог появиться на свет.

— Это мальчик! — провозгласил Бак, взглянув сначала на Аннику и потом на Розу. Поспешно он размотал пуповину, обмотавшуюся вокруг шейки младенца, после чего взял его за ножки и, опустив вниз головкой, несколько раз шлепнул по попке. В следующий момент сын Кейса и Розы провозгласил громким криком свое появление на свет. — Брось ей на живот полотенце, — велел он Аннике и, когда она сделала, как он сказал, положил ребенка на Розу, у которой тут же, с последним приступом боли, вышел послед.

Откинувшись на подушки, она погладила влажные волосики на головке новорожденного.

— *Mio bambino ... mio bambino...* — вновь и вновь она повторяла эти слова, как заклинание, глядя со слезами на глазах на своего сына.

Бак тем временем туго перевязал пуповину и отрезал ее ножницами, убедившись предварительно, что они чистые и пригодны для такой операции. После чего завернул новорожденного в чистое полотенце и сказал Розе:

— Можете подержать его минутку, а потом я его всего оботру.

Не успел он передать ребенка Розе, как дверь отворилась и в спальню вошел Кейс.

— Все в порядке? — спросил он Бака, не стесняясь своих красных глаз и катившихся по лицу слез.

Бак вытер руки.

— И с ней, и с твоим сыном все в порядке, но я чувствовал бы себя лучше, если бы немного ее зашил.

Кейс бросил взгляд на Розу, которая в ответ кивнула. Ощутив внезапную слабость в коленях, Кейс опустился на кровать подле жены. Анника подошла к брату и положила руку ему на плечо.

— Ну разве он не красавец? И он похож на вас обоих.

Крики младенца сменились хныканьем. Кейс, похоже, боялся дотронуться до сына, извивающегося в руках у жены. Несколько минут он не отрываясь смотрел на него, затем поднял глаза на Бака.

— С ним все в порядке? Ты уверен?

Мгновение Бак смотрел на него в недоумении, не понимая, как может Кейс Сторм задавать подобные вопросы, видя перед собой крепкого, здорового младенца. Он перевел взгляд на Аннику. Она тоже смотрела на него с надеждой во взгляде.

— Насколько я могу судить, — произнес он наконец, — он совершенно здоров. Не сомневаюсь, что, когда он подрастет, его удар кулаком будет не менее мощным, чем у его папочки.

Он взял в руки тазик с последом, чтобы убрать куда-нибудь в сторону, и тут же поспешно накрыл его полотенцем, увидев, как побледнела Анника. Не хватало только, чтобы она упала сейчас в обморок.

Чета Стормов разглядывала своего сына. Подождав терпеливо несколько минут, Бак наконец прервал их занятие.

— Анника, почему бы тебе вместе с братом не пойти вниз? Когда мы с Розой здесь закончим, я вас позову.

Это было сказано спокойным, уверенным тоном, и Анника почувствовала гордость за Бака. Он держался как настоящий врач. Она предложила свои услуги в качестве медсестры, но Бак покачал головой.

— Ты выглядишь измученной. Лучше закрой окно и принеси мне шелковых ниток, иглу и еще горячей воды. Все остальное я сделаю сам. — Он повернулся к Кейсу и постарался его успокоить: — Не волнуйся, все это займет всего лишь несколько минут.


— Не могу понять, зачем твой брат привел этого человека в свой дом.

— Извини, Ричард, но я и вправду слишком измучена, чтобы отвечать сейчас на твои вопросы. — Сидевшая за кухонным столом Анника прижала ладонь к векам, которые горели так, будто их натерли песком, и попыталась сосредоточиться. Бак еще не вышел из комнаты Розы, но Кейсу несколько минут назад было дозволено туда войти. Аннике хотелось о многом подумать сейчас, когда кризис миновал, и она не испытывала ни малейшего желания разговаривать с Ричардом Текстоном.

Но он не оставлял ее в покое.

— Полагаю, твой брат еще не слишком ясно соображает...

— У него есть имя. Кейс.

— Хорошо, Кейс. Но я продолжаю настаивать, что он все еще не в себе. В противном случае он никогда бы не потерпел присутствия этого человека в своем доме.

— Бак только что спас их ребенка. Думаю, Кейс даст ему все, что он пожелает.

— Включая тебя?

— Вопрос неуместен.

— Так ли уж и неуместен? Мне кажется, ты рада видеть этого неотесанного мужлана. Поэтому-то ты и сидишь сейчас как на иголках, вздрагивая при каждом звуке. Ты ждешь не дождешься, когда он сойдет вниз. Думаю, ты ждала его приезда с того самого дня, как тебя спасли. Я прав?

Анника не выдержала. Стукнув кулаками по столу, она резко поднялась и подошла к Ричарду Текстону.

— Ты прав. В сущности ты прав в отношении всего, что сказал сегодня. Да, я жду, когда Бак Скотт сойдет вниз. И, если он согласится взять меня в жены, я поеду с ним хоть на край света.

У Ричарда было такое лицо, словно она ударила его. На мгновение Анника пожалела, что не сделала этого.

— Полагаю, во мне говорит моя дикая индейская кровь. Та самая кровь, Ричард, на которую ты так любезно пообещал несколько часов назад не обращать внимания.

Ричард грубо схватил ее за плечи. Дикая вспышка ярости в неизменно спокойном невозмутимом человеке глубоко поразила Аннику, которая даже не подозревала об этой скрытой стороне его натуры.

— Ты, маленькая сучка, — прошипел он сквозь стиснутые зубы. — Ты думаешь, ты такая уж важная птица? Да если бы ты не жила постоянно в пансионах и под крылышком у своих родителей, у тебя давно бы раскрылись глаза и ты знала бы свое место.

— Ладно, говори, что ты хотел сказать, Ричард, и покончим на этом.

— Твой брат был вынужден бежать из города, поскольку ударил клиента прямо в своей адвокатской конторе. А твоей маменьке пришлось выйти за этого полукровку, Калеба Сторма, потому что она была шлюхой какого-то индейца. Откуда, как ты думаешь, появился этот твой драгоценный братец?

Анника попыталась вывернуться из его рук.

— Пусти меня.

В ответ он только сильнее сжал ей плечи и встряхнул.

— Ты когда-нибудь спрашивала их об этом?

— Отпусти меня, я сказала.

— Ты спрашивала?

Анника закрыла глаза, не в силах больше смотреть в искаженное злобой лицо Ричарда. *Да,* хотелось ей крикнуть. Да, она спрашивала об этом, и не раз, но ответ всегда был один и тот же. Кейс был ее сводным братом. Ее мать была замужем до Калеба, но прошлое было слишком печальным, чтобы о нем говорить. Разговор моментально переводился на что-нибудь другое, и вскоре Анника уже почти не помнила, о чем спрашивала. Став старше, она перестала спрашивать об этом, боясь обидеть мать, и еще больше боясь узнать, что Кейс вообще не был ей братом, а найденышем, которого Аналиса с Калебом решили усыновить. Кейс был просто Кейсом. Ее идолом. Ее большим братом. И для нее не имело никакого значения, кто был его отцом. И вот теперь этот человек, за которого она едва не вышла замуж, обвинял ее мать в проституции, утверждая, что Аналиса была недостаточно хороша для кого бы то ни было, кроме Калеба Сторма, полукровки.

— Уверен, когда-нибудь кровь обязательно сказалась бы, — проговорил Ричард почти шепотом. — Моя мать пыталась убедить меня в этом, когда я решил жениться на тебе. Слава Богу, дикость в тебе проявилась прежде, чем мы поженились.

Он до боли сжал ей руку. Дождь все так же выбивал громкое стаккато на крыше веранды, сбегая струями с карниза на землю, где уже образовались лужи.

Анника попыталась снова вырваться из его цепких рук.

— В последний раз говорю: отпусти меня сейчас же!

И в этот момент в кухню вошел Бак Скотт.

— Отпусти ее, Текстон.

Ему было неизвестно, что здесь происходит, но он услышал в голосе Анники требование и намеревался проследить за тем, чтобы Текстон его выполнил.

— С радостью, — насмешливо фыркнул Ричард и отбросил Аннику в сторону с такой силой, что она ударилась бедром о стол и едва не упала.

В мгновение ока Бак оказался перед Ричардом и, схватив его за грудки, начал теснить к двери, пока они оба с силой не ударились о нее. Петли не выдержали, и дверь вместе с ними вывалилась наружу. Держа Текстона за горло левой рукой, Бак отвел правую назад, собираясь ударить кулаком прямо в изумленное лицо своего противника. Словно откуда-то издали до него донесся крик Анники, умолявшей его остановиться. Но он был уже неспособен на это. Он возненавидел Текстона с первого взгляда и, когда увидел, как тот обращается с Анникой, среагировал мгновенно, не раздумывая. Вся его столь долго подавляемая ярость, вызванная крушением надежд, выплеснулась наружу, и он готов был убить этого городского хлыща на месте.

Неожиданно он почувствовал, что его отведенная назад рука словно попала в железные тиски. Резко повернувшись, он посмотрел с гневом на того, кто осмелился ему помешать.

— Остановись, — произнес предостерегающе Кейс. — У меня сейчас, Бог свидетель, нет ни сил, ни желания затевать с тобой новую драку, но клянусь, я это сделаю, если ты доведешь меня до крайности.

Анника стояла рядом с братом, держа его за руку, но видела, похоже, одного только Бака. Взгляд ее, устремленный на него, молил остановиться.

Бак взглянул на Текстона, затем перевел взгляд на

выбитую дверь и валявшиеся вокруг осколки стекла от овального окна в верхпсй ее части.

Опять по своему обыкновению он все испортил!

Убрав ногу, он поднялся с Ричарда. Однако извинений никаких не последовало.

— Думаю, мне пора отправляться в путь, — произнес он, ни к кому в особенности не обращаясь.

— В путь? — Анника не могла поверить собственным ушам. Она повернулась к брату: — Ричард меня оскорбил. Ты поступил бы точно так же, как Бак, если бы слышал, что Ричард сказал мне, Кейс. Ты не можешь вот так, просто, позволить Баку уехать.

— Ты никуда не едешь, — в голосе Кейса звучал приказ. — Во всяком случае, пока я с тобой не поговорю. — Он протянул руку Текстону и рывком поднял на ноги бывшего поклонника своей сестры. — Что же до тебя, Текстон, то ты *едешь*, и немедленно. Если поторопишься, то сможешь еще успеть на последний поезд, идущий из Бастид-Хила на восток.

Молча Ричард прошел мимо него в дом собирать вещи. Кейс тем временем поднял с пола дубовую дверь, прислонил ее к стене дома и, подойдя к краю веранды, громко свистнул. В следующую минуту в дверях домика для работников ранчо появился ковбой.

— Пришли двоих парней, Том, поставить дверь на место, — крикнул ему Кейс. — Не могу допустить, чтобы в доме гуляли сквозняки сейчас, когда у меня родился сын.

Ковбой в ответ помахал рукой.

— Сию минуту, босс.

Широко улыбаясь, Кейс Сторм вошел в дом и налил себе чашку крепкого черного кофе. В следующую минуту, однако, выражение его лица стало серьезным. Показав вошедшим вслед за ним на кухню Баку и Аннике на стулья, он коротко бросил:

— Садитесь. Нам нужно поговорить.

Анника затаила дыхание, уверенная, что повелительный тон Кейса вызовет у Бака новую вспышку ярости. Она боялась, что не выдержит, если эти двое опять сейчас затеют драку. И, когда Бак даже не повел бровью и тут же выдвинул для нее стул, она, растерявшись, застыла, глядя на него в изумлении.

# ГЛАВА 24

— Анника!

Очнувшись, она посмотрела на Кейса, на лице которого было написано откровенное нетерпение, и поспешно опустилась на стул, выдвинутый для нее Баком. Бак сел напротив Кейса. Откинувшись назад, он закинул одну руку за спинку стула и с видом человека, покорившегося неизбежному, приготовился слушать.

— Кофе? — спросил Кейс.

Бак покачал головой. Анника, переводившая взгляд с Кейса на Бака и обратно, тоже отклонила предложение брата. Мужчины, сидевшие за столом напротив друг друга, напоминали ей титанов в преддверии битвы. В Бастид-Хиле, подумала она вдруг, должно быть, до сих пор обсуждают их драку.

— Я знаю, что произошло между тобой и моей сестрой, — сказал Кейс без всякого вступления.

Анника почувствовала, как щеки ее заливает краска. Даже не поднимая головы, она знала, что Бак смотрит на нее.

— Кейс...

— Я благодарен тебе за то, что ты сделал для меня и Розы, и поэтому не стану тебя ни к чему принуждать. — Кейс подождал, когда взгляд Бака вновь обратился на него. — Но при сложившихся обстоятельствах я не позволю тебе остаться сегодня на ночь под одной кровлей с моей сестрой. Ты будешь спать в домике вместе с моими работниками.

Сознавая, что Кейс прав, что он сам на его месте поступил бы точно так же, Бак промолчал, не возразив ему ни словом. Он больше не смотрел на Аннику; алый румянец на ее лице сказал ему, что она смущена откровенностью брата.

Что, подумал Бак, он может ответить Кейсу Сторму? Ничего. Тому, что случилось тогда в Блу-Крик, нет оправдания. Опустив голову, он глядел на свою разорванную, в пятнах засохшей крови рубашку, на свои натруженные, в шрамах и ссадинах руки, с изумлением спрашивая себя, как он вообще осмелился к ней прикоснуться.

Она казалась лучом солнца посреди сумрака, и ее светлое в полоску платье все еще выглядело безупречно чистым, несмотря на то, через что ей пришлось пройти сегодня. Сейчас, когда она сидела, выпрямившись, на краешке стула — строгая и неприступная, — ему с трудом верилось, что он занимался с ней любовью на собственном столе. Не мог он и представить эту новую, элегантную Аннику Сторм в своей хижине.

— Что такое сказал тебе Ричард, что тебя так расстроило? — спросил у Анники Кейс.

Бак поднял голову. Ему тоже хотелось знать, что сказал Аннике Текстон.

Анника сделала глубокий вздох и посмотрела брату прямо в глаза.

— Это я хотела бы обсудить с тобой позднее. Сейчас же, поскольку ты оскорбил нас с Баком обоих, я думаю, мы с ним имеем право хотя бы на один разговор наедине. Если ты, конечно, кончил отчитывать нас, как непослушных школяров.

Бак поспешно прикусил губу, чтобы не рассмеяться. Надо отдать Аннике должное: на свете не много найдется женщин, обладающих достаточным мужест-

вом, чтобы противостоять такому человеку, как Кейс
Сторм. Молча Кейс допил свой кофе, поставил кружку на стол, поднялся и направился к двери. На пороге,
однако, он остановился и обернулся.

— Пойду прослежу, чтобы Ричард не задерживался, и навещу также Розу с Джозефом. Надеюсь поговорить с тобой, Анника, в библиотеке после твоей
беседы с мистером Скоттом.

Когда он вышел, Анника вздохнула. Она была как
на иголках и по-прежнему сидела на краешке стула,
явно готовая в любую минуту вскочить на ноги и выбежать из комнаты. На Бака, который, как она чувствовала, не сводил с нее глаз, она старалась не
смотреть.

— Я... — нарушила она наконец молчание, медленно проводя пальцем по краям дырочки от сучка
в столешнице. — Я прошу прощения за поведение
брата, который был с тобой непростительно груб,
учитывая то, что ты для него сегодня сделал.

— Да, конечно. Я его избил, сломал ему дверь,
ударил твоего жениха. Работенка, надо сказать, была
проделана неплохая, — произнес Бак с юмором, но на
губах его не было улыбки.

На веранде послышались чьи-то шаги. Как оказалось, пришли два работника Кейса чинить дверь.
С грохотом они поставили на пол ящик с инстру-
ментом и начали устанавливать дверь на место, то
и дело бросая любопытные взгляды на сидевшую
за столом парочку.

Глядя на работающих мужчин, Бак тихо спросил:

— Они тоже все о нас знают?

— Разумеется, нет, и сейчас я жалею, что призналась в этом даже брату.

— Если ему было все известно, то почему же он не
убил меня сегодня утром, когда у него была возможность это сделать?

Анника пожала плечами.

— Мне кажется, ты не остался у него в долгу и тоже нанес пару крепких ударов. И потом, Кейс совсем не такой уж плохой, каким может показаться при первой встрече.

Она поднялась.

— Мне нужно посмотреть, как там Баттонз. Идем со мной наверх, я помогу тебе привести себя в порядок.

Бак хотел было ответить отказом, хотя это и лишало его удовольствия побыть еще какое-то время с Анникой наедине, но как всегда у него не хватило решимости воспротивиться ее желаниям, и он последовал за ней, когда она начала подниматься по лестнице, восхитительно шелестя юбками.

Ей не нужно было предупреждать его о том, чтобы он не шумел; он слышал громкие крики Баттонз, не желавшей укладываться в постель, еще когда накладывал швы Розе. Когда они подошли к комнате, отведенной для нее и Баттонз, Анника открыла дверь и отошла в сторону, пропуская Бака вперед. Баттонз, лежавшая на пуховой перине посреди горы белоснежных, украшенных вышивкой подушек, крепко спала. Бак попытался прочесть поговорку, вышитую на ближайшей из них, невольно подумав при этом, не рукой ли Анники была сделана вышивка. Как будто догадавшись, о чем он подумал, Анника сказала:

— Роза купила эти подушки у какой-то женщины в городе. Мы с ней не слишком-то хорошие портнихи.

— А...— протянул Бак, начиная уже задыхаться среди обилия кружев, воланов и бантиков, окружавших его в этой комнате. Все это было настолько ему непривычно, что Баку тут же захотелось выбежать из комнаты и где-нибудь укрыться.

В растерянности он застыл посреди комнаты, боясь каким-нибудь неловким движением разбудить

Баттонз, боясь присесть даже на краешек белоснежной постели или стул у окна с роскошной обивкой в своей пыльной, грязной одежде. Ему страстно хотелось дотронуться до Баттонз, убрать у нее со лба кудряшки и пощупать шелковую ленту, украшавшую ворот ее ночной рубашки, но она так сладко спала в обнимку со своей старой деревянной куклой, что он не рискнул, боясь потревожить ее сон.

Он отвернулся, и взгляд его упал на игрушки, разбросанные во множестве на ковре. В стоявшем в углу детском кресле-качалке сидела красиво одетая кукла с фарфоровой головой и руками, а перед ней на полу толпились вокруг игрушечного Ноева ковчега маленькие деревянные фигурки животных. На столике возле кровати лежала какая-то книга. Он взял ее, прочел название «Книга про домовых» и, открыв посередине, замер, разглядывая изображенных на страницах маленьких забавных человечков.

— Она обожает подобные истории, — сказала Анника.

От неожиданности он вздрогнул и, поспешно захлопнув книгу, положил ее снова на столик. Анника тем временем вылила из кувшина воду в тазик для умывания и опустила туда полотенце.

— Садись, — она показала ему на стул.

— Я не думаю... — начал было он и покачал головой.

— Пожалуйста. Позволь мне за тобой поухаживать.

Послушно он опустился на стул и застыл в ожидании ее прикосновения. В следующее мгновение она подошла к нему, держа в руке влажное полотенце, и он едва не потерял голову. Шелест ее шелковых нижних юбок казался оглушительным, от нее веяло теплом весеннего дня, и она пахла совсем как розовая вода. Он затаил дыхание, когда она начала обтирать ему лицо. Прикосновения ее пальцев были так легки, что он едва их ощущал.

Он почувствовал, она на мгновение заколебалась, прежде чем прижать полотенце к его губам, и, когда она все же это сделала, он закрыл глаза, представляя, что влага, которую ощущали его губы, была влагой от ее поцелуя.

Открыв глаза, он увидел, что ее лицо находится всего лишь в нескольких дюймах от его лица. Она смотрела на него так, будто хотела взглядом проникнуть ему в самую душу и узнать все его секреты, сокрытые там. Его охватило страстное желание заключить ее в объятия, но внезапно она показалась ему такой же неприкосновенной, как бесценный музейный экспонат. Он почувствовал невыразимую муку и едва не выбежал тут же из комнаты.

Когда он вдруг подался назад, Анника моментально отступила и, пытаясь скрыть внезапную дрожь в руках, принялась нервно мять полотенце. Она едва не поцеловала Бака, когда он закрыл глаза. Какова бы была его реакция, если бы она это сделала? Бак все еще не сказал ей причины своего неожиданного появления. Приехал ли он за ней? Она видела, что он сидит как на иголках, явно желая поскорее уйти, но старалась не думать об этом, страшась момента, когда он наконец встанет и выйдет из комнаты.

— Ты нашел коробку с пуговицами, которую я оставила на столе? — Не успели эти слова соскользнуть у нее с языка, как его лицо потемнело и взгляд стал ледяным. Она поняла, что сделала ошибку, спросив его об этом.

— Да. Но я не нуждаюсь в твоей милостыне.

— Милостыне? О чем ты говоришь?

— Я решил, ты их оставила в качестве платы.

Анника наморщила лоб. Дрожь в пальцах уменьшилась, но она все еще боялась выпустить из рук полотенце, не до конца доверяя себе. Машинально свернув и развернув его, она переспросила:

— Платы? За что? Я оставила их, чтобы показать тебе, что мы уехали не по своей воле. Клеммeнс и его приятели не дали мне времени написать тебе записку и позволили лишь упаковать наши с Бейби вещи. Мне казалось, ты догадаешься, что нас увезли насильно, поскольку в противном случае я непременно забрала бы эти сокровища Бейби с собой.

— Я решил, что ты меня бросила.

Анника уставилась на него в изумлении.

— Как ты мог такое подумать?

— В тот момент я был не в слишком-то хорошей форме, чтобы задавать себе подобные вопросы.

— Что ты имеешь в виду, говоря, что был тогда не в слишком хорошей форме?

— Ничего.

— Бак?

— Ну, в общем я вернулся в тот день домой, когда уже светила луна. У меня была не слишком-то приятная встреча с этой кошкой, пумой, о которой я тебе говорил.

Она вновь. скомкала полотенце, которое уже аккуратно сложила.

— Ты был ранен? Насколько серьезно?

Он выглядел вполне здоровым на первый взгляд, и она не видела на нем никаких следов ран, помимо ссадин и синяков, полученных им в драке с Кейсом.

— Я был ранен в ногу. А потом у меня началась лихорадка, и я, скорее всего, умер бы, не случись Старому Теду проезжать мимо.

Глубоко потрясенная, она опустилась на стул рядом с ним, и в ту же секунду он встал.

— Ты мог бы умереть, а я так никогда об этом бы не узнала... — проговорила она еле слышно.

Слегка прихрамывая, Бак пересек комнату и встал спиной к окну.

— Тебя бы расстроила моя смерть?

В мгновение ока Анника вскочила на ноги.

— О чем ты говоришь, Бак Скотт? — мысленно порадовавшись тому, что Баттонз всегда спит крепко, она, однако, тут же понизила голос. — Когда мы виделись с тобой последний раз, я сказала, что люблю тебя. Мои чувства с тех пор не изменились. — Она глубоко вздохнула, собираясь с силами, и задала ему вопрос, который мучил ее с того момента, когда он здесь появился: — А твои?

Соврать он ей не мог. Но не мог также сказать и правду.

— Нет, — ответил он. — Я по-прежнему желаю того, что для тебя и Баттонз будет наилучшим. Я приехал повидать ее, убедиться, что она счастлива.

— Выходит, ты приехал не за мной?

Мгновение он молчал, глядя ей прямо в глаза. В страхе она ждала его ответа.

— Посмотри вокруг себя, Анника. Забудь о своих фантазиях и постарайся увидеть, какова жизнь на самом деле. Мы с тобой принадлежим к разным мирам, и какие бы то ни были надежды, которые я лелеял, они были полным сумасшествием. — Он провел рукой по волосам, тряхнул головой и, ухватившись обеими руками за подоконник, прислонился к нему спиной. — Мой приезд сюда лишь подтвердил то, что мне и так было известно с самого начала. Теперь я окончательно убедился, что ты не сможешь жить со мной в горах. Но я вижу, что Баттонз сможет приспособиться к иному образу жизни. У нее будет все, чего она заслуживает.

— Возможно, сейчас все так и выглядит, но она ложилась спать со слезами на глазах на протяжении, по крайней мере, двух недель после нашего приезда сюда.

— Уверен, она уже забыла об этом.— Он на
секунду замолчал, явно подбирая слова.— Мне, однако, не хотелось бы, чтобы она жила с тобой и Текстоном.

— Все это уже в прошлом. К тому же неужели ты
думаешь, что я захочу теперь выйти за него замуж?

— Он будет дураком, если от тебя откажется.

Она пересекла комнату и встала прямо перед ним.

— Скажи, что ты не любишь меня.

— Не делай этого, Анника. Оставь все, как есть.

На мгновение она почувствовала соблазн сказать
ему о ребенке, которого — в этом у нее сейчас почти
не было сомнений — носит. Это был верный способ
удержать его возле себя. Однако она тут же отказалась от этой мысли, не желая, чтобы он попал
в западню, как одно из тех животных, на которых
он ставил капканы. Он должен прийти к ней сам,
по доброй воле, отказавшись от всех этих слабых
отговорок, будто он недостаточно хорош для нее и они
слишком далеки друг от друга, чтобы их могла со-
единить даже любовь.

Отвернувшись, дабы он не увидел ее слез, она
подошла к умывальному столику и положила полотенце рядом с тазиком для умывания.

— Думаю, тебе лучше уйти, пока я не совершила
какой-нибудь глупости.

— Анника...

Она услышала его шаги, почувствовала его позади
себя; он стоял неподвижно, очевидно ожидая, когда
она повернется. Она стиснула вешалку для полотенец
на умывальнике с такой силой, что, как ей показалось, едва не переломила ее.

— Я проведу ночь в домике для работников ранчо,— услышала она голос Бака.

Она выпрямилась, но не обернулась.

— Ты попрощаешься завтра с Бейби? — с трудом

выдавила она из себя и подумала: «*Ты попрощаешься завтра со мной?*»

Стоя уже в дверях, он помедлил и бросил взгляд на спящего ребенка.

— Я не могу.

Она увидела в оконном стекле его отражение. Увидела, как он подошел к постели и, наклонившись, нежно поцеловал Бейби-Баттонз в щечку. Она закрыла глаза, чтобы отгородиться от этой картины, при виде которой ей словно ножом полоснуло по сердцу.

Анника встретилась с Кейсом в библиотеке после того, как накормила работников ранчо ужином, состоявшим из холодного цыпленка и жареной картошки. Ужин, естественно, не шел ни в какое сравнение с теми, какие готовила Роза, но он был съедобным, и никто не остался голодным. Бак не появился за ужином вместе с остальными, но, осторожно расспросив ковбоев, Анника выяснила, что он действительно устроился на ночь в домике для работников ранчо. В ужасе, что он может уехать до того, как она поговорит с ним наедине еще раз, Анника решила чуть позже отнести ему ужин. Когда она уже собиралась выйти, на кухню явился Кейс с требованием, чтобы она немедленно шла в библиотеку. Ужин Баку вызвался отнести Джим, и она, растерявшись, не смогла придумать никакого благовидного предлога, чтобы отказать ему в этом.

Медленно она последовала за братом через холл в темную прохладную библиотеку. Кейс зажег лампу, и она огляделась. Библиотека Кейса напоминала отцовскую, в которой все стены также были заняты книжными полками, а в центре стоял массивный стол и стулья с мягкими сиденьями. Не все полки были заставлены книгами — пока, — и на свободном месте стояли фотографии в рамках членов семьи Сторм и родственников Розы в Италии. Анника взяла с полки небольшую фотографию в серебряной рамке, на которой была запечатлена вместе с Кейсом, когда ей было шесть лет, за год до того, как он уехал учиться. Снимок ясно передавал свойства их натур: она сидела, склонив голову набок и весело улыбаясь в объектив, тогда как Кейс, гордый и неулыбающийся, стоял рядом с ней с покровительственным видом. И они держались за руки.

Она поставила фотографию на полку, чувствуя, что вся ее тревога улеглась. Кейс всегда ее любил. Он поможет ей разрешить дилемму, перед которой она сейчас стояла. Обернувшись, она увидела, что он сидит, скрестив ноги, на краю стола, явно ожидая, когда она заговорит.

— Как новорожденный?

— Прекрасно. Роза его покормила в первый раз. Он молодец.

— Ты уже окончательно решил назвать его Джозефом? — Анника тянула время и знала это, как знал и Кейс.

Все же он ответил:

— Да. Джозеф Калеб Сторм, в честь нашего отца и отца Розы.

Это были именно те слова, в каких она нуждалась, чтобы начать нелегкий для себя разговор.

— Ты скажешь мне правду, если я задам тебе очень личный вопрос?

Кейс весь напрягся; она поняла это, увидев, как он заерзал на столе и расправил плечи.

— Почему бы нам не начать с того, что в первую очередь и привело нас с тобой сюда? Я хочу знать, что сказал тебе Ричард Текстон, вынудив тем самым Бака Скотта полезть в драку. Или, может, у Скотта просто такая привычка, сначала ударить, а уж потом задавать вопросы?

Проигнорировав последние слова брата, Анника сказала:

— Ричард заявил, что кровь когда-нибудь обязательно даст о себе знать. Что он был рад, что узнал о моей дикой натуре до того, как мы поженились.

Кейс встал на ноги, но остался стоять за столом, с каменным лицом, ожидая продолжения.

— Ричард утверждает, будто в Бостоне уже много лет сплетничают о маме. — Анника глубоко вздохнула и заставила себя повторить жестокие слова Текстона: — Люди задаются вопросом, сказал он, не распутничала ли она с индейцами и не этим ли объясняется то, что она вышла замуж за полукровку? По его словам, все вокруг гадают, откуда ты вообще взялся? Мне этого тоже никто никогда не говорил. И я хочу наконец узнать правду.

Лицо Кейса потемнело. Еще никогда ей не доводилось видеть на нем такого мрачного выражения. Стиснув кулаки, он посмотрел ей прямо в глаза.

— Сядь.

Не менее упрямая, чем он, Анника осталась стоять, хотя по его тону и поняла, что все сказанное ей Ричардом было правдой.

— Сначала ответь мне.

Кейс вздохнул.

— Нашу мать изнасиловали подонки из индейской резервации, когда ей не было еще и шестнадцати. Большинство ее родственников погибли при нападении индейцев. Ее младшую сестру и брата взяли в плен, и впоследствии те предпочли остаться жить с сиу. Узнав, что беременна, она не пожелала от меня избавиться, хотя это и привело к ее разрыву с голландскими родичами. Остальное тебе известно. Калеб повстречал ее, когда она жила в Айове. Вскоре после этого они поженились, и он меня усыновил. Мне было тогда пять лет. А через год родилась ты.

Анника попыталась представить мать шестнадцатилетней девушкой, потерявшей семью, изнасилованной, а потом обнаружившей, что беременна неизвестно от кого.

— Подумать только, что все эти годы ее жизнь в домике в прериях и встреча с Калебом казались мне всегда настоящей волшебной сказкой! О Господи! Бедная мама. — Анника подняла глаза на Кейса и, повинуясь внезапному порыву, взяла его за руку. — По крайней мере, ты действительно мой брат. Временами я думала, что они тебя просто усыновили.

Кейс привлек ее к себе и крепко обнял.

— Когда я все узнал, мне не захотелось посвящать тебя в это. Тебе тогда было всего четырнадцать лет, и мы решили, что ты слишком расстроишься. Мама, вполне понятно, не могла да и не хотела говорить о своем изнасиловании. Уверен, они и мне ничего бы не сказали, если бы я сам не вытянул этого из Калеба.

— Поэтому ты тогда и уехал из дома так внезапно? — Она стояла, все так же уткнувшись лицом ему в рубашку, и голос ее прозвучал глухо.

Кейс кивнул.

— У меня вдруг появилось странное ощущение, что я себя совсем не знаю. Мне всегда стоило большого труда сдержать свой гнев. В Бостоне я постоянно сталкивался с проявлениями нетерпимости и, так как не умел молча сносить оскорбления, я научился отвечать на них с помощью кулаков. И когда я узнал про себя правду, меня неожиданно охватил страх, что я становлюсь похожим на того, кто меня породил.

Анника слегка отодвинулась и посмотрела ему в лицо.

— Нет, это просто невозможно. Не могу понять, как я могла так долго оставаться в блаженном неведении, не замечая того, что происходит вокруг!

— Ну, понять это не слишком трудно. Мама с Калебом старались оградить тебя от всех забот и тревог. С тобой постоянно находился кто-нибудь из них или Рут. А потом ты много лет жила в пансионе. В первый раз ты познакомилась с бостонским обществом в лице Ричарда, и до некоторой степени я даже рад, что он разоткровенничался и выложил все начистоту.

— Я так счастлива, что не вышла за него замуж.

Кейс улыбнулся.

— Я тоже. Полагаю, сейчас тебе ясно, почему я был так уверен, что мама поймет твое... положение. Даже если ты беременна, Анемек, они с Калебом никогда тебя не осудят. Как и я. Если хочешь, мы с Розой воспитаем твоего ребенка и, разумеется, Баттонз.

Анника отошла от брата и, обойдя стол, встала лицом к Кейсу.

— Неужели ты уже даже не сомневаешься в том, что Бак на мне не женится?

— Что он сказал тебе, когда вы с ним говорили наедине?

С трудом Анника сдержала внезапно подступившие к глазам слезы.

— Он сказал, что приехал лишь повидать Баттонз. Убедиться, что она здесь счастлива.

— Он лжет.

— Ты так думаешь? — воскликнула она с надеждой.

— Я знаю. После той трепки, что я ему задал, всякий на его месте тут же бы убрался из города, если бы тебя не любил. А когда мы сидели в тюрьме, он спросил меня, вышла ли ты замуж за Ричарда.

— В тюрьме?

Кейс криво усмехнулся и пожал плечами.

— Ты же знаешь Зака. Он посадил нас с Баком в одну камеру после нашей драки, решив, очевидно, таким образом немного повеселиться за наш счет.

В общем, я уверен, Бак явился сюда, чтобы помешать тебе выйти замуж за Ричарда, и это дает мне основание предположить, что он сам хочет на тебе жениться.

Анника скрестила на груди руки.

— Он сказал, что не хочет, чтобы Баттонз жила со мной, если я выйду замуж за Ричарда.

— Разве ты не сказала ему, что расторгла помолвку?

— Сказала, как и то, что люблю его по-прежнему. — Анника глубоко вздохнула и посмотрела брату в глаза. — Но это на него не повлияло. Он считает, что мы с ним принадлежим к разным мирам, и когда-нибудь разница между нами обязательно скажется.

— Возможно, он прав.

— А как же вы с Розой? Трудно найти более несхожих людей, и однако брак ваш оказался на редкость удачным. — Анника потерла себе плечи, пытаясь согреться, так как в комнату начал проникать ночной холод, а камин был не разожжен. — Я знаю, что Бак выглядит грубым и неотесанным, как настоящий траппер, но у него доброе, любящее сердце, и, как ты сам убедился сегодня, он прирожденный целитель. Год-другой соответствующей подготовки, и из Бака мог бы получиться замечательный врач. Он упрямый, такой же упрямый, как и ты, Кейс, но я люблю его.

— Для меня не имеет никакого значения, кто он, и даже то, что в прошлом он был охотником на бизонов. Главное — он превратил нашу жизнь в настоящий ад, когда снял тебя с того поезда. — Кейс провел рукой по волосам, убирая назад упавшие на лицо черные как вороново крыло пряди. — Ты сказала ему, что, по твоим расчетам, ты беременна?

— Нет. Я не хочу его заполучить таким способом. — Она вновь обошла стол и встала рядом с ним. — Боюсь, я потеряю его, прежде чем смогу переубедить. Он сказал, что утром уезжает.

Кейс обнял ее за плечи и повел к двери.

— Ты знаешь, я готов сделать все, чтобы тебе помочь.— Он остановился на пороге и наморщил лоб.— Если тебе нужно время, то, думаю, я смогу устроить так, что мистер Скотт здесь задержится.

Положив руки за голову, Бак лежал на койке и смотрел в потолок. Он лег не раздеваясь с намерением уехать с первыми же лучами солнца, но так и не смог уснуть. И в этом был виноват не столько храп спавших вокруг мужчин, сколько мысли об Аннике и Баттонз. Стоило ему закрыть глаза, и перед ним возникала Анника в своем роскошном платье, улыбающаяся ему, смотрящая на него с любовью, или Баттонз, сидящая на ковре в своей новой комнате в окружении игрушек.

Наконец он не выдержал. Поспешно опустив ноги на пол, он встал, расправил одеяло и взбил подушку. После чего, наклонившись, вытащил из-под кровати свои седельные сумки и ружье. Неожиданный порыв ветра заставил его повернуться к двери.

На пороге стоял Кейс Сторм и смотрел прямо на него. Бак с трудом сглотнул.

— Мне нужна твоя помощь,— произнес Кейс.

Это было последнее, что ожидал услышать Бак. Он решил, что Сторм явился сюда в столь ранний час, чтобы выкинуть его с ранчо до того, как проснется Анника. Внезапно он вспомнил о Розе.

— С твоей женой все в порядке? А с ребенком?

— Да, все отлично.

Мужчины в комнате начали просыпаться. Молодой парень с длинными висячими усами сел в кровати, протирая глаза.

— В чем дело, босс?

— Кто-то не закрыл как следует ворота в корале,

и почти половина бизонов сбежали. Разбуди остальных. Мы выезжаем через пять минут.

Парень быстро натянул брюки и начал будить остальных. Взгляд Кейса был все так же прикован к лицу Бака.

— Так ты едешь с нами? Боюсь, вчетвером мы не справимся, и твоя помощь окажется весьма кстати.

Бак задумался, взвешивая в уме последствия своего согласия. Скорее всего, они будут возвращаться днем, и он рисковал увидеть Аннику. И ему также придется прощаться с Бейби. Испытывая огромное искушение сказать Сторму, чтобы он сам загонял своих бизонов, Бак поднял седельные сумки и взвалил их на плечо.

— Ну? — Сторм преградил ему путь.

Бак посмотрел ему в глаза. Если он останется, то проведет в седле часы, вновь задавая себе все те же вопросы, которые, как ему казалось, он уже решил ночью.

И если он останется, то может переменить свое решение.

— Я жду ответа, — сказал Сторм.

Работники уже оделись и один за другим потянулись к выходу.

Если он останется, то проведет с ней еще один день.

— Черт побери, — пробормотал Бак сквозь зубы. — Ладно, я еду с тобой.

# ГЛАВА 25

Вытерев руки о фартук, Анника сдула упавшую на глаза прядь волос и взяла с кухонного стола форму с готовым к выпечке яблочным пирогом. Медленно, стараясь не расплескать жидкое тесто, она прошла через кухню к плите, поставила на нее осторожно пирог и открыла дверцу духовки. Затем сунула пирог внутрь и бросила взгляд на часы. Была ровно половина второго.

Утром Роза сказала ей, что Кейс с работниками уехал искать разбежавшихся бизонов. По словам Розы, он хотел попросить Бака присоединиться к ним. Но мужчины еще не вернулись, и Анника, не зная, ответил ли Бак согласием или отказом на просьбу брата, не находила себе места.

Даже домашние дела и заботы не могли отвлечь ее от мыслей о Баке. Утром и в полдень она отнесла Розе наверх поднос с едой и, пока та ела, походила с Джозефом на руках по комнате. При этом она как бы невзначай то и дело подходила к окнам, чтобы посмотреть, не возвратились ли мужчины. Затем настало время купать Баттонз и жарить цыплят, печь лепешки и готовить подливку мужчинам на обед. Она была горда своей работой, поскольку обед удался на славу. Цыплята поджарились до румяной корочки и были на вкус такими же нежными, как у Розы.

Приготовить яблочный пирог было ее собственной

идеей. Пирог был бы прекрасным дополнением к обеду, подумала она и, получив подробные указания от Розы, тут же поспешила на кухню, чтобы осуществить свой замысел.

Сейчас пирог стоял в духовке, и в ее распоряжении было несколько свободных минут, пока Роза и оба ребенка отдыхали.

Сняв фартук, Анника прошла в свою комнату и села за дубовый секретер. Затем достала чернильницу, дневник и приступила к новой записи.

*«2 мая 1882 года.*

*Я чувствую, что сегодняшний день станет знаменательным в моей жизни, поскольку именно сегодня все, так или иначе, решится. Жаль, что здесь сейчас нет тети Рут и я не могу попросить ее посмотреть таблицы и сказать, какое будущее мне сулят звезды. Может, я жду возвращения Кейса лишь затем, чтобы узнать, что Бак еще утром покинул ранчо, не сказав даже «до свидания»?*

*Только теперь, когда я отдала ему свое сердце, понимаю я ту боль, какой проникнуты эти строки в стихотворении миссис Браунинг:*

*«Уйди. Хоть понимаю: мне стоять*
*В твоей тени отныне. Минул срок,*
*Когда дела могла я на порог*
*Своей отдельной жизни созывать*
*Сама, когда могла я подымать*
*Навстречу солнцу руки без тревог...»* [1]

*Сейчас мне знакома боль расставания, как и наука выживания, но, боюсь, рана в моем сердце никогда не заживет, если он и в самом деле покинул меня».*

---

[1] Перевод А. Парина.

\* \* \*

Внезапно с конного двора донесся цокот копыт. Мгновенно отложив перо, Анника подбежала к окну и откинула штору. Затаив дыхание, она быстро окинула взглядом всадников, и неожиданно сердце у нее в груди застучало, как паровой молот. Широкие плечи и огромный рост Бака нельзя было спутать ни с чьими. Он спешился у амбара и, держа лошадь под уздцы, устремил взгляд на дом. Рядом с ним стоял Кейс. Анника не слышала, что он говорит Баку, но, похоже, брат пытался отговорить его от отъезда. Наконец она увидела, как Бак кивнул и последовал за Кейсом на конюшню. В тот же момент она отошла от окна и поспешила вниз.

Бегом она спустилась по лестнице и, войдя на кухню, тут же проверила пирог в духовке, от которого исходил пьянящий аромат корицы и яблок. Она ущипнула себя за щеки, чтобы вернуть им румянец, разгладила юбку и надела фартук. Через несколько минут на веранде послышались шаги, и она едва не выронила из рук тарелки, которые несла в этот момент к стоявшему посреди кухни длинному столу.

Ее брат вошел первым. Она бросила на него тревожный взгляд, затем улыбнулась и продолжила накрывать на стол. Входя один за другим, мужчины снимали свои куртки и шляпы и вешали их на вешалку возле двери. Бак вошел последним.

— Мы голодны как волки, — произнес Кейс нарочито громким и веселым тоном.

Анника подняла на него глаза. На Бака она смотреть боялась.

— Вы поймали всех бизонов?

— Всех до единого.

— Как им удалось выбраться из загона?

На лице Кейса появилось такое выражение, будто он хотел ее задушить.

— Не знаю, Анника. Выбрались и точка.

Слишком поздно она вспомнила об обещании брата и поняла, что он сам выпустил из кораля своих драгоценных бизонов, чтобы задержать Бака на ранчо подольше. Ради нее.

Улыбнувшись Кейсу, она поставила на стол последнюю тарелку.

— Я рада, что вы поймали их всех.

— Я тоже.— Он взял из миски с фруктами на кухонном столике яблоко и направился к двери в холл. — Пойду взгляну, как там Роза с малышом.

— Чуть позже я принесу вам поднос с едой, чтобы вы могли пообедать вместе.

Кейс улыбнулся сестре и обратился к самому молодому из работников, долговязому семнадцатилетнему парню:

— Не засиживайся за своим обедом, Дики. Когда поешь, поднимись ко мне. У меня есть для тебя небольшое поручение.

Вытащив из-под стола длинные скамьи и стулья, работники сели, и Бак, все это время наблюдавший украдкой за Анникой, последовал их примеру. Работники весело болтали, со смехом вспоминая, как они искали убежавших бизонов. Глупостей во время этой охоты было совершено более чем достаточно. Не раз в течение этого дня Бак спрашивал себя, как умудряется Сторм преуспеть вот уже пять лет в качестве хозяина ранчо. Казалось, Сторм стремится скорее распугать бизонов, чем их собрать, и на мгновение Бак даже подумал тогда, не пытается ли Кейс таким образом оттянуть его отъезд.

Работники продолжали обмениваться шутками, ожидая, когда Анника подаст обед. Бак, несколько раз переменив позу, наконец не выдержал и поднялся. Анника игнорировала его, это было очевидно, и, чувствуя, как в душе его поднимается холод, он решил положить этому конец. Ощущая на себе взгляды работников, он прошел через кухню и встал у Анники за спиной.

— Тебе помочь?

— Спасибо, не надо.

— В чем дело?

— Я думала, ты уехал, даже не попрощавшись. — Она взяла блюдо с цыплятами и, отнеся его к столу, передала Дики, после чего возвратилась к плите и стала выкладывать на другое блюдо тушеные овощи.

— Я так и собирался сделать, — тихо признал Бак.

Не успели эти слова соскользнуть у него с языка, как она резко повернулась, и он встретился с ледяным взглядом ее синих глаз.

— По крайней мере, ты честно говоришь об этом.

Она понесла работникам овощи, и снова ему ничего другого не оставалось как только смотреть на ее спину. Возвратившись, она коротко бросила:

— Садись-ка лучше за стол, а то останешься без обеда.

— Ты приготовила все это сама?

— Да, — она гордо вздернула подбородок. Что-то он еще скажет, когда увидит яблочный пирог...

Вскрикнув, она бросилась к плите и распахнула дверцу духовки. Пирог подрумянился сильнее, чем ей бы хотелось, и корочка получилась несколько суховатой, но работники встретили появление десерта с восторгом, какого она и не ожидала. Когда она поставила пирог на плиту и закрыла дверцу духовки, Дики воскликнул:

— Этот пирог выглядит просто шикарно, мисс Анника. Он с яблоками?

Прежде чем ответить, Анника, не удержавшись, бросила взгляд на Бака, чтобы увидеть его реакцию.

— Да. И я состряпала его сама.

— На вид он ничем не хуже, чем у миссис Сторм, — уверил ее Том.

— Спасибо, — она одарила его лучезарной улыбкой.

Баку захотелось тут же стереть широкую ухмылку с лица Тома. С трудом сдержавшись, он возвратился к столу и сел на свое место. Внезапно в комнате над ними что-то с грохотом упало на пол, и вслед за этим послышался плач и крики: «Анка! Анка!» Руки у Анники были заняты, и она повернулась к Баку.

— Не мог бы ты подняться и привести Баттонз сюда?

Выходя из кухни, Бак чувствовал, как мужчины провожают его глазами, и радовался, что хоть ненадолго избавится от их пристального внимания к своей особе. Они наблюдали за ним украдкой сегодня весь день, вероятно, гадая про себя, что связывает его с сестрой босса. Кейс не отпускал его от себя ни на шаг, уговаривая остаться на ранчо хотя бы до вечера и пообедать вместе со всеми. И в результате, подумал Бак со вздохом, он сейчас угодил в ловушку, которую сам же себе и подстроил, согласившись на уговоры Сторма. Плач Баттонз стал громче. Быстро пройдя через холл, он открыл дверь ее комнаты.

— Привет, Бейби. В чем дело?

Увидев Бака, Баттензз выронила из рук свою новую куклу и бросилась к нему через комнату. И тут же завизжала от восторга, когда он подхватил ее на руки и поднял высоко над головой.

— Едем домой? Сейчас? Да? — Она быстро закивала, отвечая на собственный вопрос.

Улыбка на лице Бака мгновенно погасла.

— Нет. Пора обедать. Ты проголодалась?

— Я еду домой. И Анка тоже.

— Давай-ка сначала поедим, — попытался он отвлечь Баттонз, зная, какой она может быть, когда ей что-нибудь втемяшется в голову.

Выйдя с Бейби на руках в холл, Бак увидел Кейса, поднимающегося по черной лестнице с подносом, уставленным тарелками с едой. При виде их Кейс на мгновение остановился, кивнул Баку, улыбнулся Бейби и исчез за дверью хозяйской спальни.

В ту же минуту как Бак с Бейби вошли на кухню, Анника заметила, что он опять хромает. Ей стало ясно, что рана его была намного серьезней, чем он дал ей понять в разговоре с ней.

С беспокойством она смотрела, как он выдвигает из-под стола стул, садится и усаживает Баттонз себе на колени.

— Мы оставили тут тебе немного, — сказал Дики, пододвигая к Баку блюдо с жареными цыплятами.

Бак кивнул, в то же время подивившись про себя тому, что Анника не сводит с него глаз. Он предоставил Баттонз выбрать им цыпленка, положил на тарелку овощи, переломил пополам лепешку, обмакнул ее в масло из-под цыпленка и приступил к еде.

Анника подошла к столу и села напротив Бака.

— Хочешь, я подержу Баттонз, пока ты ешь?

— Нет! — раздался тут же вопль Бейби.

Анника с трудом сдержала улыбку. Ему будет не так-то легко оставить ребенка, как он, должно быть, думал. Если бы только у нее было время убедить его, что они созданы друг для друга и что рядом с ней он мог бы стать кем только ни пожелает.

Никто из мужчин за столом не проронил ни слова. Они ели в молчании, поглощая пищу с такой жадностью, словно во рту у них несколько дней не было и маковой росинки. Анника пододвинула к себе блюдо с овощами, повертела в руках крылышко цыпленка и принялась за еду, стараясь не смотреть при этом на Бака Скотта. Когда с цыплятами и овощами было покончено, Анника вытерла стол, поставила на середину яблочный пирог и подала всем кофе. Через какое-то время мужчины один за другим стали подниматься из-за стола, благодаря ее за прекрасный обед и расходясь по своим делам. Наконец они остались на кухне втроем. Анника налила себе чашку кофе и снова села за стол, лихорадочно пытаясь найти слова, которые бы разбили лед и устранили возникшее между ними отчуждение.

— Едем домой? — снова спросила Баттонз.

Сердце Анники болезненно сжалось. Ей тоже хотелось спросить: «Да, мы едем домой?», но она промолчала, боясь, как бы Бак не решил, что она навязывается.

— Хочешь еще пирога? — попытался Бак переключить внимание Бейби на другое. Малышка покачала головой.

— Я заметила, ты сильно хромаешь, — проговорила Анника.

Он посмотрел на нее и, помедлив, сказал:

— Когда я устаю, нога начинает болеть. И вся эта сегодняшняя глупая езда кругами на одном месте явно не пошла ей на пользу. — Он сделал глоток и вновь поставил чашку с кофе на стол. — Если бы я не был уверен, что такого просто не может быть, то решил бы, Сторм ни черта не понимает в том деле, каким занимается.

— Для него все это еще внове.

— Да, конечно.

— Я рада, что ты остался помочь.

— Ничего не выйдет, Анника. Даже если Сторм

будет каждый день терять по нескольку бизонов, а ты жарить цыплят и печь яблочные пироги.

— Ты даже не хочешь дать нам шанс?

— В ущерб тебе? Нет.

— Почему бы тебе не предоставить мне самой о себе беспокоиться?

Бак разгладил бороду, провел рукой по волосам и ссадил Баттонз с колен. Девочка тут же подбежала к Аннике и стала дергать ее за фартук. И дергала до тех пор, пока молодая женщина не посадила ее себе на колени.

— Мы едем домой?

— Нет. — Анника покачала головой. — Бак говорит, что мы с тобой должны остаться здесь.

— Нет! — Бейби замолотила ножками по краю стола.

Бросив беспомощный взгляд на Бака, Анника спустила девочку на пол, и та тут же побежала в гостиную.

— С ней будет все в порядке? — спросил Бак, провожая глазами племянницу.

— Там есть игрушки и детские книжки. Какое-то время она поиграет одна; у нее это хорошо получается. — Анника взяла в руки край скатерти и принялась сворачивать и разворачивать его, разглаживая сгибы ногтем. — Я не еду в Бостон.

— Ты передумаешь.

Губы Анники слегка изогнулись в улыбке. Она была уверена, что никогда не вернется домой. Слишком уж сильно она изменилась. Ее место было теперь здесь, и если не рядом с ним, то по крайней мере вблизи от него. И место его ребенка тоже было здесь. Она покачала головой.

— Полагаю, что нет.

— Что ты будешь здесь делать?

— А какое тебе до этого дело? — проговорила она,

стараясь его рассердить. Все было лучше, чем его молчание.

Он с силой ударил обеими ладонями по столу, и от неожиданности она даже подскочила на стуле. Блюда зазвенели; стакан с водой опрокинулся, и его содержимое вылилось на скатерть.

— Большое, черт побери! Слишком большое, поскольку в противном случае я давно бы уже уехал отсюда. — Он прямо-таки сверлил ее глазами, весьма напоминавшими в этот момент голубые льдинки. — Я был вполне доволен своей жизнью, пока в ней не появилась ты. У меня была моя хижина, моя работа, я знал, кто я и чего хочу.

— Похоже, ты забыл, что искал жену и мать для Баттонз. Почему же теперь, когда ты ее нашел, ты от нее отказываешься?

— Я не могу ее себе позволить!

В негодовании Анника вскочила на ноги и отшвырнула в сторону стул. Опершись на стол, она наклонилась почти к самому лицу Бака, вынуждая его поднять на нее глаза.

— Я не хотела тебе ничего говорить, так как знала, как ты это воспримешь, но денег у меня столько, что хватит до конца моих дней. Забудь наконец о своем дурацком самолюбии и взгляни в лицо фактам. Это единственное, что от тебя требуется. Я способна содержать нас всех, пока ты будешь учиться на врача, если это то, чего ты хочешь. Или я могу отдать все свои деньги, до последнего пенни, брату, если это то, что требуется, чтобы ты почувствовал себя счастливым.

Он снова стукнул кулаками по столу и рывком поднялся.

— Ты думаешь, *это* решит проблему? Хочешь сделать из меня мужчину, состоящего у тебя на содержании?

— Нет.

— А я говорю, да! Ты соблазняешь меня перспективой получить медицинское образование, думая, что можешь купить меня так же легко, как ты покупаешь себе новое платье, шляпку или туфли.

Она ударила его по лицу.

Он схватил ее за плечи, но лишь слегка встряхнул, поскольку прибегнуть к более решительным действиям ему мешал стоявший между ними стол.

— Ба! Какая восхитительная сцена!

Одновременно обернувшись, они увидели стоящего в дверях Кейса.

Бак тут же убрал руки с плеч Анники.

Она смотрела на брата с таким же вызовом, как до этого на Бака.

— Неужели нас даже на *минуту* нельзя оставить в покое?

— Вы так кричали, что я не думал, будто ваша беседа является секретом.

Бак подошел к задней двери и снял с вешалки свою шляпу и куртку.

— На твоем месте я бы не уходил, — сказал Кейс.

— Я пленник?

— Нет, но к главному входу подъехала только что коляска, и, мне кажется, люди в ней приехали повидать тебя.

Бак нахмурился.

— Кто это? — спросила Анника с раздражением.

В парадную дверь громко постучали, и Кейс пошел открывать, бросив через плечо:

— Лучше бы тебе пойти со мной, Скотт.

Бак чертыхнулся себе под нос и, повесив опять на вешалку шляпу и куртку, шагнул к двери.

Анника прижала ладони к пылающим щекам и вздохнула.— Затем последовала за мужчинами в передний холл.

* * *

Бак стоял за спиной Кейса Сторма, когда тот открыл парадную дверь.

— Привет, Ленард, — воскликнул Кейс с удивлением. — Что привело тебя к нам сегодня?

Бак знал, что привело соседа Сторма на его порог. В коляске сидела Мэри Мак-Гир, старая женщина, которой он платил, чтобы она ухаживала за Пэтси, а рядом с ней сидела и сама Пэтси. Он узнал свою сестру сразу, хотя и не видел ее почти три года. На голове у нее был капор, из-под которого ей на плечи ниспадали пышные светлые локоны. Пэтси выглядела похудевшей. Ее длинные руки и ноги были скрыты рукавами и юбкой, но лебединая шея и впалые щеки ясно свидетельствовали о ее худобе. На ней было незнакомое ему выцветшее платье из набивного ситца и шерстяная накидка.

Внезапно Бак почувствовал рядом с собой Аннику и поднял машинально руку, чтобы обнять ее за талию. В следующий момент, однако, он опомнился и поспешно опустил руку, надеясь, что Анника ничего не заметила.

Он мог не волноваться. Анника даже не повернула головы в его сторону, с любопытством разглядывая неожиданных гостей.

— Кто они? — спросила она брата.

— Мужчину зовут Ленард Вилсон, — ответил Кейс. — Он мой сосед. Женщин я не знаю.

— Я знаю, — сказал Бак.

Анника повернулась к нему, и ей сразу же бросилась в глаза заливавшая его лицо бледность и то, с каким напряженным вниманием он смотрит на худую блондинку, которая в этот момент с царственным видом поднималась следом за своими двумя спутниками по ступеням. Даже не спрашивая, она мгновенно поняла, что блондинка была его сестрой — только одна женщина на свете могла так сильно походить на Бака и Баттонз.

— Это Пэтси, да? — спросила она шепотом.

Не отрывая глаз от сестры, Бак кивнул.

Внезапно из гостиной, очевидно, привлеченная шумом в переднем холле, выскочила Баттонз и обхватила ручками ногу Бака. Он не обратил на нее никакого внимания, и тогда она подбежала к Аннике, которая тут же поспешно подхватила ее на руки.

Кейс встретил Вилсона какой-то шуткой, и тот не преминул ему ответить тем же. Мэри Мак-Гир была представлена Кейсу, а затем Аннике. Внешность старой шотландки поразила Аннику. Никогда еще ей не доводилось видеть в своей жизни подобной личности. Лицо Мэри было темно-коричневым от загара, как пережаренные кофейные зерна, и изрезано глубокими морщинами, напоминающими трещины в иссушенной зноем земле в конце лета. На голове у нее, образуя седой венчик, торчали остатки волос, а в зубах была зажата тонкая сигара. Но самым удивительным было то, что на ней были брюки, мужской кожаный жилет и пальто.

Бак, как Аннике было известно, нанял Мэри ухаживать за Пэтси, но сейчас, сравнивая этих двух женщин, она подумала, что Мэри, пожалуй, выглядит более сумасшедшей, чем ее подопечная. Хотя, конечно, внешность, как ясно показали последние события, может быть весьма обманчивой. Пэтси стояла в стороне от всех, разглядывая потолок веранды. Она не обращала никакого внимания на окружающих, пока наконец не пришла и ее очередь быть представленной остальным. Мэри Мак-Гир положила ей руку на плечо. Мгновенно нахмурившись, Пэтси сбросила ее руку со своего плеча. Затем, вновь приняв гордую позу, повернулась к Баку и посмотрела ему прямо в глаза.

— «Прошу, не приближайся...» [1]

Пэтси произнесла эти слова таким тоном, что у Анники мороз побежал по коже. Бак поспешно шагнул вперед и встал между Анникой и Пэтси. Насколько он мог судить, Пэтси была не в более здравом уме, чем в тот день, когда они виделись в последний раз; она по-прежнему считала себя египетской царицей, по-прежнему говорила цитатами из пьесы Шекспира «Антоний и Клеопатра».

Кейс, никогда не забывающий об обязанностях радушного хозяина, предложил своим гостям:

— Не пройти ли всем нам в дом?

Вслед за Кейсом Вилсон и женщины вошли в передний холл. Анника, крепко прижимая к себе Бейби, осталась стоять, где стояла. На мгновение Кейс остановился и бросил беглый взгляд на Аннику с Баком и Пэтси. Затем откашлялся и предложил Ленарду с Мэри выпить с ним на кухне по чашке кофе.

— Что вы на это скажете, миссис Мак-Гир? — обратился он к старой шотландке.

Мэри бросила Пэтси предостерегающий взгляд.

— Ведите себя прилично, ваше величество, вы меня слышите?

Пэтси, проигнорировав ее слова, уставилась на что-то за спиной Анники.

Не зная, что может выкинуть его сестра, но понимая, что она на многое способна, Бак весь напрягся в ожидании самого худшего.

— Может, будет лучше, если я отнесу Баттонз на кухню? — спросил он шепотом Аннику.

— Баттонз ребенок Пэтси, Бак. Она имеет право ее видеть, — ответила так же шепотом Анника и, повысив голос, обратилась к Пэтси: — Может, мы все пройдем в гостиную?

---

[1] Перевод Б. Пастернака.

Пэтси, казалось, не слышала слов Анники. Мгновение она не отрываясь смотрела на Бака, затем вскинула голову и громко, ясным, звонким голосом произнесла:

— «Не было цариц, обманутых бессовестней. Я сразу предвидела измену»[1].

— Я был вынужден так поступить, Пэтси. — В голосе Бака звучала откровенная печаль. — Я был вынужден поселить тебя в безопасном месте, ради твоего же собственного блага и блага ребенка.

— «Ты... как оказалось, и великий лжец»[2], — проговорила с горечью Пэтси.

Напуганная этим странным разговором, а еще больше отсутствующим выражением в глазах Пэтси, Анника крепче обняла Баттонз. Взгляд девочки был прикован к удивительной женщине, которая говорила так чудно́ и была поразительно похожа на Бака.

Бак поднял глаза на лестницу, ведущую на второй этаж, где спали Роза с Джозефом, затем посмотрел в сторону кухни, откуда доносились голоса Кейса, Вилсона и Мэри Мак-Гир.

— Давайте-ка пройдем в гостиную.

Анника пошла вперед. Бак мгновение помедлил и, лишь убедившись, что Пэтси последовала за Анникой, прошел за женщинами в гостиную и закрыл за собой дверь. По-прежнему полная решимости привлечь внимание Пэтси к Баттонз, Анника сказала:

— Пэтси, это Баттонз. Она твоя дочь.

Пэтси подняла брови, посмотрела с презрением на ребенка и холодно произнесла:

— Дитя не может быть моим. Смотри! Дитя Египта положили в тростниковую корзину, и воды Нила приняли ее. Она, как говорят, живет сейчас средь древних пирамид.

---

[1] Перевод Б. Пастернака.
[2] Перевод Б. Пастернака.

Бак скрестил на груди руки. Нужно было во что бы то ни стало убедить Аннику в тщетности ее усилий.

— Это тот ребенок, Пэтси, которого ты пыталась сбросить с крыши, и, если бы я не остановил тебя, она была бы сейчас мертва.

В немом изумлении Анника уставилась на Пэтси, не в силах понять, как такая на вид сдержанная женщина могла когда-то обезуметь настолько, что попыталась убить собственного ребенка.

Пэтси обратила взгляд на Баттонз, и ее глаза расширились.

— «Теперь мне только ужасы желанны, а не успокоенья. Я хочу нагореваться вволю, соразмерно огромности удара» [1].

— Как это понять? — спросила Анника шепотом у Бака.

— Она опять цитирует Клеопатру.

— Мне было велено принести дитя в жертву, ибо, поскольку Он призвал Авраама и приказал ему принести в жертву Исаака, как могла я, царица Египта, удовлетвориться меньшим даром Господу? — Пэтси замолчала, переводя взгляд с Анники на Бейби и обратно.

Бак повернулся к Аннике, и при виде глубокой печали в его глазах она едва не кинулась ему на грудь.

— Она путает библейские истории с «Антонием и Клеопатрой». Эти две книги были единственными, которые имелись у нас в доме, не считая медицинского справочника.

Решив, очевидно, что визит окончен, Пэтси направилась к двери.

— «Угас наш свет, лампада догорела» [2].

На лице Бака появилось мрачное выражение.

---

[1] Перевод Б. Пастернака.
[2] Перевод Б. Пастернака.

— Думаю, теперь ты понимаешь, почему я так мало говорил тебе о Пэтси и остальных членах моей замечательной семейки?

— Все это не имеет никакого значения, Бак.

— Для меня имеет.

Анника давно уже догадалась, что внезапное появление Пэтси было делом рук Кейса, его новой попыткой задержать Бака на ранчо. И сейчас, видя в глазах Бака глубокую печаль, в который уже раз пожалела, что эта идея пришла брату в голову.

Пэтси подошла к двери и остановилась, явно не желая открывать ее сама. В следующий момент Анника с Баком услышали:

— «Тебя отсюда отзывает честь» [1].

Бак тут же подошел к сестре.

— Идем, Пэтси. Сейчас мы отыщем Мэри, и ты поедешь с ней домой.

Пэтси прошла мимо него, даже не повернув в его сторону головы, словно он был слугой.

Бак вышел вслед за Пэтси, и Анника, почувствовав в ногах мгновенную слабость, опустилась на диван и прижалась щекой к головке Баттонз. Вновь и вновь перед ее мысленным взором возникала страшная картина: Пэтси стоит на крыше хижины Бака, угрожая сбросить Бейби вниз.

— Я люблю тебя, Баттонз,— прошептала она и, стараясь не думать о Пэтси, открыла одну из валявшихся на диване детских книжек, которая оказалась букварем.

Баттонз улыбнулась.

— Я люблю Анку.

Они начали читать, но Анника все время отвлекалась, прислушиваясь к звукам в холле, в надежде услышать шум, свидетельствующий о том, что гости

---

[1] Перевод Б. Пастернака.

собираются уезжать. Она уже начала подумывать, не пойти ли ей с Баттонз к Розе, когда шелест платья заставил ее поднять голову. Она затрепетала. В дверях стояла Пэтси. Одна.

Стараясь ничем не выдать своего страха, Анника взяла на руки Баттонз и встала с дивана. Затем медленно обошла его. Теперь между ней и сумасшедшей была хоть какая-то преграда.

— Ты его любишь?

Прямой вопрос Пэтси на мгновение смутил ее, но, помедлив, она кивнула.

— И ребенка?

— Да. Надеюсь, ты не возражаешь, Пэтси?

Бросив взгляд на дверь, Пэтси прошла через комнату и встала напротив Анники. Их разделял только диван. Пэтси быстро посмотрела налево, затем направо. Взгляд у нее был затравленным, как у загнанного животного. Какие видения терзали ее? И почему?

— Отдай мне ребенка, — сказала она вдруг.

Повелительный тон Пэтси испугал Баттонз, и она тут же уткнулась лицом Аннике в шею. Отступив на шаг, Анника попыталась урезонить сумасшедшую.

— Я не думаю... — *«Где же был Бак? Как удалось Пэтси сбежать от него?»*

— Отдай ее мне! — прошипела Пэтси и, скрючив пальцы, попыталась схватить Баттонз.

В комнате над ними кто-то ходил. Анника явственно слышала звук шагов. Она бросила взгляд на стену позади себя. Через дверь ей не спастись, но сзади нее было окно, выходившее на веранду. Только бы оно не было заперто, взмолилась она про себя. Если бы ей удалось подойти к нему и выставить Баттонз наружу, ребенок мог бы пробежать по веранде до кухни и позвать кого-нибудь на помощь.

В тот самый момент, когда спина Анники коснулась стены, Пэтси вдруг уронила руки и вновь заговорила. В глазах у нее было почти что осмысленное выражение, когда она, покачав головой, тихо сказала:

— Тебе никогда не понять. Ты не знаешь, что я видела. Я не могла с этим жить, и поэтому мне было намного легче стать египетской царицей, чем оставаться самой собой.

Пока Анника пыталась сообразить, что означали ее слова, глаза Пэтси затуманились снова.

В комнату ворвался Бак. Он подбежал к Аннике и, схватив за руку, окинул ее и Баттонз тревожным взглядом.

— С вами все в порядке?

— Да, все отлично.

— Она исчезла буквально в мгновение. Я услышал наверху шум и побежал сначала туда, боясь, что она обнаружила Розу с новорожденным. Я должен был более внимательно следить за ней. Если бы она что-нибудь тебе сделала...

Внезапно в холле послышались голоса Кейса и Вилсона, и Анника вздохнула с облегчением.

— Иди попрощайся с ней, — сказала она Баку. — Мы с Баттонз пойдем наверх к Розе.

Бак поднимался по лестнице медленно, стараясь не слишком сильно наступать на раненую ногу. Дверь в хозяйскую спальню была открыта, и он увидел, что Анника сидит в кресле-качалке подле кровати и тихо разговаривает с Розой. На мгновение он задержался в дверях, чтобы, пока его не заметили, вволю насмотреться на Аннику в последний раз. Наклонившись, она легонько похлопала по попке завернутого в одеяльце новорожденного и улыбнулась.

— Ты хорошо себя чувствуешь, Роза?

— Да, благодаря стараниям твоего друга Бака. Со

мной все в порядке. Как и с Джозефом. Я не перестаю думать о том, что было бы, если бы он не приехал сюда. Я благодарна ему и тебе.

С болью Бак увидел, как улыбка Анники мгновенно погасла и на ее лицо легла тень.

— Да, я тоже рада, что он оказался здесь в нужную минуту и смог помочь тебе.

Прежде чем она успела что-либо добавить, Бак откашлялся, и обе женщины тут же повернулись к двери.

— Я пришел посмотреть, как вы тут, миссис Сторм, но, похоже, все у вас в полном порядке.

Роза улыбнулась. Цвет ее лица был хорошим, глаза ясными. Она даже выглядела отдохнувшей. Волосы у нее были заплетены в косу, и это сразу же напомнило ему, как Анника заплетала свои волосы перед тем, как лечь спать в Блу-Крик. Коса не шла ни в какое сравнение с тем сложным сооружением, какое она носила на голове сейчас, когда вернулась к цивилизации.

— Не забудьте только сказать своему врачу, мэм, о швах, чтобы он посмотрел их и снял, когда придет срок.

Роза покраснела, услышав такой интимный совет, но тем не менее кивнула.

— Хорошо, я передам ему ваши слова, мистер Скотт.

Стараясь не думать о своих потрепанных пыльных мокасинах, Бак прошел по натертому до блеска полу и лежавшему в центре комнаты пушистому персидскому ковру и встал рядом с креслом Анники. Взглянув на Джозефа, он улыбнулся. Малыш был его заслугой, которой он мог по праву гордиться.

— Не хотите его подержать? — спросила Роза.

Анника слегка кашлянула, но Бак не осмелился повернуть голову в ее сторону.

— Нет. — Он засунул руки в карманы. — Не хочу тревожить малыша. Он хорошо ест?

— Как его папочка. — Роза рассмеялась. — Постоянно голодный.

— Судя по всему, он будет высоким, — промямлил Бак.

Он чувствовал себя как рыба, вынутая из воды, ведя светский разговор с женой другого мужчины в этой красивой уютной комнате. Ему хотелось повернуться и выбежать из этой комнаты, из дома, не сказав Аннике Сторм ни слова, но он понимал, что не может проявить такое постыдное малодушие и вот так просто исчезнуть из ее жизни. Он заставил себя взглянуть на нее и увидел, что она смотрит на него не отрываясь. В ее синих глазах была надежда и любовь, любовь, которой, он знал, он не заслуживал. Особенно сейчас, когда собирался навсегда ее покинуть.

— Не проводишь меня до конюшни? — спросил он ее.

Несколько мгновений взгляд ее был прикован к его лицу, словно ей хотелось запомнить на нем каждую черточку, каждый синяк и царапину. Затем она кивнула и, поднявшись с кресла, молча направилась к двери. На пороге она обернулась и сказала Баттонз:

— Останься здесь с Розой, Баттонз, и веди себя хорошо. Джозеф еще спит.

— Я иду тоже, да, Бак? — Оторвавшись от игрушек, девочка подняла глаза на дядю.

Он повернулся к Аннике за помощью, но она тут же отвела взгляд.

— Нет, ты останешься здесь. Но Анника скоро вернется.

Когда он вновь оглянулся, Анники в комнате не было и из холла до него донесся звук удаляющихся шагов.

* * *

Она пообещала себе, что не будет плакать.

Но обещания, как известно, для того и существуют, чтобы их нарушать. Дул сильный ветер, и она обхватила себя за плечи, пытаясь согреться. На ней было только платье, поскольку, выходя из дому, она забыла надеть пальто. Она шла впереди Бака с видом осужденного на казнь. Они пересекли двор и подошли к конюшне. День близился к вечеру, и в огромном открытом строении, где пахло сеном, лошадьми и пылью, царил полумрак. И там никого не было.

Войдя внутрь, Анника сразу же прошла туда, где тени были гуще. Если кто-нибудь войдет сюда, то они увидят его первыми.

Она решила не отговаривать больше Бака. Она и так уже едва не опустилась до мольбы, прося его не уезжать. Она подумала о матери и моментально воспрянула духом, зная, что Аналиса поступила бы точно так же при сложившихся обстоятельствах. Никакие насмешки и презрение окружающих не сломили ее мать, и она тоже будет держать себя с достоинством и не станет цепляться за Бака. Пусть он запомнит хотя бы ее мужество и силу, если даже и забудет обо всем остальном.

Бак подошел к стойлу, где помещался его жеребец, надел на него уздечку и оседлал. Это дало ей возможность вытереть навернувшиеся на глаза слезы и пригладить слегка растрепавшиеся от ветра волосы. Бросив взгляд на свои желтые, с пуговицами ботинки, она увидела, что они сплошь заляпаны грязью.

— Анника?

Она подняла голову. Бак стоял перед ней и мял в руках шляпу.

— Итак,— произнесла она со вздохом, держась необычайно прямо,— полагаю, настало время прощаться.

В его глазах мелькнуло удивление, словно он ожидал, что она опять начнет рыдать и уговаривать его не уезжать. Прошло несколько томительных мгновений. Наконец, справившись с замешательством, он сказал:

— Полагаю, что так.

Анника протянула руку.

— Тогда я желаю тебе, Бак Скотт, всего наилучшего. Для меня это было настоящим приключением. Надеюсь, что и для тебя все было не так уж плохо.

— Анника, я...

— И ты можешь не тревожиться о Баттонз, — поспешно прервала она его, боясь, как бы он не сказал чего-то, что могло бы лишить ее мужества. — Кейс с Розой просили отдать Баттонз им, так что, как видишь, у нее будет прекрасный дом, о каком любая девочка может только мечтать. — *«Как будто я могу расстаться с ней сейчас»,* — подумала она и подивилась про себя тому, как ровно и бесстрастно звучит ее голос, когда сердце ее разрывается от горя.

Она испытала мрачное удовлетворение, заметив, как он крутит в руках поводья.

— Мне очень жаль, Анника, что все так получилось. Я бы предпочел какой-нибудь другой выход.

— Неправда! Если бы ты действительно этого хотел, то поверил бы мне, поверил бы, что я не лукавлю, говоря, я готова поселиться с тобой в любом месте, где бы ты ни пожелал, а не твердил бы, как заведенный, будто ты знаешь, что́ для меня лучше.

Бак надел шляпу, и ее поля тут же отбросили тень на его лицо. Воспользовавшись тем, что он повернулся к лошади, чтобы взять с седла свою куртку, Анника протянула руку к его золотистым кудрям, но тут же поспешно ее отдернула, прежде чем он заметил ее движение.

Ему хотелось поцеловать ее на прощание. Она поняла это по его напряженной позе. И потом, он явно медлил с отъездом.

Она жаждала его поцелуя больше всего на свете в этот момент, но ей было ясно, что если она позволит ему себя сейчас поцеловать, то рана в ее сердце не затянется до конца ее дней.

Она отступила на шаг, молча показывая ему, что он должен ехать.

Помедлив еще мгновение, Бак взял коня под уздцы и вывел на улицу.

Там он сразу же вскочил в седло и, даже не оглянувшись, выехал со двора.

Обхватив себя руками, она стояла очень прямо, провожая его глазами. Он проехал мимо домика для работников ранчо и свернул к коралю. Теперь ей были видны только его широкие плечи и шляпа. Медленно она опустила руки, и плечи ее поникли. Затем она подобрала юбки и бросилась бежать.

Ее желтые ботинки были мало приспособлены для бега по неровной почве, но она об этом не думала. Один раз она едва не упала, наступив на подол платья, но удержалась на ногах и, подобрав юбки, вновь понеслась вперед. Она мчалась, рыдая сейчас уже во весь голос, куда глаза глядят, прочь от заходящего солнца, прочь от Бака Скотта, чей силуэт на горизонте с каждым мгновением становился все меньше и меньше. Только добежав до подножия небольшого холма, на вершине которого были похоронены дети ее брата, она наконец остановилась.

Там она рухнула на землю и закрыла лицо руками. Она плакала от жалости к Баттонз, которой больше не суждено было увидеть своего дядю, к Пэтси, лишенной разума, к Баку, расставшемуся навсегда с любимой племянницей ради того, чтобы у нее было все самое лучшее, что только она могла пожелать в своей жизни. Но больше всего она плакала от жалости к себе, так как Бак Скотт не поверил в силу их любви.

## ГЛАВА 26

Бак пришпорил коня и повернул на запад, где закатное небо было словно охвачено пожаром. В глазах у него стояли слезы, но он старался убедить себя, что причиной тому были слепящие лучи заходящего солнца. Горные пики на северо-западе казались на фоне пламенеющего заката громадными серыми тенями и походили на сбившихся в кучу бизонов Кейса Сторма.

Опять, как и в тот раз, когда он ее впервые увидел, Анника Сторм его удивила. Он ожидал, что она вновь начнет уговаривать его остаться, убеждая, будто он без труда может получить медицинское образование и стать замечательным врачом. Но она не стала ему ничего доказывать, как не стала и уговаривать его взять с собой. И не настаивала, чтобы он попрощался с Баттонз.

Черт, она распрощалась с ним так, словно он был слишком загостившимся родственником.

Он вытер глаза и поднял воротник куртки, пытаясь хоть как-то защититься от пронизывающего ветра. Хотя стоял уже май, ночи здесь были чертовски холодными после заката солнца, и он хотел добраться до Бастид-Хила засветло. А добравшись туда, надраться до потери сознания.

Когда упиваешься в стельку, то наутро все происходившее накануне кажется далеким, почти нереальным. Именно такой степени забвения ему и хотелось сейчас достичь.

Занятый своими мыслями, он не заметил, как небо постепенно из ярко-красного стало нежно-розовым с фиолетовыми разводами то тут, то там. Внезапно его внимание привлекло какое-то движение впереди на дороге, и он пустил коня вскачь. Вскоре он смог различить очертания брички и заставил коня перейти на шаг. Интересно, кто это направлялся на ранчо Сторма в такой поздний час? Первой его мыслью было, что это Ричард Текстон, который, очевидно, решил извиниться перед Анникой за свое поведение и попытаться вновь завоевать ее расположение. Бак нахмурился. Ну нет, он этого не допустит. Даже если у него самого и не было больше никаких прав на Аннику, он не уступит ее Ричарду.

Бричка приближалась, и вскоре Бак смог разглядеть сидевшего в ней мужчину в твидовом костюме и очках. Это был явно не Текстон. Бак направил коня в сторону, освобождая дорогу, которую все это время загораживал, положив руку на висевшее у седла ружье в чехле. Неожиданно мужчина натянул поводья, и бричка остановилась. Судя по ее довольно потрепанному виду, пользовались ею весьма часто.

— Вы едете случайно не с ранчо Сторма? — спросил мужчина, глядя на Бака сквозь стекла очков. Из-под котелка, который он надвинул на самый лоб, торчали курчавые каштановые волосы. Ожидая, когда Бак ответит, он нагнулся и, подняв упавшее на пол брички пальто, положил его рядом с собой на потрескавшееся кожаное сиденье. Даже в тусклом свете угасающего дня Бак узнал знакомые очертания саквояжа для инструментов, который до этого был скрыт пальто.

— Вы врач?

— Да, доктор Ричард Эрхарт. Еду к миссис Сторм. Вы заезжали на ранчо в поисках работы?

Судя по взгляду, который бросил на него при этих словах врач, Бак понял, тот сомневается, что кто-то вроде него мог заехать к Стормам с визитом.

— Да, я там был. Миссис Сторм родила вчера.

На лице Эрхарта мгновенно появилось испуганное выражение.

— Все в порядке? Ребенок жив?

Бак кивнул.

— Это мальчик — здоровенький и крепкий как молодой бычок. Вы, вероятно, захотите взглянуть на швы миссис Сторм. — Он отдал бы, наверное, все на свете за снимок, на котором было бы запечатлено лицо Эрхарта, каким оно выглядело в эту минуту.

— Кто принимал роды?

— Я.

— И с ней все в порядке?

— Хотите верьте, хотите нет.

Облегченно вздохнув, Эрхарт сдвинул котелок на затылок.

— Чудесная новость! Мои поздравления, молодой человек. — Он хлопнул себя по бедрам. — Когда я приехал в Бастид-Хил и узнал, что меня разыскивал Кейс Сторм, я почувствовал настоящий ужас. Но я все равно не мог ничего поделать. Мне нужно было съездить в Шайенн за лекарствами да еще и посетить три ранчо на обратном пути. На всю округу до самой границы с Монтаной нет ни одного врача, кроме меня. — Он взял в руки поводья и принялся задумчиво вертеть в пальцах.

Не имея никаких причин более задерживаться, Бак сдавил коленями бока коня, побуждая его двигаться вперед.

— Как, вы сказали, вас зовут? — крикнул обернувшись Эрхарт.

— Я не говорил. Меня зовут Бак Скотт.

— Так вот, Бак Скотт, мне бы весьма пригодился хороший помощник, хотя бы для того только, чтобы принимать роды. Это освободило бы мне руки для более срочных дел.

По спине Бака пробежал холодок. На мгновение у него возникла дикая мысль, что все это подстроила Анника, однако он тут же выбросил ее из головы, поняв, насколько невероятно подобное предположение. Он огляделся. Солнце уже закатилось, и все вокруг выглядело серым.

— Я не врач. Я охотник на бизонов.

Эрхарт рассмеялся.

— Когда это отсутствие диплома мешало кому бы то ни было к западу от Миссисипи заниматься врачеванием, если он чувствовал к этому хотя бы малейшую склонность? Я видел ветеринара, который удалял аппендикс, знал белошвейку, которая засунула кишки человеку обратно в разорванный живот и тут же быстренько его зашила. — Эрхарт дернул за поводья, и его лошадь рванулась вперед. Уже отъехав, он крикнул Баку через плечо: — На твоем месте, сынок, я бы перестал охотиться на бизонов, которые здесь давным-давно перевелись.

Пришпорив коня, Бак помчался вперед так, словно за ним гнались все исчадия ада. Но ни цокот копыт, ни скрип седла под ним не могли заглушить звучащие в его мозгу прощальных слов врача.

— Эй, мистер, не купишь мне чего-нибудь выпить?

Бак выпрямился и тыльной стороной ладони вытер рот. Облокотившись о стойку бара, почти вплотную к нему стояла блондинка — юная на вид, но явно с большим жизненным опытом, о чем недвусмысленно свидетельствовал ее циничный взгляд. Ее украшенн

оборками желтое платье с большим вырезом держа-
лось на одних только тоненьких лямочках, и одна из
них сейчас спустилась, оголив ей плечо.

— Ты меня слышишь, мистер?

— Отлично, — буркнул Бак. Он влил в себя уже
несколько порций виски, но все еще был достаточно
трезв, чтобы ощущать боль. И сейчас, в довершение
ко всему, к нему пристала эта девица, которую, благодаря ее светлым волосам и юному личику, он мог бы
принять за Аннику, если бы прищурился и взглянул
на нее под соответствующим углом.

Однако оттенок волос у них был совершенно разным. У Анники они были золотистыми как мед, тогда
как у этой девицы — ярко-желтыми и завитыми в такие мелкие кудряшки, что казалось, они стоят дыбом
у нее на голове. И у них был какой-то жеваный вид.
Но так как она, похоже, была женщиной, способной
за деньги позволить мужчине делать с собой что
годно, то вполне возможно, кто-то проделал с ними
именно такую операцию.

Отвернувшись от блондинки, Бак вновь облокотил-
я на стойку бара и уставился в свой стакан с виски.
Но не нашел никакого облегчения в лицезрении янтар-
ой жидкости. Залпом опрокинув стакан, он поднял
лаза к зеркалу за стойкой бара и принялся разгляды-
ать отражавшихся в нем посетителей салуна. Все
ни, похоже, тщательно избегали смотреть в его сторо-
у. Вероятно, подумал он, они видели, как он дрался
Кейсом Стормом, или слышали о их драке, и сейчас
редпочитали держаться от него подальше.

Он опрокинул очередной стакан и случайно пой-
ал в зеркале свое отражение. Поставив пустой ста-
ан на стойку, он вгляделся в себя. Рана у него на губе
ще не вполне затянулась, но опухоль на щеке спала.
го борода заметно отросла и стала гуще. Интересно,
елькнула у него мысль, сколько пройдет времени,

прежде чем она станет такой же длинной и густой, как у Старого Теда? Несколько лет?

Долгих, одиноких лет...

*Прекрати! Ты сделал свой выбор. Так было лучше для всех.*

Он надвинул шляпу на самый лоб, чтобы не видеть в своих глазах выражения беспредельной тоски. Но он не мог с такой же легкостью избавиться от терзавших его мыслей или от воспоминаний о лице Анники, каким оно было в ту минуту, когда они прощались.

*Каково это — чувствовать себя величайшим трусом на свете?*

В эту минуту он чувствовал себя настолько отвратительно, что, вероятно, избил бы до смерти любого, кто осмелился бы к нему сунуться. Но как справиться с собственными угрызениями совести?

*Она сказала, что любит тебя. Что готова ехать с тобой хоть на край света.*

Назад в его хижину в Блу-Крик после той роскоши, к какой она привыкла?

*Она сказала, у нее столько денег, что их ей хватит до конца дней.*

Но их было недостаточно, чтобы принести цивилизацию в горы. Недостаточно, чтобы избавить от чувства, что ты отрезан от всего мира, которое способно со временем свести тебя с ума. Недостаточно, чтобы купить меня.

*Какая разница, когда ты сам не задумываясь купил бы ее, если бы у тебя были деньги.*

Он с грохотом поставил пустой стакан на стойку бара. Дородный бармен вздрогнул и тут же поспешил к нему. По тревожным взглядам, которые бармен бросал на него, Бак понял, что он не забыл вчерашней драки.

— Еще одну порцию, мистер?

Бак покачал головой.

— Я ухожу.

Отвалившись от стойки, он повернулся лицом к залу и мгновенно увидел направлявшегося к нему одноглазого начальника полицейского участка.

Через мгновение одноглазый старик облокотился на стойку бара рядом с ним.

— Роза Сторм родила?

Бак кивнул.

— Да.— *«Она родила, потому что я оказался там и спас ее. И она, и ее ребенок живы только благодаря мне».*

— Мальчика или девочку?

— Мальчика. Его назвали Джозефом.

Взмахом руки старик подозвал к себе бармена.

— Ты должен мне четыре монеты, Пэдди. Рози родила мальчугана.

Бак отошел от стойки.

— Скотт...

Бак резко обернулся.

— Как это ты умудрился запомнить мое имя, старик?

Зак Эллиот подошел к нему и, не желая, чтобы их подслушали, поскольку все в салуне тут же повернули головы в их сторону, произнес почти что шепотом:

— Твое имя трудно забыть. Ты теперь известен на сто миль вокруг, благодаря всем этим историям о похищении, напечатанным в газетах, а особенно после того, как ты здесь появился и попытался помериться силами с Кейсом Стормом...

— Он первым полез в драку.

— Это неважно. Я лишь хотел узнать у тебя, что будет с Анникой?

Бросив взгляд поверх плеча Зака, Бак увидел, что бармен даже вытянул шею, пытаясь услышать, о чем они говорят.

— Ты уже заключил с кем-нибудь пари об этом?

Зак потер подбородок.

— Пока еще нет.

— Тогда лучше откажись вообще от этой идеи, чтобы не тратить попусту деньги.

И, повернувшись к Заку спиной, Бак направился к выходу.

В голове у него была сейчас только одна мысль: если он будет ехать достаточно быстро, то доберется до подножия Ларами еще до рассвета.

— Зак принес телеграмму. Мама с Калебом приезжают в конце месяца.

Услышав за спиной голос брата, Анника от неожиданности вздрогнула.

— О нет!

— О да! — ответил Кейс, мгновенно заметив, что глаза у нее были красными и опухшими от слез. Он скрестил на груди руки и прислонился к столу, глядя, как сестра стряпает печенье. — Что ты собираешься делать?

Анника выпрямилась и откинула упавшую на лицо прядь волос, испачкав слегка мукой кожу на виске около шрама.

— Я собираюсь рассказать им обо всем, что со мной произошло, и попросить, чтобы они не судили меня слишком строго. И я собираюсь поселиться вместе с Баттонз где-нибудь неподалеку от тебя, — она попыталась выдавить из себя улыбку, — если ты, конечно, не возражаешь.

— Ты знаешь мой ответ. Можешь остаться у нас, если хочешь.

Анника покачала головой.

— У вас с Розой сейчас настоящая семья. И очень скоро, я уверена, Роза подарит тебе кучу ребятишек. Мне хочется, чтобы у меня был собственный дом.

— Как у нашей мамы.

— Да, как у нее.

— Ты надеешься, что в один прекрасный день к двери твоего дома подъедет принц Очарование, как когда-то к дому нашей матери подъехал Калеб? Но подобные волшебные истории не происходят каждый день.

— Нет, — проговорила Анника тихо, качая головой, — я совершенно на это не надеюсь. — Как она могла сказать брату, что ее принц покинул ее навсегда. И теперь ей некого было ждать.

Вырезав из теста кружочки, она осторожно переложила их на противень и скатала обрезки в колобок. Затем слегка присыпала стол мукой и, похлопав по колобку ладонью, чтобы примять его, вырезала еще два кружочка. Стряхнув муку с ладоней, она взяла противень, подошла к плите, открыла дверцу духовки и сунула его внутрь. После чего возвратилась к Кейсу.

— Не надо меня жалеть.

— Я и не жалею. Мне лишь хотелось, чтобы все вышло по-другому. Я так хочу видеть тебя счастливой.

Анника пожала плечами.

— Нам всем хочется, чтобы те, кого мы любим, были счастливы. Но это, к сожалению, не всегда от нас зависит.

— Если бы тебя не похитили...

— Но тогда я никогда бы не встретилась с Баком Скоттом, никогда бы не узнала ни настоящей жизни, ни настоящей любви. И если бы он не приехал в город, чтобы меня разыскать, то его не было бы и здесь в нужную минуту, и Джозеф не появился бы на свет. — Она подошла к накрытому для работников ранчо обеденному столу и устремила невидящий взгляд на тарелки и приборы. — Я не могу отделаться от мысли, что этому суждено было случиться, и неважно, чем все закончилось. Наши пути, мой и Бака, должны были скреститься, а сейчас мне пришлось его отпустить. Может, он любил меня недостаточно сильно, чтобы остаться. Или, может, он не поверил мне, когда я сказала ему, что готова отдать все, чтобы только быть вместе с ним. Я знаю, он любит Баттонз всем сердцем, и, однако, он расстался с ней, желая ей лучшей доли. Я всегда могу тешить себя мыслью, что он любил меня хотя бы вполовину так же сильно, как ее.

Через несколько месяцев, если будет на то Божья воля, я рожу его ребенка, которого постараюсь вырастить таким же гордым и сильным, как его отец, — слезы вновь полились у нее из глаз, — и как ты.

Он находился в Блу-Крик уже три дня. Ночью, не в силах заснуть, он лежал, уставясь в потолок, а днем бросил по лесу, не обращая внимания на видневшиеся на земле следы. В лесу признаки наступающего лета были особенно зримы. Поляны были усеяны цветами и напоминали роскошные красочные ковры. Вдоль берегов ручья зеленели заросли камыша. Громадные цапли выуживали из воды форель, соблазняя Бака присоединиться к ним. Однако при первом же взгляде на стремительно текущий поток он вспомнил о том дне, когда Баттонз едва не утонула, и это сразу же отбило у него всякое желание заняться рыбной ловлей.

Он сейчас сильнее страдал от своего одиночества, поскольку ему уже не нужно было гадать, как живет Анника — он видел все собственными глазами. Видел как она улыбается невестке, как свободно общается с работниками на ранчо. Он знал теперь об узах соединявших ее с братом, знал, как она одевается

и видел окружавшее ее богатство, которое она воспринимала как должное.

Да, теперь не было никакой нужды ломать себе
голову в попытке представить себе ее жизнь. Все
касавшееся Анники, было, казалось, навечно выжже-
но в его мозгу раскаленным железом.

Одинокая лампа едва освещала комнату. Он встал,
устав от тишины, и распахнул дверь, впуская внутрь
ночные звуки — трескотню сверчков, кваканье лягушек, вой одинокого волка.

Он поднял голову и взглянул на мерцающие в вы-
шине звезды. Казалось, они подмигивают ему, словно
тоже знают, какую злую шутку сыграла с ним жизнь.
Он повернулся к звездам спиной и вошел в дом,
оставив дверь открытой. Перед камином он остановился и уставился на висевшую над ним полку с гор-
шочками и баночками, в которых хранились разнооб-
разные мази и настойки. Ближайшая живая душа,
которой могла понадобиться его помощь, находилась
от него на расстоянии многих миль.

*Мне бы весьма пригодился хороший помощник, хо-
тя бы для того только, чтобы принимать роды.*

*Я видел ветеринара, который удалял аппендикс.*

*Я знал белошвейку, которая...*

Бак сжал кулак и, опустив его с краю на полку,
уперся в него лбом.

Мог ли он возвратиться? Или все пути назад были
уже отрезаны?

Слишком ли многое стояло между ними? Или возможность примирения все же существовала?

Деньги были не единственным препятствием.

Члены его семьи были подвержены сумасшествию.
Па и Сисси умерли, но Пэтси была живым доказательством.

*Это не имеет никакого значения*, сказала Анника.

В мозгу у него вновь и вновь крутились одни и те

же картины: Анника в поезде, с испугом глядящая на него; Анника, танцующая с ним перед камином; ее кровь на снегу, когда она ударилась головой о камень. Но чаще всего ему вспоминался тот восторг, который охватил его, когда она в первый раз отдалась ему.

Анника была везде, куда бы он ни обращал свой взор. Воспоминания о ней — теперь он это понял окончательно — никогда не дадут ему покоя.

Кейс налил себе чашку кофе и, взяв в руки, направился по привычке к задней двери, чтобы сквозь овальное оконце в ней взглянуть на конный двор. Взгляд его наткнулся на фанеру, и только тогда он вспомнил, что благодаря Баку Скотту окна здесь не будет еще по крайней мере несколько дней, пока из Шайенна не доставят заказанное им там стекло.

В доме было темно и тихо. Он любил эти мгновения перед самым рассветом, когда мир стоял на пороге нового дня. Восход солнца был для Кейса временем для вознесения благодарности, и в эти дни он за многое мог благодарить судьбу. За Розу, за Джозефа, за достаток в доме. Он отхлебнул кофе и улыбнулся про себя. С чашкой крепкого черного кофе приветствовать рассвет было намного легче.

Он открыл дверь, постаравшись сделать это как можно бесшумнее, чтобы не разбудить спавших наверху женщин. Если Анника услышит, что он поднялся, то тут же кинется на кухню готовить ему завтрак. А ему совсем не хотелось тревожить ее в такой ранний час. Вид у нее в последние дни был усталым, лицо осунулось и под глазами залегли тени.

Слабый шорох на веранде предупредил его о сидящем в тени человеке еще до того, как он его увидел.

В ожидании нападения Кейс напрягся. Но нападения не последовало. Вглядевшись пристальнее в сидящего в кресле громадного мужчину, Кейс прошептал:

— Что ты делаешь здесь, Скотт?

— Я приехал повидаться с Анникой.

— Чтобы причинить ей еще бóльшую боль? Да я убью тебя, прежде чем это допущу.

Бак поднялся и подошел к Кейсу.

— Я приехал узнать, хочет ли она все еще быть со мной вместе.

Кейс молча оглядел его с головы до пят.

— Я знаю, ты ненавидишь меня, Сторм, но...

— Дело не в ненависти,— прервал его Кейс.— Проблема заключается в том, что моя сестра любит тебя.

— Могу я ее увидеть?

— Она еще не встала,— холодно произнес Кейс.

Бак представил Аннику на украшенных вышивкой белоснежных простынях, вспомнил, как ее толстая коса лежала у нее нá плече, когда она спала...

— Могу я к ней подняться? — Он поразился собственной смелости. Просьба была в высшей степени неприличной, и он знал, что ему ответит Кейс.

К его несказанному удивлению, Кейс кивнул.

Боясь, что неправильно его понял, Бак переспросил:

— Я могу?

— Почему бы и нет? Теперь уже слишком поздно тревожиться о том, что ты похитишь ее девственность. Ты уже это сделал.

Бак сжал кулаки. Однако он понимал, что ссориться сейчас с Кейсом Стормом было не в его интересах.

— А что, если бы я ответил тебе отказом? — спросил Кейс.

— Я все равно бы вошел.

— Так я и думал.— Кейс отхлебнул из чашки

кофе. — Поэтому-то я и сказал «да». Так что, если ты решил войти, входи, пока я не передумал.

Бак быстро прошел мимо Кейса к двери. Когда он скрылся внутри, Кейс посмотрел на восходящее солнце и улыбнулся.

Бак ступил на лестницу и начал медленно подниматься. Благодаря ковровой дорожке шаги его были совершенно бесшумны. Услышав неожиданно прямо над собой чье-то тихое восклицание, он замер и поднял голову. Анника стояла на лестничной площадке в одной длинной ночной рубашке, из-под которой выглядывали маленькие розовые ступни. Она выглядела именно такой, какой он себе ее только что представлял: нежной, грациозной и слегка заспанной. И ее волосы были заплетены в косу.

Он улыбнулся.

Она протерла глаза и уставилась на него так, словно он был привидением.

— Бак? — прошептала она, бросив взгляд в сторону хозяйской спальни, и спустилась на две ступени.

Он поднялся на одну и протянул к ней руку.

— Я должен был вернуться.

На ее лице мгновенно появилось настороженное выражение.

— Почему?

Он взял ее руки в свои.

— Из-за тебя. Из-за Баттонз.

— Но...

— Есть здесь какое-нибудь укромное место, где мы могли бы спокойно поговорить? — Бак бросил взгляд в сторону кухни, зная, что Кейс слышит каждое произносимое ими слово.

— Как ты вошел?

— Твой брат на веранде. Он позволил мне войти.

Она шагнула вперед, и Бак посторонился, пропуская ее на узкой лестнице. Ему хотелось стиснуть ее в объятиях, но он сдержался. У них будет еще для этого время. Вся жизнь, как он надеялся.

Спустившись, Анника повернула налево, и он, последовав за ней, оказался в небольшом алькове, где в углу у стены стояла вешалка и царил полумрак.

— А теперь говори, — приказала Анника.

— У тебя усталый вид, — заметил Бак.

Анника улыбнулась.

— Это не совсем то, что мне хотелось бы от тебя услышать.

— Я не могу жить без тебя, Анника. Я пытался, но у меня из этого ничего не вышло. Я согласен стать кем ты только пожелаешь.

Его откровенное признание и та власть, которую оно давало ей, на мгновение испугали ее. Она отступила на шаг и скрестила руки на груди.

— Я хочу, чтобы ты оставался таким, как есть.

Бак снял с головы шляпу и повесил ее на вешалку.

— Я все время думал о твоих словах по поводу моей возможной врачебной карьеры. Ты с самого начала приставала ко мне с этим.

— Прости, Бак. Я люблю тебя и готова принять тебя таким, какой ты есть.

Он поднял глаза к потолку.

— Дай мне закончить. Я всегда хотел быть врачом, Анника. Это моя давняя мечта. В детстве я всегда крутился возле матери, когда она лечила соседей или помогала при родах. Затем, когда Па привез нас на Запад, мне пришлось забыть о своей мечте. Нужно было заботиться о Пэтси и Сисси и... А как только я стал достаточно взрослым, чтобы самому зарабатывать, Па настоял на том, чтобы я занялся разделкой бизоньих туш, поскольку это приносило тогда немалые деньги.

Но, хотя я и думать забыл, что когда-то хотел стать врачом, знания мои по-прежнему были со мной. Я лечил всех, кто бы ни обращался ко мне за помощью. Но о том, чтобы получить диплом, стать настоящим врачом... эта возможность исчезла, когда Ма покинула нас и мы отправились на Запад.

— А сейчас? — спросила Анника с надеждой в голосе.

— Когда я взял на руки ребенка Розы, то понял, что это чудо, и чуду этому помог свершиться я. Думаю, скольким я еще смог бы помочь, если бы имел настоящую подготовку, я...

Анника схватила его руки и, повернув кверху ладонями, поцеловала.

— Я все время пыталась убедить тебя, что ты обладаешь особым даром. Ты прирожденный целитель, Бак. Только подумай, как много ты сможешь сделать, когда станешь врачом.

— Учеба потребует денег, но слава Богу, я скопил порядочную сумму. Милостыни, — добавил он, увидев, что она собирается возразить, — я ни от кого не приму.

— А как насчет ссуды? — Анника обняла его за шею и улыбнулась.

Бак привлек ее к себе.

— На это я возможно и соглашусь. Но тогда нам придется оформлять кучу бумаг.

— Столько бумаг, сколько захочешь. Не забывай, что и мой отец, и мой брат юристы. Если в чем моя семья и разбирается, так это в составлении официальных бумаг.

— Мы должны пожениться. — Он впился ей в губы поцелуем, продолжая обнимать ее все так же нежно, словно она была сделана из тончайшего фарфора.

Когда он наконец оторвался от ее губ, она загадочно улыбнулась, глядя ему прямо в глаза.

— Мы несомненно должны пожениться. А теперь скажи мне, почему?

— Что почему?

Анника начала расстегивать пуговицы на его рубашке.

— Я хочу услышать твой ответ, Бак Скотт.

Он взял ее лицо в ладони и заставил посмотреть ему в глаза.

— Я люблю тебя, Анника. Больше жизни.

Она привлекла его к себе.

— Я тоже тебя люблю и не позволю тебе больше меня покинуть. — Ее руки скользнули ему в брюки и вскоре нашли там, что искали.

С губ его сорвался стон.

— К старости я могу стать сумасшедшим, — предупредил он.

— А вдруг нет? И мы с тобой проживем вместе до глубокой старости? Моя мама всегда говорила нам с Кейсом, что счастье приходит, когда ты стремишься к хорошему и стараешься не думать о плохом. — Она покрыла поцелуями его щеки, его нижнюю губу, его подбородок. — В сущности ты ведь похитил меня по ошибке, и это оказалось самым лучшим, что когда-либо могло с нами произойти.

Он сунул руки ей под рубашку и с восторгом обнаружил, что под рубашкой на ней ничего нет.

— Твой брат, мне кажется, так не думал.

Почувствовав на своих бедрах его руки, Анника затаила на мгновение дыхание, затем с трудом выдавила:

— Он только тревожился за меня.

— Я вижу, почему. Ты приветствуешь так всех, кто приходит с утренним визитом? — Его палец коснулся ее сокровенных складок, и он мгновенно почувствовал возбуждение, поняв, что она уже готова.

Она вцепилась пальцами ему в плечи.

— Только... только тех, кто приходит неожиданно.

На лестнице над ними послышались шаги Кейса, и они оба замерли. Спустя несколько мгновений шум шагов стих, и они услышали, как закрылась дверь хозяйской спальни. Анника перевела дух.

— Баттонз скоро проснется, — прошептала она у самых губ Бака и, расстегнув последнюю пуговицу на брюках, спустила их ему на бедра.

— В таком случае, не будем терять время.

Он взял ее обеими руками за ягодицы и приподнял, чтобы войти в нее. В алькове царил полумрак и пахло кофе и воском, которым Роза натирала вешалку. Ничто не нарушало тишины в доме, кроме звука их поцелуев и вздохов. Стена за спиной Анники была гладкой и холодной, руки Бака на ее теле обжигающе горячими. Она обхватила его ногами, встречая каждое его движение тихим стоном. Бак двигался в ней все быстрее и быстрее, и она отвечала ему неистовым движением бедер, пока наконец возбуждение ее не достигло предела. Она вцепилась ему в волосы и впилась в губы страстным поцелуем. Затем оторвалась от его рта, готовая взмолиться, чтобы он закончил эту сладостную пытку и излил в нее свое семя.

Бак не нуждался в подобных просьбах. Он приподнял ее выше, прижав к стене, и погрузился в нее полностью. Дрожь волной прокатилась по ее телу, и он потерял голову. Она вскрикнула. Звук наполнил его чувством гордости и удовлетворения. В этот момент ему было безразлично, даже если бы их слышал весь мир...

Дыхание их постепенно выровнялось. Бак, прижимая к себе Аннику, качал ее на руках, как ребенка. Ему не хотелось выпускать ее из своих объятий. Он поцеловал ее снова, улыбнулся, глядя ей в глаза, и покачал головой.

— Мне кажется, вам это начинает нравиться, мисс Сторм.

— У меня хороший учитель, мистер Скотт.

Над головами у них вновь послышались тяжелые шаги. Анника поспешно зажала Баку рот рукой и покачала головой. Глаза у нее широко распахнулись, но она не сделала никакой попытки встать на ноги.

— Анника? — раздался в следующую минуту голос Кейса.

Не отнимая ладони от рта Бака, она ответила:

— Да, Кейс?

— Ты выходишь замуж за этого парня, или мне спуститься и пристрелить его?

Бак попытался сбросить ее руку.

Шикнув на него, она крикнула:

— Да, Кейс, выхожу!

На лестнице воцарилось молчание. Наконец спустя несколько томительных мгновений они вновь услышали звук удаляющихся шагов. Анника с облегчением вздохнула и опустила голову Баку на плечо.

— И это все? — прошептал он.

— И это все.

— Он не собирается сойти вниз и всадить в меня пулю?

— Нет. К тому же, он не может убить отца моего будущего ребенка, как бы ему этого ни хотелось.

Бак нежно поставил Аннику на ноги. С улыбкой она глядела, как он натягивает и застегивает брюки. Покончив с этим, он откашлялся, и она вся обратилась в слух, с интересом ожидая, что он ей скажет.

— Анника, я думаю, что пока мы не можем позволить себе завести ребенка. У нас уже есть Баттонз, и поскольку я буду учиться...

— Из тебя вряд ли выйдет хороший врач, если ты не знаешь, сколько времени требуется женщине, чтобы выносить ребенка. Как я понимаю, пройдет еще около семи месяцев до того, как тебе придется принимать нашего.

— Нашего?

— Нашего. Твоего и моего. — Она улыбнулась ему лучезарной улыбкой, надеясь, что сейчас наконец его глаза вспыхнут от восторга.

— Но каким образом?

— Вижу, медицинское образование тебе необходимо даже более, чем я думала. Разве ты забыл ночи в Блу-Крик, когда...

— Ты забеременела еще тогда?

Она кивнула, весьма гордая собой в эту минуту.

— И, зная об этом, ты позволила мне уехать отсюда?

Улыбка на ее лице мгновенно погасла.

— Я не могла поступить иначе, Бак. Я не желала удерживать тебя с помощью нашего ребенка.

Он ничего не ответил, пристально ее разглядывая, и Анника затаила дыхание.

Когда он наконец расслабился и вновь потянулся к ней, у нее вырвался вздох облегчения.

— Ты злишься на меня?

— А если бы и злился, то что из этого?

— Ничего, мистер Скотт. Вы теперь никуда от меня не сбежите.

Он покрыл поцелуями ее лоб, глаза, губы.

— Согласен, поскольку деваться мне некуда. Но, учитывая, что моя семья очень скоро увеличится еще на одного члена, я буду вынужден просить вас о дополнительной ссуде.

— Разумеется. — Анника рассмеялась. — Ничто не доставит мне большего удовольствия, чем сделать вас моим должником на многие годы.

— Это означает, что бумаг понадобится еще больше. — Он вздохнул.

— Кейс с радостью составит их для тебя, или ты можешь подождать моего отца. Родители приезжают сюда через две недели.

Бак покачал головой и начал застегивать пуговицы на рубашке.

— Я определенно приобрел больше родственников, чем рассчитывал, когда писал письмо Алисе Соумс.

— Мы можем кого-нибудь нанять для ее розыска, если ты все еще жаждешь ее общества.

Он скрестил на груди руки и сделал вид, будто обдумывает ее предложение. В следующее мгновение он покачал головой.

— Думаю, я все же останусь с тобой.

— Почему?

Даже в полутьме алькова было видно, как сияют ее глаза.

— Потому что я люблю тебя, Анника Сторм. Ты была лучшей ошибкой, какую я когда-либо совершил в жизни.

# ЭПИЛОГ

— Они здесь.

Бак повернул голову и на мгновение замер, очарованный тем, что увидел. Анника стояла у окна в потоке солнечного света, и ее силуэт был словно окружен сиянием, а волосы сверкали как золото. Модное шелковое платье с пышной юбкой, которое было на ней, соблазнительно шуршало при каждом ее движении. Прижимая к себе одной рукой Баттонз, Бак пересек комнату и, встав у окна рядом с женой, выглянул во двор.

— Тебе страшно? — Он обнял Аннику свободной рукой за плечи, и она тут же прижалась к нему.

— А тебе?

— Нет. Если твои родители в какой-то степени похожи на тебя и твоего брата, то они будут справедливы.

— Ты не забыл, — Анника улыбнулась, — что я была не слишком-то очарована тобой при нашей первой встрече. То же самое можно сказать и о Кейсе.

Баттонз начала крутиться, и Бак, стараясь хоть чем-нибудь ее занять, показал рукой на лошадей, которые ходили по двору.

— Смотри-ка какой громадный конь.

Наряд Баттонз — от огромного банта в волосах до платья в оборках и фартучка — был белым. Черными были лишь ее высокие, с пуговичками ботинки из мягкой кожи. Локоны ее были тщательно причесаны, а щечки буквально блестели — настолько они были чистыми. И вся она была такой чистенькой и приглаженной, что Бак боялся спускать ее на пол до того, как она встретится с Калебом и Аналисой Сторм.

Коляска, за которой ехал верхом Зак Эллиот, постепенно приближалась, и вскоре Бак смог хорошо рассмотреть сидевшую в ней пару. Мужчина, насколько он мог судить, был очень высоким, и черты его лица, хотя и более тонкие, чем у Кейса, говорили о его несомненном индейском происхождении. Продолжая управлять лошадью, он слегка наклонил голову к сидевшей рядом с ним элегантной светловолосой женщине, которая в этот момент что-то ему говорила.

Бак перевел взгляд на мать Анники. Она положила руку мужу на локоть, очевидно, что-то ему доказывая, и он наклонился к ней еще ближе и поцеловал ее в висок.

— Никогда не думал, что у меня будет столько родственников. — Бак стиснул Аннике плечо, стараясь подбодрить.

— Даже тогда, когда писал письмо Алисе Соумс?

Понимая, как Анника нервничает, Бак был рад, что она все еще способна шутить.

— Особенно тогда.

Во дворе появился Кейс Сторм. Он махнул матери и отчиму, и те радостно замахали ему в ответ.

Наконец коляска подъехала к дому и остановилась. Кейс тут же подошел и протянул матери руку. Подобрав юбки, она шагнула вперед, но тут он схватил ее за талию и, подняв, закружил. Они оба рассмеялись, когда он поставил ее на землю, и затем на мгновение застыли, глядя не отрываясь друг на друга.

Калеб, выйдя из коляски, помахал кому-то стоявшему у двери, и Бак предположил, что это была Роза. За сегодняшнее утро она раза четыре раздевала и одевала Джозефа, боясь, что он не покажется бабушке с дедушкой верхом совершенства, если его распашонки будут недостаточно красивы.

Гости и хозяева вошли в дом, а Зак Эллиот, ведя в поводу своего коня и лошадь, запряженную в коляску, направился к конюшне.

Анника застыла у окна, и, откашлявшись, Бак предложил:

— Почему бы тебе не спуститься и не поприветствовать их первой, а мы с Баттонз присоединимся к вам чуть позже?

Она мгновенно повернулась к нему. Глаза ее сияли любовью, и с лица исчезли все следы беспокойства.

— Как это ты всегда узнаешь, что мне нужно, в ту же минуту, как я об этом подумаю? — Она протянула руку и поправила ему воротничок рубашки.

Бак посмотрел на перед своей крахмальной белоснежной рубашки и колющийся шерстяной костюм, которые надел в честь приезда ее родителей. Анника хотела, чтобы он оделся как всегда, доказывая, что ему будет намного удобнее в привычной одежде, но Бак отверг все ее аргументы и не только заказал себе костюм, но и подстригся. И сейчас он жалел, что не прислушался к ее совету, поскольку, чувствуя себя неловко в новом костюме, нервничал еще больше.

— Я поставил своей задачей всегда знать, что тебе нужно, и, пока я жив, я буду делать все, чтобы это у тебя было.

Встав на цыпочки, она поцеловала его.

— Не оставляй меня там одну с ними слишком долго.


Анника стояла на лестничной площадке, прислушиваясь к голосам, доносящимся снизу из гостиной. Сердце ее трепетало как флаг на ветру. Собравшись наконец с силами, она ухватилась за перила и начала медленно спускаться по лестнице. В следующее мгновение, однако, она ускорила шаг, вспомнив о ждущем наверху Баке, у которого на руках была уже начинающая терять терпение Баттонз.

— Пожалуй, он самый красивый младенец, какого я когда-либо видел, — произнес Зак Эллиот.

— Что ты хочешь сказать этим своим «пожалуй»? — поинтересовался Кейс.

Анника, стоявшая перед дверью, узнала голос Зака и живо представила, что сейчас происходит в гостиной. Джозеф Калеб Сторм вполне заслуживал тех возгласов умиления и восторга, которые раздавались сейчас вокруг него, и было бы невежливо лишать его в такую минуту всеобщего внимания. Выждав еще какое-то время, Анника глубоко вздохнула и с улыбкой вошла в гостиную.

Все тут же громко ее приветствовали, но она смотрела только на мать.

Сердце у нее сжалось от боли, когда она увидела в глазах Аналисы слезы. Не в силах видеть этого явного свидетельства тех страданий, которые причинило матери ее похищение, Анника поспешно повернулась к отцу, немедленно заключившему дочь в объятия.

— С тобой все в порядке, Аннемек? — прошептал он у самого ее уха.

— Да, папа, — прошептала она в ответ, думая о том, где ей взять мужество, чтобы сообщить им, что они с Баком не стали ждать их приезда и поженились в Шайенне две недели назад.

— Дай-ка я взгляну на тебя, чтобы убедиться. — Слегка отодвинувшись, Калеб приподнял ей пальцем подбородок, заставляя взглянуть ему в глаза.

— Ну, как, папа, убедился, что со мной все в порядке? — Она подумала о Баке и обо всем том, через что они прошли, подумала о том, как сильно он ее любит, и улыбнулась. — И со мной не только все в порядке, но я еще и замужем.

Она услышала, как ахнула Аналиса, но не рискнула на нее взглянуть, боясь расплакаться. В следующее мгновение, однако, она взяла себя в руки и, подойдя к матери, крепко ее обняла.

— Да, мама, я действительно вышла замуж. Мне очень жаль, если это вас расстроило, но, когда Бак сойдет вниз, мы вам все объясним.

Калеб пригладил волосы.

— Ты знаешь, что пришлось пережить твоей матери? Как она страдала, не зная, где ты, что с тобой? Я надеялся, ты подождешь со свадьбой, пока мы не приедем и не познакомимся с этим мужчиной. — Тон отца был суровым, но Аннику не обманула эта суровость, свидетельствующая скорее об испытываемом им облегчении, чем о его гневе.

Продолжая держать мать за руку, она повернулась к нему.

— Я знаю, что вам пришлось пережить, но похитили-то в конце концов меня, а не вас.

— Не дерзи, Анника.

— Да, сэр, — ответила она, постаравшись сдерживать себя ради Бака. Ей совсем не хотелось, чтобы он, войдя в гостиную, сразу же попал в атмосферу враждебности.

— Я, пожалуй, выйду во двор. Мне нужно там кое-что проверить. — Зак натянул на голову свою потрепанную шляпу и направился к двери.

— Думаю, я проверю это вместе с тобой, — произнес Кейс и посмотрел на Розу, но она не заметила его взгляда, занятая младенцем. — Роза, тебе не кажется, что Джозефу пора спать?

— Спать? — Она удивленно посмотрела на мужа и покачала головой. — Зачем? Он совсем недавно проснулся.

Кейс кивнул в сторону застывшего посреди комнаты трио и затем глазами показал на дверь.

Внезапно сообразив, что происходит, Роза воскликнула:

— Ах, да, я совсем забыла. Джозефу, конечно, же нужно поспать.

Когда Кейс собирался уже, вслед за Розой, выйти, Калеб крикнул:

— Спасибо, сын.

Анника подвела родителей к дивану и взмахом руки пригласила садиться. Затем поставила перед диваном пуфик и, расправив юбку, села сама.

— Полагаю, вы ждете объяснений? — Она заложила на юбке складку и провела по ней ногтем большого пальца.

— Нет, мы хотим лишь знать, любишь ли ты этого мужчину, за которого вышла замуж. Не так ли? — Калеб бросил взгляд на сидевшую рядом жену.

Аналиса кивнула.

— И мы хотим знать, почему ты вышла замуж за человека, который тебя похитил?

Анника разгладила складку и подняла голову.

— Я вышла замуж за Бака Скотта, потому что я люблю его, а он любит меня. И он не сделал мне ничего плохого.

— Но... — Аналиса покачала головой.

Ее золотистые волосы были уложены в высокую прическу, которая слегка примялась от шляпки, а элегантный дорожный костюм был точной копией коричневого костюма, который Анника носила в Блу-Крик, только синего цвета. Вид его вызвал у нее такое множество воспоминаний, что на лице ее появилась мечтательная улыбка и она забыла, где находится. В следующее мгновение она, однако, опомнилась и заставила себя слушать мать.

— ...Выходить замуж за него было совсем необязательно. Ты ведь знаешь, Аннемек, мы всегда тебя поддержим, что бы ни случилось.

Анника взяла руки матери в свои.

— Я знаю, мама. Сейчас я знаю, что ты бы меня поняла. Поняла бы, что мое похищение нельзя даже сравнивать с тем, что пришлось пережить тебе. Бак никогда... Я хочу сказать, он не...

— Тебе совсем необязательно об этом говорить, — остановил ее Калеб.

— Итак, Кейс рассказал тебе о том, что когда-то случилось со мной? — Голос Аналисы звучал еле слышно.

Анника сжала пальцы матери.

— Он рассказал мне, что тебя изнасиловали, когда тебе было шестнадцать лет. Но он поступил так только потому, что я была уверена, вы меня осудите. Я думала, вы никогда не поймете того, что я сделала, и мне было стыдно смотреть вам в глаза.

— И что же точно произошло? — Калеб выпрямился, и лицо его внезапно потемнело от еле сдерживаемого гнева.

— И что же ты сделала? — спросила Аналиса.

Анника почувствовала, как краска заливает ей лицо.

— Я...

— Она сделала это не одна.

Анника вздохнула с облегчением при виде Бака. Он спустил на пол Баттонз, и девочка сразу же подбежала к Аннике и уставилась на незнакомцев.

— Привет, — через мгновение сказала она.

Аналиса улыбнулась Баттонз. Калеб попытался спрятать улыбку.

— Это Баттонз, — представила девочку Анника. — Племянница Бака. Мы с ним удочерили ее. — Взглядом она попросила Бака присоединиться к ней.

— А я Бак Скотт, — сказал он, подойдя к дивану.

Остановившись подле Анники, он положил ей руку на плечо.

Калеб наконец вспомнил о своих манерах и поднялся. Он не предложил Баку руки, лишь смотрел на него не отрываясь.

Анника встала и взяла Бака под руку.

Аналиса с тревогой посмотрела на мужа и дотронулась до рукава его сюртука.

— Калеб...

Зная, что отец ее был известен своим терпением, когда работал в бюро по делам индейцев, и надеясь, что проявит его и сейчас, Анника поспешно произнесла:

— Бак любит меня, папа. И я люблю его. Я объяснила вам почти все в своих письмах. Он похитил меня по ошибке, но, так как перевал занесло снегом, он не смог отвезти меня назад. А со временем мы полюбили друг друга. — Она пожала плечами и улыбнулась. — Все очень просто.

— Ну, я бы не сказал, что все так уж просто, — проговорил Бак.

Аннике хотелось его ударить.

— Да? — Калеб холодно посмотрел на Аннику.

Бак поправил воротничок, который душил его, сдавливая шею, и выпалил:

— Она в положении, мистер Сторм.

Анника все же ударила его в бок, но он сделал вид, что ничего не заметил.

— Ребенок? — прошептала Аналиса, переводя взгляд с Анники на Бака и обратно.

Баттонз начала прыгать вокруг их колен, крича:

— Ребенок! Ребенок!

— Баттонз! — прикрикнул на нее Бак. — Успокойся.

Молча Анника подхватила девочку и сунула ее Баку.

— Поставь меня на пол! Поставь меня на пол! — завопила Баттонз.

— Баттонз, клянусь, я... — грозно произнес Бак.

В отчаянии Анника посмотрела на мать.

Это была ситуация, с которой, как знала Аналиса Сторм, она могла справиться. Мгновенно почувствовав уверенность, она принялась наводить порядок. Протянула руки к Баттонз, которую Бак с радостью ей передал, и, нежно заговорив с ней, сразу же ее успокоила. Затем, все так же ласково прижимая к себе ребенка, повернулась к мужу.

— Калеб, а не выйти ли тебе с мистером Скоттом...

— Зовите меня просто Бак, мэм.

— ...С Баком на веранду и там обо всем поговорить с ним без помех? Мы с Анникой в скором времени присоединимся к вам. Сделай это для меня. И, пожалуйста, держи себя в руках.

Мужчины направились к двери, и Анника крикнула вслед отцу:

— Не обижай его, папа.

Калеб окинул взглядом мощную фигуру зятя и с укоризной посмотрел на дочь.

— Думаю, о своем муже тебе не стоит беспокоиться, дорогая. А ты уверена, что я буду в безопасности?

На лице Анники, в первый раз с начала тягостного разговора с родителями, появилась улыбка.

— Уверена, папа.

С этими словами Анника повернулась к Аналисе, которая уже спустила Баттонз на пол и теперь брала у нее игрушки, которые по одной приносила ей девочка. Анника сгребла в угол дивана куклу, книжку о домовых и игрушечную щетку для чистки полов и села рядом с матерью.

— Мама, я надеюсь, ты простила меня?

На лице Аналисы появилось изумленное выражение.

— Но мне не за что тебя прощать.

— Разве? — Анника покачала головой. — Я не хотела обижать вас с папой, зная, о какой свадьбе вы для меня мечтали, но, ввиду моего положения, мы с Баком решили пожениться как можно скорее.

— Я понимаю. — Аналиса взяла у Баттонз деревянную резную лошадку и, выразив свой восторг улыбкой, возвратила девочке.

— Мама... — Анника на мгновение умолкла, подыскивая слова, которые наиболее точно передали бы то, что она чувствовала. — Я всегда думала о твоей жизни в Айове, как о волшебной сказке, а о тебе, как о принцессе из этой сказки. До того, как я попала в Блу-Крик, я не могла себе даже представить, насколько тяжелой была твоя жизнь. Мне так жаль, что с тобой такое случилось.

Аналиса обняла дочь и прижала ее к груди.

— Не жалей меня, Аннемек, потому что сейчас я совсем не твоя принцесса из сказки. У меня есть твой отец, Кейс, ты. У меня есть Роза с Джозефом, а теперь и эта прелестная девочка и ребенок, который еще только должен появиться на свет. И этот твой Бак Скотт, которого ты так сильно любишь. — Аналиса улыбнулась. — Ты, должно быть, думаешь, что сейчас, когда ты сама несколько месяцев прожила в подобной лачуге, ты все понимаешь? Открою тебе небольшой секрет. Иногда я вспоминаю о годах, которые провела в той жалкой хибаре, и, хотя жизнь моя была неимоверно тяжелой, воспоминания эти светлые, потому что у меня был Кейс. Когда ты лишен всего и у тебя есть только любовь, она бесценна, я права?

— Да, мама, — Анника высвободилась из объятий матери, — ты права, любовь бесценна. Но жизнь в Блу-Крик научила меня не только этому. Плохое нередко соседствует с хорошим, и, когда тебе кажется, что все плохо, ты должен выждать некоторое время,

прежде чем окончательно падать духом, поскольку
неприятность может совершенно неожиданно обер-
нуться благом.

— Ты будешь мудрой матерью, — улыбнулась
Аналиса, смахнув с щеки непрошеную слезу.

С веранды донесся громкий смех мужчин.

— Похоже, твой отец забыл о своем гневе, — сказала Аналиса.

— На Бака трудно долго сердиться, — признала
Анника. — Почему бы нам не присоединиться к ним
сейчас, когда тучи рассеялись?

— Ты им понравился, — сказала Анника.

Бак снял с себя рубашку и забросил в дальний
угол.

— Это чувство взаимно, но мне бы хотелось, чтобы твой отец перестал пялиться на меня каждый раз,
когда ему кажется, что я этого не вижу.

Анника расправила подушку Бака.

— Я не заметила.

— Он таращился на меня весь обед.

— Он просто к тебе еще не привык.

— Мне кажется, он никогда не привыкнет к мысли, что мы спим вместе. — Бак откинул простыню
и скользнул в постель.

— Может, все отцы такие? — Анника пожала плечами. — Никак не могут поверить, что их дочки действительно с кем-то спят. Но он в восторге, что ты
будешь изучать медицину. И мама тоже.

— Они отреагировали на наше решение остаться
здесь лучше, чем я ожидал. — Бак привлек ее к себе
и поцеловал. Анника поцеловала его в ответ, но,
почувствовав, как его язык скользнул между ее губ,
застыла.

— Что-то не так?

— *Мои родители* в соседней комнате.

— Ну и что?

— А то, что я не могу этим заниматься.

Он поцеловал ее в шею.

— Заниматься чем?

— Этим! — Она попыталась вывернуться, когда он спустил ей рубашку с одного плеча и прижался губами к груди.

— Ты шутишь?

— Нисколько. Что, если они слушают? — Она схватила его за волосы и оторвала от себя.

Он сделал вид, что прислушивается.

— Я ничего не слышу.

— Вот именно. Потому что они слушают.

— Я так не думаю.

Анника почувствовала, что начинает таять от его ласк.

Бак снова поцеловал ее в грудь, и она обняла его за шею.

— Чувствуешь себя лучше? — Он снова забрал в рот ее сосок.

По ее телу прошла дрожь.

— Ты будешь все делать тихо?

— Я попытаюсь. А теперь закрой глаза. Очень скоро, обещаю, ты и думать забудешь о том, слушают они или нет.

Анника закрыла глаза, и Бак выполнил свое обещание.

ДЖИЛ МЭРИ ЛАНДИС

**ПРИДИ, ВЕСНА**

Роман

Ответственный за выпуск *Е. Мурзо*
Младший редактор *Е. Воробьева*
Художественный редактор *А. Моисеев*
Технический редактор *Г. Каляпина*
Корректоры *Е. Белоусова, С. Григорьева*

Лицензия ЛР № 070099 от 03.09.96 г.
Сдано в набор 14.05.97 г. Подписано в печать 03.07.97 г.
Формат 84x108$^1$/$_{32}$. Бумага газетная. Гарнитура Бодони.
Печать офсетная. Усл. печ. л. 26,04. Уч.-изд. л. 22,03.
Тираж 11 000 экз. Изд. № 97-91-Р. Заказ № 2602. С 683.

Издательство «ОЛМА-ПРЕСС»
103030 Москва, Новослободская, 18

Полиграфическая фирма «КРАСНЫЙ ПРОЛЕТАРИЙ»
103473 Москва, Краснопролетарская, 16